瑞安林景伊教授八十冥誕紀念論文集

邱創煥敬題

國立中央圖書館出版品預行編目資料

瑞安林景伊教授八十冥誕紀念論文集 / 陳立夫等
著. -- 初版. -- 臺北市：文史哲，民82
　　　面；　　公分
　　ISBN 957-547-847-9(精裝). -- ISBN 957-
547-848-7(平裝)

　　1. 林尹 - 傳記　2. 中國文學 - 論文，講詞
等

820.7　　　　　　　　　　　　　83000847

瑞安林景伊教授八十冥誕紀念論文集

著　者：陳　立　夫　等

出版者：文　史　哲　出　版　社

登記證字號：行政院新聞局局版臺業字五三三七號

發行人：彭　　　　正　雄

發行所：文　史　哲　出　版　社

印刷者：文　史　哲　出　版　社
台北市羅斯福路一段七十二巷四號
郵撥〇五一二八八一二彭正雄帳戶
電話：三　五　一　一　〇　二　八

中華民國八十二年十二月初版

精裝定價新台幣六〇〇元
平裝定價新台幣五〇〇元

序言

林公景伊夫子出身瑞安學術世家，叔父公鐸先生爲當世名儒，而所師承者蘄春黃季剛先生，秉持餘杭章太炎先生一脈相傳之餘緒，將前清乾、嘉以來植根於文字、聲韻、訓詁之篤實學風，承傳弘揚迄今，景伊夫子可謂功不可沒。

自民國四十五年，設立臺灣師範大學國文研究所以來，初期十七年間，由同出黃門之高郵高師仲華與景伊夫子先後主持學政，繼而政治大學、文化大學亦成立中文研究所，皆由仲華師與景伊師悉力策劃，苦心經營，遂奠定臺灣高等教育國學研究之基石，陸續培植不少頗具國學根柢之學術人才，蔚爲近數十年學術文化之重鎭。今景伊師與仲華師均已先後謝世，遺留學術文化之精神典型，有待吾輩後學弟子黽勉以赴，庶不負師長當年戮力開創之勞與辛勤教誨之恩。

景伊師誕生於民國前二年農曆十一月初五日，逝世於民國七十二年國曆六月八日，至七十八年冬，適值八十冥誕，同門諸學長咸認景伊師生前對國學人才之培育、傳統學術之倡導及中國文化之發揚，皆貢獻卓著，爲崇仰師德，感懷師恩，宜有紀念活動，並期望臺灣師範大學國文研究所負責籌劃。當時余適承乏師大國硏所所務，遂以此意與景伊師家屬：長公子耀曾、長女公子慰曾、三公子煥曾、長女婿林先生雲傑等分別聯繫，並共同商議紀念活動之方式與內容，當時尚有東吳大學中文系黃登山教授代表中硏所林所長炯陽參與協辦。

當時商定紀念活動方式如下：

第一、舉行紀念會：由師大國文硏究所負責辦理，並選定十二月三日下午在師大綜合大樓國際會議廳舉行，廣邀景伊師生前友好及門生與會。

第二、舉行誦經法會：由家屬自行辦理，定於十二月三日上午在台北市吳興街松山寺舉行。

第三、廣徵紀念文及論文：紀念文於冥誕前數日，分別在國內外如青年日報、美國紐約華美日報、香港萬人日報等報刊上刊出，學術論文則留待日後編成紀念論文集，以資永久紀念。

上述第一、二項紀念活動，皆於當年十二月三日順利舉行，而第三項紀念論文集編印工作，因徵集文稿、搜羅資料及籌集經費等均頗費時日，歷經兩年有餘，始陸續彙齊及解決，遂續由余進行稿件及資料之整理編輯，並商請文史哲出版社承印。

本論文集除題辭、題詩之外，並收紀念文十七篇、學術論文十四篇，約三十六萬言。感謝各位作者的關注和撰稿，且紀念文與論文中，有遠自大陸、韓國、香港及臺灣各地寄來的文稿，足見大家對景伊師懷念情意之深；也感謝老師家屬提供有關資料及印刷費用，文史哲出版社彭正雄先生慨允承印，也值得感念。今當付梓之前，謹略述景伊師師承淵源、紀念活動籌備情形及本論文集徵文編印始末如上，藉以永久紀念吾師生前關懷學術文化、務使學術傳統與文化精神永傳後世之懷抱，並以告白於關心此論文集出版之前輩先生及同門諸學長。

中華民國八十一年歲次壬申孟冬受業王熙元
謹序於國立臺灣師範大學文學院

瑞安林景伊教授八十冥誕紀念論文集

目次

序言……王熙元……一

題辭

嚴家淦……二
陳立夫……二
劉闊才……三
姜竹梅……四
潁秀等……五

題詩

景伊先生八十冥誕……何宜武……七
景伊七十四冥誕詩以懷之……高　明……八
景伊師八十冥誕……陳新雄……九
景伊師八十冥誕步來玉原均……方鏡熹……一〇
紀念林尹教授八十冥誕……高明誠……一一

紀念文

敬悼林景伊兄……陳立夫……一三
展現中國文化之光輝……邱創煥……一六
林老師對教育學術文化的貢獻……王熙元……一九
積學以儲寶、酌理以富才……陳新雄……二四
念林景伊師……金榮華……二八
學壇憶往……黃慶萱……三〇
永懷景伊夫子……徐芹庭……三四

文學因緣……黃永武……三八
日月光輝　冰雪皎潔……黃登山……四五
蟠胸萬卷　在手一杯……鄭向恆……四八
父親八十冥誕抒感……林慰曾……五六
風木哀思……林煥曾……六〇
親切的教誨　深沉的懷念……錢學津……六三
我的大舅父林尹……王維弼……六六
魂兮歸來—懷念我的舅父林景伊先生……王梓秀……六八
豪情不羈、辯才無礙的名教授林損……潘善庚……七三

學術論文

群經通義……胡自逢……七七
周易數象與義理……黃慶萱……二〇五
易經河圖洛書之淵源……徐芹庭……二五九
詩蓼莪缾罄罍恥喻義辯……王關仕……二八三
述舊德……李雲光……二八七

試論老子首章的句讀問題……胡楚生……二九三
莊子本體論之探究……陳品卿……三〇五
漢魏六朝文學小考……洪順隆……三一三
葉燮詩學概述……羅思美……三四一
萬錦情林初探……王三慶……三五七
黃季剛登高絕筆遺墨研究……黃坤堯……三九三
渡江書十五音初探……姚榮松……四〇七
高麗初期的文風和國外交流……李慧淳……四三一
退溪的兩個詞彙特性……竺家寧……四五三

照　片

與陳前副總統辭修晤談

全家三代在庭院合影

與夫人子女在室內合影

墨跡

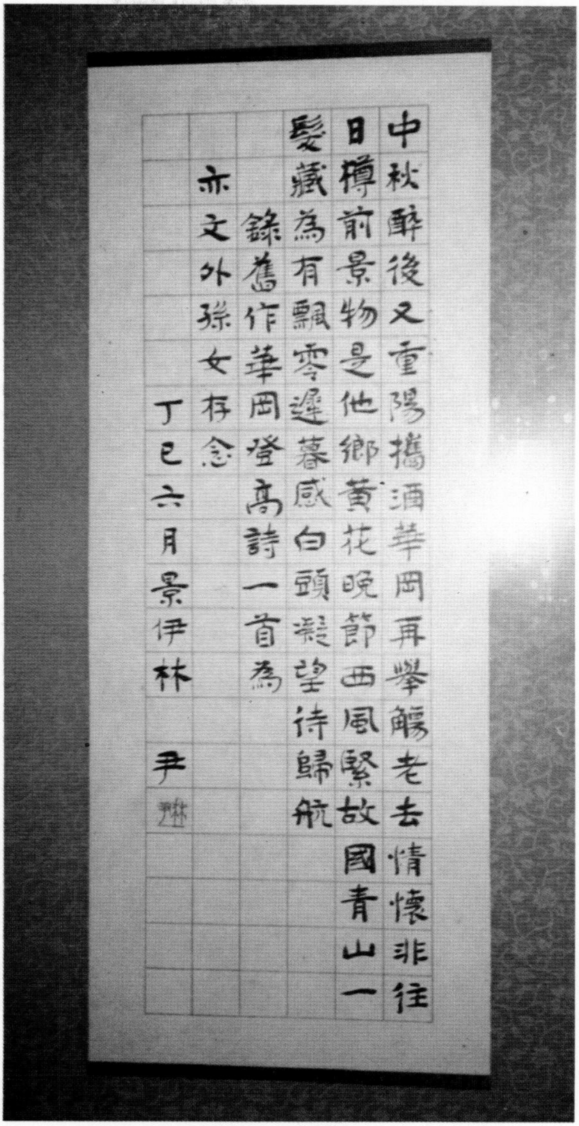
中秋醉後又重陽攜酒華岡再舉觴老去情懷非往
日樽前景物是他鄉黃花晚節西風緊故國青山一
髮藏為有飄零遲暮感白頭凝望待歸航
錄舊作華岡登高詩一首為
亦文外孫女存念
丁巳六月景伊林
尹

贈詩外孫女亦文

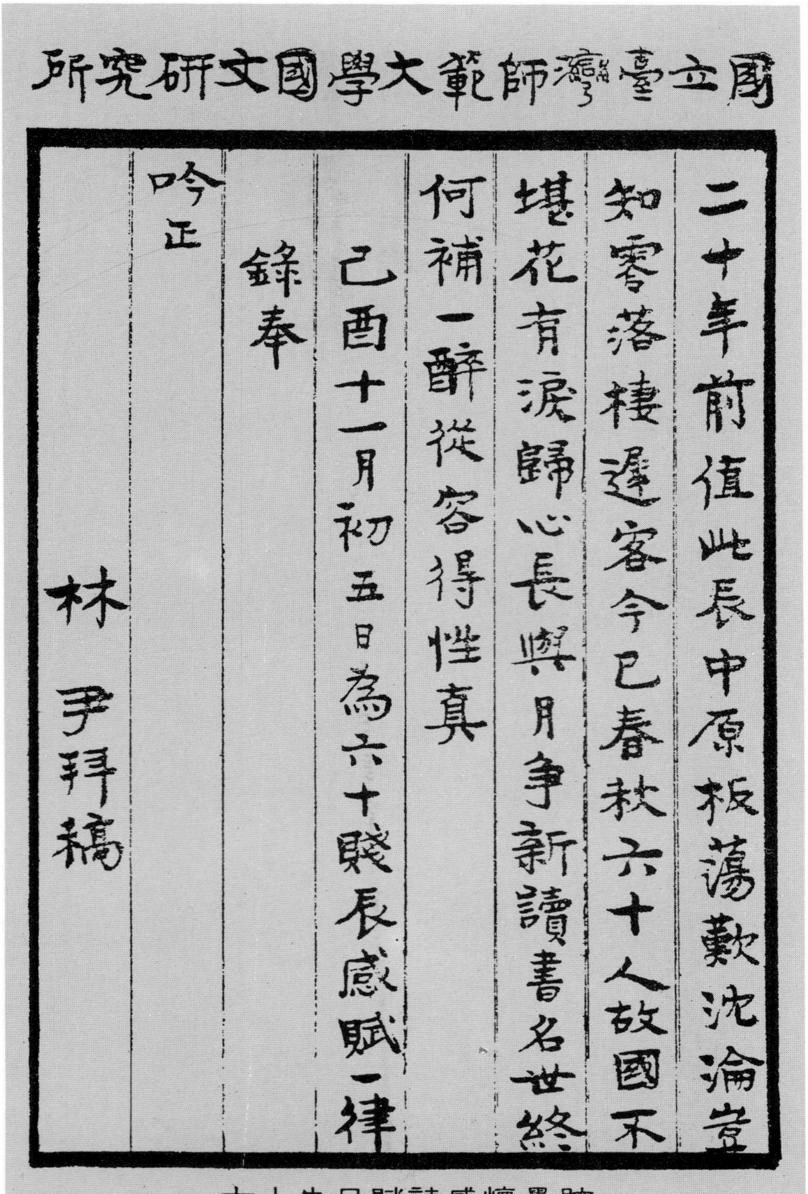
國立臺灣師範大學國文研究所

二十年前值此長中原板蕩歎沈淪豈知零落棲遲客今已春秋六十人故國不堪花有淚歸心長與月爭新讀書名世終何補一醉從容得性真

己酉十一月初五日為六十賤長感賦一律

錄奉

吟正

林尹拜稿

六十生日賦詩感懷墨跡

景伊先生八十冥誕

碩學流徽

嚴家淦

復興中華文化首在重視國文之教學林景伊兄於此有大功焉集論文以紀念之使之功垂不朽宜也！

林尹先生逝世十周年紀念論文集

陳立夫題 時年九十

景伊教授八十冥誕紀念

博覽羣籍　都講上庠
經師垂則　弘道流芳

劉潤才敬題

追懷義父瑞安林景伊先生八十冥誕

恩深似海

曾蒙嘉許鳳騫翔　六載懷恩倍感傷
恩深似海從難忘　痛灑臨風淚萬行

義女
姜竹梅

拜輓

挽景伊吾舅並跋

胸中星宿羅五千卷而有餘

筆底煙雲起八代衰而無比

外甥女頌秀　子張堅
婿毓凰　率　媳建虹
　　　　　　女張慧
　　　　　　婿秉光

跋曰：

遠唐韓愈習六經而通百家，其文深探本源，閎深奧衍，人贊能起八代之衰。今景伊吾舅當代鴻儒也。其經才緯抱學貫古今，著筆亦每每文藻横逸，詞源直瀉，尤以小學經學訓詁等名重青油，實不遜古之昌黎也。堪當《起八代衰而無比》之譽。時欣逢吾先舅八十冥誕，文人匯萃，華章雲集，褎黎幸承：共詠世德之駿烈，同誦先人之清芬。此固親情舊雨念茲在茲之衷也，然吾舊學墳典、禮教國萃焉不乘時而弘揚哉？此國之幸也。惜乎以餘碌碌，不克稍博顯揚，更嘆關河修阻，罔遂親秦束芻於靈幾之願。嗚乎，撫手澤而神往，睹遺容而默然。是以特具棖儀，聊申遙祭。

愚外甥女頌秀沐浴熏香載拜紀元一九八九年十一月十一日

景伊先生八秩冥誕

舉世尊賢達　槃槃孰與儔
等身遺鉅著　笥腹領清流
壇坫延先緒　上庠肇厥修
今朝酹酒奠　不盡懷前猷

何宜武敬輓

高明

壽林景伊七十

歲寒三友共欣欣，七十如今又到君。曾入狴犴因抗日，尚存意氣可干雲。老來筵席挑燈酒，喜見庭蘭散馥芬。世道衰微須我輩，相攜老耋衛斯文。

景伊七十四冥誕詩以懷之

記君七十盛開筵，此日思君淚獨懸。攜手當年扶正學，吟箋一握賸殘篇。同門凋謝誰堪語，論道淵玄孰比肩。縱使天人成永隔，風神長在我心邊。

景伊師八十冥誕

惆悵先生今八十　難持玉杖共傾觴
往年絳帳如潮湧　近歲慈容入夢長
每念深仁春浩蕩　惟將傳世學宏揚
瑞安師說光天下　乃我心頭一瓣香

己巳十一月初五日弟子陳新雄稿

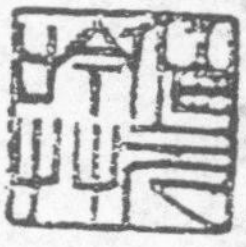

景伊陸八十冥誕步東玉原均

先生教載聖庠序　冥壽八旬逢奠觴
指畫口傳標目語　心儀膺服比天長
餕餘飣餖都珍貴　桃李芬芳足發揚
嗟我只能嘗一勺　同蹊枝葉得分香

己巳冬月秋鄂

伯元學長吟正

弟方鏡臺貢稿

紀念林尹教授八十冥誕

天降斯人八十更　誕辰追念動吟情
傳經夙振尼山業　解字恆揚叔重名
劫後文章留正氣　臺前翰墨發新聲
欣欣桃李祈冥福　合向瑞安壽一觥

再傳弟子高明誠
十一月卅日敬步伯元

敬悼林景伊兄

陳立夫

景伊與予，定交於抗日方殷之際，論道於反共復國之秋，四十餘年，始終無間，晚歲更結兒女姻親，過從彌密，交誼彌篤，而相知益深，序年齒，景伊少予十歲，然道義文字因緣，渾然忘年矣。予本習礦冶，因蒙先總統　蔣公特達之知，棄其所學，投身革命行列，從事軍事黨政工作，用非所學，實出無已，惟于革命工作體驗中，發覺中國之患，在於民族文化精神之式微，喪失自信，自我迷失，因而數典忘祖，逐物遺則，於是共產邪說，遂乃乘虛而入，馴致今日陸沉之禍，而振之之道，莫尙乎「從根救起，迎頭趕上」八字箴言，有同感焉，五十五年余返國以新著「四書道貫」爲　蔣公祝壽，同時應各方邀請，一月之間，作七十餘次之講演，因過度勞累而得肝病，景伊遂語予曰：「兄力竭聲嘶，作異地異人之講演，恐其過耳輒忘，難於生根，何如就各大學博士班，連合開堂授課，薪火相傳，事半功倍」。予本無意教學，因重其言，於返國同居之後，在師大授「人理學」一課，以迄於今，政大、文大博士班學生，均參加焉。

追念廿六年夏，抗戰軍興，景伊盱衡時艱，以經師而兼人師，獨排異端，取黃帝冑胤寓義，創辦

「黃胄周刊」。闢邪放淫，鼓吹正氣，砥柱中流，予夙仰其器識過人，愛國恐後，廼邀共赴平津負責民訓工作，以配合戰爭，翌年秋，蒙總裁　蔣公特令爲漢口特別市黨部主任委員，兼綰敵區游擊工作，不久漢口淪陷，景伊以書生報國精神，抱赴難之決心，託身虎穴，周旋敵僞，出奇蹈險，屢建殊勳，凡六蒙　蔣公嘉獎，敵僞亦引爲巨患，密張羅網，必欲得之而甘心，卒於卅年四月，劫持景伊入獄，由漢而寧，再轉滬上，獄中，威脅利誘，未嘗稍屈，死志旣堅，嘗作絕命詩以明其志，忠義之槪，溢乎文辭，中央旣愛其才，復憫其志，經營佈置，卒能脫險生還，亦良由景伊之大義不屈，懾服敵僞，有以自脫之。景伊爲人行與俗遠，性情率眞，好學不倦，志在山林，暨乎勝利還都，膺選爲國民大會代表。

至卅八年神州陸沉，景伊挈眷來臺，雖家計浩繁，意灑如也，居常薄酒一杯，在手一卷，自得其樂，而衛道愛國之心，未嘗稍改，嘗梓行「民族正氣」，以勵厥志。景伊之學，出於餘杭章氏，蘄春黃氏，乃父乃叔，皆爲一代名家，故其學無所不窺，尤以嫡傳文字、聲韻、訓詁之學名世，卅餘年來，以絕學教授上庠，著述等身，主持前所未設之國文研究所，始終如一，方今桃李盈門，群材濟濟，普遍執教于國內各大學，時人以文學博士之父譽景伊者，信非虛語。

民國四十八年，先總統手令成立孔孟學會，景伊即當選理事，獻力實多。五十九年，當毛共批孔揚秦之風正熾，而西國馬德里大學及中國學術研究院，竟不顧中共之阻撓，邀予與景伊前往講學，其時西國總理被刺，政局阢隉不安，仍復公開講述孔學，批評毛共邪說，撫今回想，實不可忘。

去年秋，中美兩國朝野人士於舊金山發起祭孔大典，予以事不克赴會，遂由景伊代表孔孟學會參加，洙泗之教，遠播新陸，乃景伊所朝夕企盼者也，不意仁風方振，正義甫萌，三民主義大一統之局爲期不遠。惜景伊竟不及見焉，今也士失良師，國喪碩儒，斯人雖遠，典型猶存，名山事業，當復能薪火相傳、永垂不朽耳。（轉載七十二年七月五日中央日報）

展現中國文化之光輝

——林教授景伊先生八十冥誕紀念文

邱創煥

今歲十二月二日爲前國立台灣師範大學國文研究所林故所長景伊先生八十冥誕，先生畢生獻身教育，歷時達五十餘年，學淵識達，春風化雨，不僅爲當代之大儒，且是古今之賢哲，創煥有幸於民國四十三年就讀國立政治大學研究所，受業門下，親聆教誨，於先生之品德、學識，知之甚詳。受之甚深，蒙其薰陶，眞是受益良多。

教育乃傳道、授業、解惑之聖業，更爲百年樹人之大計，先生年甫弱冠，即任教職，終其一生，不離其志，其循循善誘、誨人不倦之精神，深得青年學子、中外人士之愛戴與歡迎，尤其先生言教身教兼具，凡受業門下諸生，均受其風範德澤感召，創煥服務公職多年，所以能秉持一貫的態度與作爲，受先生之影響與啓發尤深。

先生不特天才瑰瑋，聞先廣博，且風範卓犖，忠公愛國。當年抗戰軍興，先生以強幹能任，才逸群倫，受樞府特達之知，受命危難，託身虎穴，而志不少怯，與強寇周旋，出奇蹈險，屢建殊勳。後遭敵僞劫持，脅誘百端，而先生秉正氣，厲冰雪，終不爲所屈，並於獄中作絕命詩以明志，其浩然之氣、忠貞之節，慷慨壯烈，眞可與文文山、史可法等先賢先後相輝。創煥每一念及　先生忠義，輒爲之肅然起敬。

回憶先生當年於從學諸生，不僅平素嚴其課程，勤於教誨，且畢業之後，尤汲汲爲之推荐工作，務使適才適所。杏壇春暖，故學生聞風嚮慕，敬愛殊深，咸謂先生不僅培育多士，作則儒林，而愛護人才，獎掖後進，且能化俗正風，有助中興。創煥歷任公職，時時留心人才並加獎掖，亦時以先生當年培育學子爲念。

民族文化，乃立國之大本，先生爲維護中國文化不遺餘力，尤對人文精神之闡釋，更有獨到之處，先生以爲：「人文精神」乃中國文化之特點，此精神不僅見諸於國人之宗教、道德、社會各方面，且支配中國人在藝術、文學之領域，故重視品德修養、性靈啓發與思辨能力激勵之儒家思想，仍爲當今現代中國人認識自己、開創人際關係之重要內涵。

嘗憶昔日先生每課諸生，時時以發揚固有文化相期勉，並實踐力行，於義理、詞章、考據，皆有專門著述，而著作等身，猶讀書進修不輟。先生所著中國學術思想大綱、中國聲韻學通論、文字學概說、訓詁學概要、周禮今註今譯、兩漢三國文彙、中文大辭典、景伊詩鈔等不僅論析精闢，且題旨宏遠，具見先生在文字、訓詁、聲韻卓越造詣之外，尤能辭令縱橫、妙義風發，苟非滿腹經綸，蟠胸萬卷，又如何能夠臻此？

先生主張人文與科技竝重，曾以莊子：「有機械者必有機事，有機事者必有機心」闡述科技與人文必須均衡發展，始能爲中國文化開展活潑文化之風格。

先生一再強調：「就人類文化發展軌跡得知，一個國家在推動物質建設的同時，必須相對提升國民的文化內涵，始能日益強大，……無止盡的任由物慾泛濫，必將造成人民行爲規範的廢弛，引發社會的動盪不安……」盱衡當今，臺灣社會正面臨轉型期之挑戰，未來國家能否在激烈競爭環境中脫穎而出，端賴國人是否能儘速建立衆所認同的現代社會倫理，猶記先生謂：「歐洲工業先進國家在實現「富裕」生活同時，也十分重視生活的「精緻」，經由一種有意識地執著於生活與創造的藝術化和道德化，中國人「衣食足而後知榮辱」的準則卻在歐洲人生活上實踐，他們重視社會參與、觀念啓發、自然生態保育及人性尊嚴的文化涵養深值國人效法與反省。」而今每一思及　先生昔日話語，愈覺其言之中肯與可貴。

人生之價值，端在德行、功業、著作，蓋人壽有時而盡，榮樂止乎其身，未若德業文章之無窮。若先生之德業，必炳耀於青史；若先生之文章，亦已望重於士林；後之弟子，將必衍續發揚，增益耿光。哲人日已遠，典型在夙昔，先生展現中國文化之光輝，亦將永留後人無盡之追思。

林老師對教育學術文化的貢獻

——林故所長景伊先生八十冥誕紀念會講辭

王熙元

瑞安林老師景伊先生，擔任國立臺灣師範大學國文研究所所長，先後達十三年之久，時間是民國四十九年八月到六十二年七月。在林老師主持所務的十餘年間，於教育方面，對國學人才的培養；於學術方面，對傳統國學研究的倡導；於文化方面，對中國文字、文化精神的發揚，各具有顯著的貢獻、深遠的影響。在今天紀念林老師八十冥誕的時候，謹以受業弟子之一的感受以及基於現任所長所體認的一份承先啓後的責任感，就以上三方面提出綜合報告，以表示做學生的一份懷念景仰的心意。

第一、在國學教育方面：林老師畢生大多數時間都從事教育，在教育界服務數十年。早年從北平中國大學國學系、國立北京大學國學研究所畢業後，曾先後擔任河北省立大學、金陵女子文理學院、東北大學、國立北平師範大學、國立四川大學等校教授。

民國三十八年政府遷臺後，又先後出任國立政治大學政治研究所教授、國立臺灣師範大學國文研究所教授兼所長、政治大學、東吳大學、輔仁大學、中國文化大學中文系所教授，並兼文化大學中國文學研究所博士班主任等職務。

在數十年的教學生涯中，林老師教誨、培植的國學人才不計其數，堪稱「桃李滿天下」。他所教育、指導出來的學生，獲得博士學位的有六十餘人，獲得碩士學位的多達三百餘人，他們絕大多數都在國內外大專學校任教，繼承老師的教育精神，從事教育事業。弟子中頗多極有成就的學者與政界人物，如第一位國家法學博士周道濟先生、第一位國家文學博士羅錦堂先生、現任臺灣省政府主席邱創煥先生等，都曾接受老師的教誨。

尤其值得一提的，是老師的教化更遠播異域，弟子遍及美國、日本、韓國、新加坡、香港等地，尤其是韓國，全國有四五十所大學設有中文系，系主任大多出身師大國文研究所，他們或早年曾直接接受老師的教導，或是老師的再傳弟子，而老師所培育的國學教育種子，已散播到世界各地，並開花結果。

回顧林老師當年嚴加督教、辛勤培育的許多國學人才，近三十年來，國內主持中文系所的主任、所長，大多出於老師門下，而中文學界教授，有不少是老師的學生，他們同樣擔當教育下一代繼起人才的使命，這種人才欣欣向榮的現象，應當歸功於當年林景伊老師、高仲華老師對研究所教育的苦心經營與學術人才的辛勤栽培，才有今天這樣昌盛的局面，我們飲水思源，不能不深深感謝臺灣四十年來國學教育界的先進——林景伊老師。

第二、在傳統學術方面：林老師家學淵源，出身瑞安學術世家，其學術傳統，自章太炎先生、黃季剛先生而來，並盡傳其文字、聲韻、訓詁之學。追溯其淵源，則是從明末清初顧亭林以及乾嘉學派一脈相傳而來，以小學爲學術的根柢，由此以昌明經學，弘揚孔學。此外，林老師還精通老莊之學，詩宗元遺山。

老師生前在師大國文系所講授的課程，包括訓詁學、說文研究、廣韻研究、古音研究、中國文字綜合研究等，尤其對前清乾嘉以來傳統聲韻學的講述，並引發學生研究的興趣，在國內曾形成一種風氣，也培養了不少這方面的學術專才，至今在各大學中文系擔任這方面課程而挑大樑的教授，在這方面從事學術研究而有大成的學者，大多是林老師的弟子。

老師幾本寫得很精粹的學術著作，如《中國學術思想大綱》、《中國聲韻學通論》等，都被學生們普遍閱讀，所以流傳極廣。當年在政大擔任政治研究所所長的浦薛鳳先生，與老師素不相識，就因爲看了《中國學術思想大綱》這本書，而欽佩老師的學術見解，因而特別延聘老師到政大政治研究所講授「中國政治思想史」，邱創煥、周道濟、馬起華、陳水逢、陳寬強、雷飛龍、傅宗懋諸位先生，都是那時老師教過的學生，如今都各有成就。

老師生前特別而且常常強調的，是學術上承先啓後、繼往開來的精神，老師不但自己完全做到了，而且也一再啓發、勉勵他的學生能擔當學術承傳的使命，誠如莊子所謂薪盡而火傳，這是中國學術發展的傳統精神，也是中國士人莊嚴的文化使命感。

第三、在中國文化方面：弘揚中國文化是林老師畢生懷抱的願望，也是他終生努力以赴的目標。生前對維護中國文字與中國文化，可說不遺餘力，平常教學閒談，也常以此殷殷期勉學生。

老師深深體會到：文字是文化的命脈，而文化是國家民族的命脈，如果文字遭到破壞，則文化的命脈將面臨斷絕的危機，故對中共的簡化漢字與國內人士之主張採用簡體字，都深惡痛絕，於是結合友好門生共同組成「中國文字學會」，發起聲討簡體字運動，以維護固有文字為己任，曾編成《中國文字論集》出版。如今「中國文字學會」仍然繼承這一精神，將於本月十七日與臺灣師範大學合辦「第一屆中國文字學術研討會」，研討的主題是「中國文字的未來」，子題是「正體字與簡體字」、「中國文字與電腦資訊」。

林老師對維護固有文字方面，還有一大貢獻，是接受教育部委託，領導研究所學生，整理中國文字，研訂國字標準字體。經過歷任所長的繼續推動，如今已編成常用、次常用、罕用及異體字表，由教育部頒布，全國遵行；國內與國際電腦字體，也都以這一套字體為標準，因而奠定了國字永固的基礎，也為國字的標準化與統一化作出了開創與奠基的貢獻。

林老師對宣揚中國文化的努力，一向從未懈怠，在這方面的貢獻，最顯著的莫過於《中文大辭典》的編輯出版，這是一部大部頭、集大成的辭書，由林老師與高仲華老師共同主持編纂，由前教育部長、中國文化大學創辦人張曉峰先生大力支援，投入了龐大的人力物力，編成出版後，行銷海內外甚至大陸地區，歷數十年而不衰，至今還沒有一部中文辭典，在內容與規模上能夠超越它。後來又陸續編成《大學字典》、《國民字典》等，對普及與弘揚中國文化，具有顯著而深鉅的貢獻。

老師又深知中國文化的精神，以孔孟學說為中心，故頗致力於孔孟學說的發揚。「孔孟學會」成立後，老師歷任數屆常務理事，輔佐陳大齊、曾約農、陳立夫諸位先生，處理學會會務，並風塵僕僕，不辭辛勞，先後代表「孔孟學會」遠赴美國、西班牙等國，宣揚孔孟學說，使外國人也知道尊孔崇孟，對孔孟學術思想的恢弘，著有推廣傳播的功勞。

老師生平著作等身，除專著外，所發表的學術論文，都環繞在中國學術、尤其是中國文字與中國文化的重心上，如〈中國文字的功用〉、〈中國文字與中國文字學〉、〈中國文字的條例及其特性〉、〈孔孟學說與中國文化〉、〈光復大陸後的教育文化問題〉等等，可見老師對中國文字與中國文化問題特別關注，而老師這一志業，也引導我們學生在中國文字與中國文化方面作更多的投入，並作爲終身研究與弘揚其價值的人生目標，而持之以恆地努力以赴。如今，許多學長們正繼承老師的遺志與精神，對中國學術文化作恆久的耕耘，爲中國文化的復興繼續奮鬥，希望達成老師生前所期望的「承先啓後，繼往開來」的學術與文化薪傳的使命，相信老師地下有知，必然感到無限欣慰，這是我們永久紀念老師最好的獻禮。

積學以儲寶・酌理以富才

陳新雄

民國四十四年（一九五五）秋，我考取國立台灣師範大學國文系就讀，當時國文系系主任潘重規教授，在與新生個別面談時，曾問我讀過甚麼書？說來慚愧，那時候撤退到台灣不久，一切生活條件都非常差，連買日常上課用的教科書都感捉襟見肘，甚至要向他人借。所以除了教科書外，實在沒有讀甚麼書。因此，我常常感到像我們這一代讀中文系的人，可以說是先天不足，假若再不知努力，弄得後天再失調，我們還能學到些甚麼呢？

初初上課，抱著一顆好奇的心理，希望探索大學教授們的滿腹經綸。漸漸地被我發覺，儘管課程不同，教師不一，但有一點是相同的。那時候我們的每一位老師，都強調文史不分家，認爲學習文學，必須具有歷史的通識。因此都諄諄訓導我們，在大學四年中，無論如何，一定要把資治通鑑讀完。唐師士毅且謂，人而不讀通鑑，不得爲通人。既然所有的老師都異口同聲地強調資治通鑑重要，我從大一開始就向同鄉前輩胡將軍借閱他所藏的通鑑，每週一冊，看完再換。終於在四年的大學生涯中，看完了二百九十四卷的資治通鑑。其時書向人商借，自不得圈點批註，遇有嘉言逸事，惟有抄錄一途。尤其是對於賈誼、司馬遷、班固、范曄、習鑿齒、司馬光諸人的史論，更是每篇抄錄，同時也模仿前人發表論評，這不但讓我瞭解了史實，而更加強了我的文言文寫作能力。所以從此後，我也津津樂道地勸勉學生閱讀資治通鑑。

大學二年級，是我一生的轉捩點，當時我的恩師林景伊教授應聘來師大授課，課中常強調，讀書必先識字，識字必先明音。而且強調聲韻學的基礎，一定要在年青時打下基礎，以後才能充分運用，作爲治學的工具。林先生爲了鼓勵我們下工夫，還特別買了本廣韻送給我，並題字相勉云：「中華民國四十六年，歲次丁酉，三月廿五日，即夏正二月廿四日，持贈新雄，願新雄其善讀之。瑞安林尹識於臺北。」受到老師的器重，自然不敢妄自菲薄，就像野牛上了軛一般，循規蹈矩，遵循老師的指示，把全本廣韻的反切上字、反切下字均作了歸類，也作了形聲字偏旁分析。在習作的過程中，每遇懈怠偸惰時，師察其情，必諄諄教誨說：「吃得苦中苦，方爲人上人。」並時時以「出乎其類，拔乎其萃」相勉。

語言文字之學，在本質上就比較枯燥，所以先師常說：「如果累了，可看看電影，休息調劑一下。」老師口中所謂的電影，乃指《昭明文選》、《十八家詩鈔》這一類文學書籍而言，並不是眞的去看電影。而且老師還常說，作爲一個國文系的畢業生，應該像戲班子中科班出身一樣，除了拿手好戲以外，其他的戲也可以客串。那就是說，中文系的課程，除了專長課程以外，其他的課目也應具備一定的深度。要做到這一點就必須做到「人一能之己十之，人十能之己千之」的工夫。我在讀《十八家詩鈔》的時候，就每日以毛筆正楷抄寫一首詩爲目標，我的方法是先將各家的詩依韻分類，然後作分韻類抄，因爲我特別喜歡蘇東坡的詩，就從蘇東坡開始著手，每日一首，雖然不多，但是經年累月下來，也就可觀了。

大學三年級的暑假，我本來報名參加青年救國團舉辦的駕駛訓練班，而且也被錄取了。在入營的前夕，景伊師約我吃飯，並說他爲教育部編的兩漢三國文匯需要我幫忙編輯，希望我不要去駕駛訓練班，立刻住到他家去，爲他著手編輯，兩漢三國文匯大約搜集了兩千篇各體文，都是從古籍抄錄下來的，沒有標點，也沒有分段。林先生要我幫他做初步的標點和分段的工作。兩千多篇文章，先生要我每篇先誦讀五遍，然後再標點分段，標點分段完成，再誦讀五遍，經過一年的訓練，對於離經辨志的工作，總算有了心得，而於文言文的寫作，更加深了基礎。

大學四年級時，聲韻學的基本訓練已經完成了。一天，老師對我說：「黃季剛先生曾設計一聲經韻緯求古音表，他的表格是以聲爲經，以韻之開齊合撮爲緯，將廣韻韻紐切語填入表中，由於聲之正變，可考見韻之正變，即一韻之中，全爲正聲，則爲正韻，雜有變聲，則爲變韻。」我聞命以後，用了整整一星期不眠不休，設計出一份《廣韻聲韻類歸類習作表》，並將廣韻韻紐切語一一填入表中，孰爲正韻？孰爲變韻？一目了然。先生看了，大爲高興，說道：「你學已成，我有信心介紹你到大學教聲韻學了。」由於景伊師的推薦，我大學畢業，即受聘爲東吳大學中文系聲韻學講師，當時的我才二十四歲，爲當時最年青的大學講師，也由於這層關係，從此一生與聲韻學就結了不解之緣。

古人說：「教然後知困，學然後知不足」，又說：「教學相長。」由於教後知其困之所生，所以我考入研究所後，就專心從事聲韻學研究，博士論文以《古音學發微》而得國家文學博士學位。當時記者訪問林先生的時候，他曾稱譽說：「青出於藍。」對於老師的期許厚望，終生不敢忽忘。謹將從師學習經過，寫成此篇短記，提供初學入門者的參考，也用以紀念先生八十冥誕。

念林景伊師

金榮華

一九七一年，林景伊老師到美國加州史丹福大學出席中美大陸問題研討會，住在舊金山中國城邊上新建的假日旅館。那時我在柏克萊的加州大學任職，景伊師抵達那天的晚上，我去旅館接他外出吃飯。

我是一九六四年秋冬之際離開台北的，這時和景伊師已有七年不見。景伊師見了我顯得很高興，隨即替我介紹和他同來參加討論會的另一位專家。那位專家姓什麼已經忘了，但他笑嘻嘻地對我說的第一句話，到現在還記得很清楚。他說：「你的這位老師可眞了不得，別人在飛機上買了酒是收起來的，你的老師買了酒是馬上打開來喝的。」說著還指了指斜插在旅行袋裡喝剩的小半瓶威士忌。當時我也朝他笑笑，沒有回答什麼，因爲景伊師之善飲，他的學生都知道，沒有什麼可大驚小怪的，想必是飛機上沒有好茶，景伊師是以酒代茶而已。

景伊師喜歡吃海鮮，我們出了旅館，開車去漁夫碼頭觀光，也就在那裡吃飯。在漁夫碼頭區，景伊師看見海蟹攤上一層層疊起來的巨大熟海蟹，有點驚異，也十分高興，眼神突然一亮的情形，至今印象猶深，那是我第一次，也是唯一的一次，看到景伊師顯出帶有些孩子氣的開心。可惜那些意大利後裔開設的海鮮店祇是虛有其表，裝潢雖然亮麗，烹調技術卻不怎麼高明，魚蝦牡蠣，不外是煎炸烤，吃起來差不多是一個味道，以景伊師的口味標準，都祇能嘗一口便放在一旁了。最後吃整隻煮熟的大海蟹，那似乎是景伊師最喜歡的，然而口味也不對，景伊師要些辣醬油醮著吃，餐廳竟然沒有。那一餐，景伊師覺得聊堪入口的大概祇是啤酒吧。

幸好這個遺憾不久得到彌補。在史丹福大學胡佛研究所有一位胡女士，是景伊師早年在大陸時所教的學生，她聽我們說了在漁夫碼頭吃螃蟹的經驗後，便決定請景伊師在她家裡吃一頓螃蟹宴，要我在週末開車送景伊師去她家。那個週末我因有事，送景伊師去她家後沒有留下來一同吃飯，但第二天聽景伊師說，那一頓螃蟹宴他是很滿意的。

過了兩年，我回台北任教，也擔任系主任的職務，因此常有一些同事、學生及課程的問題要處理。有一次，忽然對這些問題感到十分厭煩，尤其是某些同事多疑好事，一波方平，一波繼起，爲他們排難解紛似乎是永無止境的，把自己的時間和精神替他們作那種無聊的消耗很不值得，於是就有了辭職的想法。景伊師知道後很不以爲然，要我打消辭意，還神情嚴肅地對我說了兩句浙東學派的名言：功到成時方始有德，事到成處便是有理。從那次起，我看到了景伊師堅毅的一面，對他處事處世，也開始有較深的了解。

景伊師的才學是多方面的，就藝文而言，我最欣賞他的詩和書法，詩有漢古之風，情意沉鬱而氣象高曠；書法承漢隸筆意，矯健而灑脫自如。從大二時景伊師在校教授詩選開始，我便一直希望有一首景伊師書寫的詩篇，但是也一直沒有向景伊師說，現在回想起來就成了在懷念他時我個人一個永遠的遺憾了。（一九八九年十一月十一日）

學壇憶往

——永懷先師林景伊先生

黃慶萱

景伊師過世已六年多了。民國七十一年學年度，我在香港中文大學任教。內子家鸞利用寒假從台北到香港和我團聚。行前，她去看了景伊師。老師住在榮民總醫院，說在檢查身體。但內子覺得老師氣色不太好，似乎生病了，到香港便悄悄和我提起。我記得七十一年八月赴港之前，晉謁景伊師，老師身體還很好的。心想，也許上了年紀，有些小病痛也是可能的。內子返台北後，信中不斷提起老師的病情，使我頗後悔來了香港，不能在老師有病時服弟子之勞。七十二年六月初，內子電告老師病情惡化。我以長途電話向耀曾兄探詢，耀曾兄嗚咽不能語。我放下電話，便去訂飛機票。六月五日到了台北，直赴天母榮總探視老師。病榻上，老師瘦了，知道我特地趕回看他，十分欣慰似的，握著我的手，咕嚕咕嚕地說著話，像是詢問什麼，又像是交代什麼，卻又發音不清，顯得十分著急。我強抑著悲傷，對老師說：「老師，你先休息，等精神好些再說話，我明天會再來看你的。」老師想和我說話，但仍舊說不清楚。我和學曾師弟餵老師吃水餃。學曾說：「好幾天來，總算今天能吃些固體的食物。」看來老師身體還有康復的希望。吃完水餃，老師有點倦容，我們便讓老師休息了。七日，我去看台北其他的師長們。八日上午，還來不及去醫院，方祖燊兄撥來電話：老師竟離我們而去了。我趕到醫院，人去床空，只有幾位工人在清理病房。死別的淒苦，再也不能抑制地湧上心頭。

記得初識景伊師，是在民國四十六年。我考進師大，住進宿舍，剛好和大三學長陳新雄、殷志鵬、邱棨鐊、黃少甫、阮廷卓等同寢室。有一天，忽然來了一位中年人，寢室裡的學長們都站起來喊著「老師」，我也跟著站起來。學長們爲我介紹了，原來這位中年人就是景伊師。景伊師問了學長們一些生活上和學習上的問題。我心想：這位大學教授對學生倒很關懷的嘛！

大二，景伊師開「歷代文選」，是必修的。我到今天還淸楚地記得，景伊師第一次上課教我們〈別賦〉的情況。他說：這篇賦題目是「別」，一開始就是：「黯然銷魂者，唯別而已矣！」接下去分就空間、時間、行子、居人，描寫離別的心情和景況，構成這篇賦的首段。下面再用「故別雖一緒，事乃萬族」，帶出：富貴者、劍客、從軍者、出使絕國者、夫婦、方士、情人等等各種不同的離別心態和景象。末段總結到「有別必怨」之情。景伊師說：這種先作概說，然後一一描寫的寫作方法，叫作演繹法。老師一面板書分段大綱，一面作精細的分析說明，井然的層次，洪亮的聲音，聽得我們如癡如醉。〈別賦〉教了兩週四小時；三四週舉《莊子》〈逍遙遊〉爲例，說明歸納的作文法；五六週〈李陵答蘇武書〉，說明敘述的作文法；七八週舉賈誼〈過秦論〉，說明比較的作文法……。一學年下來，使我們非但熟讀了歷代著名的文章，也熟練了各種作文的方法。後來，我個人也對文學鑑賞發生興趣，與內子家鸞合寫了一本「中國文學鑑賞舉隅」，得益於景伊師的啓發實多。

大三沒有景伊師的課。大四，我跟景伊師修訓詁學和中國哲學史。景伊師運用我們在文字、聲韻學上已有的知識，綜合字形、字音、字義的關係，來闡明古書文字的正確解釋。從訓詁的定義講到方式、條例，進而說明如何運用訓詁的知識去整治古籍。老師深具條理的思路，周延精密的分析，再一次使我仰慕不已。在中國哲學史課中，景伊師顯示了對中國哲學原典的熟練程度。上課時不帶課本，而周易、老子、論語、孟子、荀子、莊子，許多古書的原文，卻琅琅背誦而出。一個人的腦子，怎能記得這麼多的東西啊！

考進研究所，跟景伊師學的時間也就更多了。老師逼著我們圈點古書，還要寫古音作業。不是幾十張的，而是幾百張的；不是每張六百字的稿紙，而是像報紙整版那麼大的表格。我，無論大考、小考，考初中、考師範、考大學、考研究所，從不開夜車。但在研究所碩士班求學的時候，卻經常熬夜，尤其在有景伊師的課的前一天！當時頗感苦不堪言。但是，一向偏愛義理詞章的我，後來居然能客串教文字學、訓詁學，而且教得還算勝任愉快，倒多靠景伊師當年強迫點書作業所奠定的基礎。

景伊師家學淵源，師承有自。父親次公林辛先生，叔父公鐸林損先生，民國初年，執教於國立北京大學。景伊師幼承庭訓，受周易、老莊之家學。十五歲負笈北京，從黃節先生習詞章，從陳漢章先生習史學，從黃侃先生習文字聲韻訓詁之學，且嘗親聞章炳麟先生之緒論。轉益多師，爲學益趨廣博精深。年十九，即畢業於國立北京大學研究所國學門。

景伊師作育英才是衆多的。從民國十八年擔任河北大學教授開始，不久受錢玄同先生的特知，轉任國立北京師範大學教授。名學人顧學頡等，當時便受業於景伊師之門。來臺後，任教於國立臺灣師範大學、政治大學、暨私立文化大學。與潘重規先生、高明先生、熊公哲先生等，共同創立三校中文研究所。今天台灣高等教育發達，各大專中文師資之所以不虞匱乏，實賴景伊師等及早培育人才之功。

景伊師的事業並不限於教育。更表現在對國家民族的熱愛上。這一點，近承章太炎、黃季剛二先生革命思想的感召，更遠祧顧炎武、黃宗羲民族意識之遺緒。抗日戰爭期間，景伊師組訓民衆，遊擊於華北。後更深入漢口、南京、上海等敵僞控制區，從事抗日活動。勛功壯志，正是讀書人的好榜樣。

歲月流逝是迅速的，但受業往事，縈迴腦際，仍在目前。而景伊師精湛的學識，豐偉的事業，益令我們無限景仰。

永懷景伊夫子

徐芹庭

景伊夫子，姓林諱尹，浙江瑞安人也。英才特達，聰穎俊哲，爲一世之名儒，余從學多年，獲益良多。今逢師八十冥誕，又值余退休之年，感師恩之浩蕩，爰爲文以記之。

一、立雪程門　師恩如海

余於民國四十九年遊學師大，歷拜諸師，得諸師訓誨培育，乃底於成。其中受恩尤深者，有江蘇如皋宗敬之夫子，（諱孝忱），湖北大冶程旨雲夫子，（諱發軔），江蘇高郵高仲華夫子，與景伊夫子。四位鴻儒，皆挺名世之俊才，荷道統之重任，或博學多聞，或文章蓋世，或正義凜然，或教育功深。余執經問道，日既不足，繼之於夜，每爲師門座下食客，余拜恩深重，每懷不忘。敬之夫子，日課古文一篇，令背誦吟讀。旨雲夫子，教導古代聖哲修身養性之方及山川地理之沿革。仲華夫子，淹貫群籍，挹之彌深。景伊夫子，英氣卓越，既論古今霸業，亦談公鐸先生之哲學。遇師外出，則在師門企盼，候師歸，執經請益乃止。程門立雪，端嚴肅穆；而師恩如海，慈懷更深。

二、愛才如渴　獎拔提攜　無所不至

民國五十二年，歲次癸卯，余從師學訓詁聲韻之學與中國學術思想。余以易學蠡測，讀易隨筆，與野柳觀海記之文，見知於夫子，夫子鼓勵有加，獎掖備至。民國五十七年，余得碩士學位，夫子與旨雲夫子、仲華夫子，獨薦我任師大講師，其餘同學則至他校，或任助教而已。民國五十八年，復錄取博士班，並請陳立夫先生為余博士論文指導教授。民國六十一年，歲次壬子，冬季，余破例通過博士學位，以往皆須六、七年，始能通過博士學位，而夫子憫我父母年老，須孝養，故破例三年半通過。愛憐之心，思之淚下。夫子愛烏及屋，亦徧及我之好友，吾之好友張成秋、張夢機，亦皆蒙提拔鼓勵，得到博士學位。至於陳新雄、王熙元、許錟輝、左松超、黃慶萱、張仁青之流，早獲夫子賞識，不在話下。至於夫子造育之英才，上至行政院副院長、省主席、下至中學教師，成才之衆，如江海之浩大，更非筆墨所能形容。

三、正義凜然　雲長並駕　文山比擬

抗日時，夫子以命世之英才，擔任漢口市黨部主委，兼後方游擊戰區司令，屢建殊勳，敵僞破膽，不幸於民國三十年，被劫持，敵僞誘降百端，終不為動，三次被判死刑，將執刑時，或因空襲警報，或因我方救援，獲得釋放。蓋以命世大儒，天上星宿，豈日寇之所能劫殺哉！方夫子臨被刑時，有詩云「此心同日明，此意擬冰雪，昔思李郭功，今灑文山血，忠義分所安，慷慨成壯烈。」其忠義如關雲長之偉大，其正氣似文天祥之凜烈。偉哉夫子！天上星宿，日月同光，亙萬世以不朽。夫子與高仲華夫子、潘石禪夫子同門，相友善，感情特深，義氣深重，亦可比擬桃園三義云。

四、泥塗軒冕　嘯傲雲霄

夫子歷膺黨國之重寄，而能視富貴如浮雲，嘗言陳公博爲我方情報人員，曾救夫子於被劫持臨刑之際，及至抗戰勝利，國人不知最機密之事，不知感恩，而陳公竟以漢奸之僞名，犧牲名節。既壯烈，亦悲慘。情報人員之偉大犧牲，獨遺漏在青史之外，可不悲耶!?夫子既痛且悲，又無可奈何，故寄情詩酒，嘯傲雲際，泥塗軒冕，不從事於政治活動，而專精於培育英才，守先王之道，以待後之來者，夫子有焉。

五、熱心古道　志慕聖學　棲神老莊

神州之陸沈，共黨之猖狂，夫子歸咎於新文化運動者之打倒孔家店，打倒舊禮教，故提倡儒學，熱心古文，反對新文學，故規定碩士博士論文一律用文言撰述，良以文言爲白話之精華，所以載道明道者也。提倡白話，而將吾國經籍當外文來翻白話，至此儒學寖衰，世風日下，治安愈壞，道德日壞，良由此也。嚮使注重文言教育，則四書五經，所有名教之書，列入教材，則道德可興，治安可成，不致成今日之衰墮也。中國人認識中國字，讀中國書，最是容易。應由文言入手，不可透過白話翻譯，否則形成多一層文字阻隔，義理不通，儒學由是式微，道德與治安每況日下，教育之不成，職此之由。夫子嘆世風如此，嘗有志改革，其序宗敬之夫子南溟雜稿云：「飄風不終朝，驟雨不終日。」

蓋深有寄於明王之興起，改革教育，回歸正途也。無何，明王不興，故夫子亦棲心老莊，詩酒逍遙，以齊萬物之不齊；悠遊人世，作天人之師。

六、哲人其萎　親引殯柩　親覆沙土

民國七十二年六月八日，天地昏暗，草木泣悲，夫子不幸崩於斯時。哲人其萎，樑木其摧，衆生安仰？及至出殯日，余親撰祭文祭師，並率門下弟子親祭，祭文哀泣，讀罷淚下沾襟。既出殯，余親引柩繩至墓穴，並念佛號，默禱諸佛護佑，接迎吾師往生西方淨土。既陳簠簋，哀以送之，又親自覆土，葬畢，衆皆歸，余獨默泣，最後隨車離開，猶不時回首向師之墓穴敬禮，直至遠離視界，乃在心中默哀不已。

七、度亡超幽　師魂親至　彌陀淨土　翩然駕歸

密宗大師江蘇海陵韓同尊者，爲師之親家，亦我之密宗根本上師也。於農曆廿九日夜七時，余侍韓上師親自修持密宗「釋迦牟尼佛阿彌陀佛觀世音菩薩大勢至菩薩」之度亡超幽大法，於時師魂翩然駕臨，我師弟林君博顧親見師魂，親與師對話，余專心助修，念經觀想，持往生咒，師頗感快慰，及至阿彌陀佛西方三聖來迎，師遂翩然隨彌陀、觀音、勢至往生西方極樂淨土矣。師嘗與我言：「前生爲某寺高僧，乃佛門中人。」則今世得佛度脫，與佛有緣，終不離佛云。卓矣！佛門高僧，轉世儒學大師，從何而來，復歸而去。一念不生，佛國頓現。嗚呼盛哉！師徒有緣，佛國再見。

文學因緣

黃永武

回想我決心獻給古典文學的那年，正值古典文學在國內的最低潮的時分，那年傻乎乎地把第一志願塡了中文系，進去的時候，人數就不多，第二年班上便轉學重考，走了一大半，到畢業的時候，只剩下小貓三、四隻了！

那時中文系裡的學生，自卑感很重，史記剛出版，有人還用洋文雜誌包了史記做外殼，充當原文書，才敢去擠公共汽車。說文解字注也剛有影印本，字縮得奇小，圈點了半本，眼睛就不能不近視。許多同學讀了一年就開溜，這也難怪，那時放洋留學才開門，一人出國，舉家光彩，子女若在國外結婚，爭相在報紙頭版標題下登一登，羨煞了天下父母心。就是能到韓國菲律賓的華僑子弟小學教教書，月薪賺一百塊美金，也就像登上龍門一般，不知何等吸引人。

那時國家像個破窮的家，大家的眼睛都在向外看，心也都在往外奔，窮人家裡連傳家寶貝也根本沒子弟會看得起，有一年是中央圖書館舉行「論語版本展覽會」，我想去看一看，到了南海路上，有二位高中女生走在我前面，一個說：

「中央圖書館有什麼展覽呀？掛著紅布條。」

「我們去瞧瞧。」另一個附和著。

「等到愈走愈近，紅布條上的白字淸晰起來，左邊的女學生立住了腳，怪聲怪氣地拉長字音一一唸道：

「喔喔——論——語——版——本……」

右邊一個就大叫：「我的媽呀！」

「喔喔，打死我，我也不進去！」左邊的表示了堅決的意願。

右邊的又叫：「可怕死了！」

這二個女學生，只是把當時人對「文化基本教材」的蔑視，不加掩飾地直噴了出來，她們離我不到兩公尺，就這樣赤裸眞誠地把對經典傳統的厭惡，表現得好具體、好絕情！這是五四以來，要把線裝書扔進毛廁坑後，民族自信心隨著戰亂貧窮而徹底瓦解後的必然反應嘛，令我感受深刻，至今難忘。

何止女學生如此，文藝界也一樣，記得那時我向某報投稿，稿子退了回來，編輯先生好意地在稿端寫了一行字：「詩寫得不錯，只可惜受古詩詞影響深了些！」又曾另向某報投稿，稿子很快被退回，不久主編先生見到我，低聲地指點我說：「現在是什麼時代了？上次大作裡還提到『用典』『平仄』，誰要讀嘛！」唉，誰叫你惹上古典文學呢？好像是全國沒一個不厭惡的東西，那時候，公開演講的題目，誰會談古詩詞欣賞？即使有，準沒有聽衆。

社會風氣既然如此，而當時我極愛新文藝，寫新詩幾乎就是我生命的意義，所以我一進入中文系以後，首先面臨的該是志趣上做一個「作家」或是「學人」之間的抉擇。

作家往往是才人，最終希望成爲「大手筆」；學人往往要成兩腳書櫥，最終希望成爲「大師」。清代的學者都認爲「學人」比「才人」有價值，像阮元說：「爲才人易，爲學人難」，桂馥也說：「一號爲才人，將不能爲學人矣！」清代重視徵實考據的學問，所以認爲精覈考據的才是第一等，弄心性之學的是第二等，弄辭章文詞的是第三等，像顧炎武甚至說：「一號爲文人，則無足觀矣！」這些看法有點偏，但也給我一定程度的影響與鼓勵。

另一些看法則相反，認爲才人是「天之所賦」，而學人乃是「己之所積」，沒有天賦不可能做大文豪，沒有天賦只好躲開別人的才筆，去研經讀史。大文豪幾百年才誕生一個，而學者博士之類則比比皆是，當然做「才人」勝於做「學人」。這些看法也有點偏，因爲大學者同樣是幾百年才誕生一個，而滿街的所謂教授博士，大抵是抄抄別人的著作，編爲講稿；唸唸別人的發明，作個傳承的教師居多，眞能做到「卓然自立」的很少，而能開出局面自成「大家」者，一樣極爲罕見。蔣萬機說：「學者如牛毛，成者如麟角！」牛毛一般多的學者裡，能成就的，少到如鳳毛麟角，可見「才縱自天」的才人固然難，「學極於人」的學人也談何容易！

經過了幾番內心的掙扎，我決定先從圈讀《說文解字》背誦《昭明文選》入手，走務實的路子，一步一個釘，步步以篤實不自欺爲主，古人所謂：「行行步實如山積，字字鉤玄不浪浮」，當時我相信子思所說：學問可以「益才」，就像「砥礪」可以「致刃」一樣。

且不管社會風氣如何，我就常去台灣省立圖書館借閱線裝本的《通志堂經解》《皇清經解》，一面讀書，一面先得拍掉在書頁裡鑽來鑽去的蠹魚。像我這樣輕年齡的人來看這樣古的書，在服務小姐眼中是不調和的，每次借讀，引來不少詫異的眼光。後來大通書局影印《通志堂經解》，就是我建議他的，還爲他在前面寫了一段介紹呢。

在社會風潮中逆流奮進，倒還容易，只要主觀意志堅定就行。但當時貧乏的物質條件，眞令人難堪：朋友寫信來，無法回信，原因是貼不起兩角回郵；教授上課了，要我們買國文課本，二十五元，我買不起，每上一課前，用手抄的方法一課課抄好，但教授對我連書都「不肯」買，頗不諒解；大學一年級時，我寄宿在舊北投育幼院的宿舍裡，父親在孤兒院任秘書，剛丟了差，我們仍暫住其中，每天仍厚著臉皮去餐廳端兩份伙食，上課則去士林的外雙溪，有時火車的季票逾期了，沒錢續買，就從舊北投走去士林外雙溪上學，路經石牌一帶還很荒涼，只好沿著鐵軌走，一路上整整走了兩個鐘頭。這些辛酸往事，眞不敢回想，如果要重來一次，仍會有勇氣撐過來嗎？眞不敢說。

東吳第一年開學時，學費爲七百元，東湊西借仍湊不足，最後由初中時的同班同學姚鍾淑借我兩百元，解決了難題，當時她在幼稚園教書，後來東轉西調，竟聯繫不上，這兩百元至今該償還多少呢？第二年開始，全賴學校裡的趙教官幫忙，每逢註冊，准我只繳兩百元，由他作保，保證其餘的錢待領到清寒獎學金後再付。趙教官的恩情教人難忘，獎學金的捐贈者，更叫人感激。

那時身上穿的是畢業學長送的舊制服，嘴裡嚼的是育幼院裡要來的大鍋飯，就這樣猛背唐詩宋詞漢文章，就這樣快讀四書五經百子書，就這樣圈讀說文、分析廣韻、研究方言釋名與爾雅！辭章的美、義理的善、訓詁的眞，樣樣令我心醉著迷！

老師教完了文字學，我就利用漫長的暑假，把街坊上的文字學書借來十幾種，相互參證，重新改編一本新的文字學；老師教完了詩經，我又利用幾個寒假，把各圖書館裡找得到的詩經注解，一一參看，自訂了一本詩會注，當時幼稚地想：有一天我要做一位教授，就拿這本書來教學生。那時候學識太少，容易自大，後來這些新編的稿本，都被準備要考研究所的同學借走，當時沒有影印機，輾轉借抄出去後，早已下落不明，索討無門，假使還有人藏著當做「秘本」，那眞罪過，大學生時代整理的東西，能做大學教本嗎？眞是「君看豹子未成斑，便有昂然食牛氣」，年少的清狂，往往如此荒唐。

當時一股勁兒直往前衝，窮得倒也自在，反正中文系的人，想找個家教也困難得很，也就安於貧窮吧。古人說「多貧賤則易局促，多患難則易恐懼」，好在年輕呀，根本沒把「惡衣惡食」放在心上，雖然飽經貧困患難，也沒覺得挫傷志氣，損害性情。

現在回想起來，貧賤的時候，累心的事兒少，最適宜讀書，連抽煙喝酒的壞習慣，沒錢也無法養成，何況跳舞賭博作冶遊呢？沒錢買書，抄得好起勁，借來的書，反而讀得特別珍惜。而人生的道理：經一番挫折，就長一番見識；多一分享受，就減一分志氣。境遇艱苦逆折時，才是上天賜給人好好做工夫的時節。貧窮寂寞的歲月，欲望最少，外境也都不來拉扯你，正好打點全副精神，澄神滌慮，爲學業奠立根基。幸好那時我早許下了一心向學的願力，貧窮助著我向上推去，不然再和藹的春風，再豐沛的春雨，也不能催無根的枯木發芽的，願力，就是這治學的根呀！

這種窮困的境遇，一直延伸到進入研究所，古人說過：「齋鹽中有好襟期」，人在醬菜鹽巴的日子裡，反而特別有理想、有襟期。從民國五十一年進師大研究所，到六十年離開，整整十年的研究所生活，對古典文學的鑽研，可說是全心的投入，功夫純一，心地清虛，名根利竇，毫不經心，一味沈潛下去，那時已三十四歲了，連戀愛婚姻都一並耽誤得無怨無悔，這段研究所的生活，容當另文記叙。

研究所畢業以來，仍抱持著酷愛文學的初心，在詩學方面，已寫了十種書，在敦煌學方面已編成了一百多冊書，近年來編成了全宋詩，而自去年以來，猛讀明清諸家的詩文集，累至目前，雖已讀了五百種，但明代的詩文集，在我目錄中，數逾三千，清代的也許更多，我已讀的，還只是個零頭數目，好在來日方長，而我的願力仍在不斷地累增，古人說過：學貴有常，又貴日新，而「日新」就是「有常」的根本。我把傳承古賢的潛德幽光，作爲一生的事業，一直牢記師曠說的話：少年時好學，像剛昇的旭日；壯年時好學，像日中的陽光；等老年時再好學，便只像秉燭的光亮了！盛年幾何，時光可惜，我要不忘記少年時「貧而逾勁」的讀書生涯，掌握住現在「壯而好學」的惜陰工夫，開創將來「老而更神」的寫作趣味，不斷開拓新的學術領域，注入汩汩的源頭活水，這樣永遠不會文思枯竭，不會心田荒蕪，永遠不會淪為一名過了氣的「學者」或「作家」。

自從獻身給古典文學以來，已經轉眼三十年，隨著國人的努力，經濟的發展，印刷出版業與各項建設的進步，早恢復了民族的自信心，加以近年來又創立了古典文學會，鼓盪風潮，擴大影響，古典文學已成為青年學子心目中時髦的嗜好，一有古典詩歌小說講座之類，聽衆均滿坑滿谷，出版界文藝界也熱烈倡導，惠予青睞，連曾經「破四舊」的大陸中共，也早由排斥古典文學而轉為熱門。在台灣，不要說別的，單舉中央圖書館為例吧，去讀線裝善本書，那裡還要從線裝書中拍下什麼蛀粉蠹蟲？四壁一望，那精雕玉琢裡書香陣陣，雅麗絕倫，置身其間，夠你怡神快目的了，當年寒酸的我如何料得到古典文學會有這樣的一天呢？

在回憶這段文學因緣時，當然得特別感謝學生時代的老師們，其中林尹老師，就是在大學時就指導我圈點說文、背誦文選的啓蒙老師。想古代王安石要為兒子王雱找一個啓蒙老師，必須求「博學善士」，有人勸他「發蒙」的工作，不必太講究名師，王安石則認為「先入者為之主」，極不可輕忽。而我在初入門道的時候，就遇到這樣的老師，實在很幸運，另外一位是高明老師，他選拔我進入博士班，並指定我博士論文的題目，春風春雨，諄諄教誨，這兩位文學因緣中的恩師，是我終身瓣香敬禮的！

附：

本文係應新聞局特約在中華日報刊出之「從坎坷到坦途」專欄，推本因緣原始，實由林師啓迪之，故請刊入林師八秩冥誕紀念文集。

日月光輝　冰雪皎潔

——紀念先師林景伊先生八十冥誕

黃登山

「亂來日月忽忽去，搔手驚呼已白頭。敝帚自珍原有待，一錢不值復何憂。天公未禁人間酒，老子能澆萬古秋。四十四年風雨裡，雞鳴猶共望神州。」這是 先師景伊先生手書賜給我的四十五歲生日詩。每當看到這首詩，他老人家憂國傷時的愛國情操，維護固有文化的衛道精神，不厭不倦的治學教人態度，以及優游瀟灑的風範，至今猶是歷歷在目。

先師從小精明能幹，胸懷救世濟民大志。抗戰期間，擔任中國國民黨漢口特別市黨部主任委員兼管游擊。託身虎穴，周旋強敵，出奇蹈險，屢建殊功。數年之間，曾經六度榮獲 先總統蔣公嘉獎。以故被敵人視爲心腹大患，必欲得之而後甘心。民國三十年，先師終於被敵人劫持，由漢口到南京，從南京到上海，極盡威迫利誘之能事，先師正氣凜然，終不屈服。在獄中曾作絕命詩云：「此心同日月，此意擬冰雪。日月常光輝，冰雪終皎潔。昔思李郭功，今灑文山血。忠義分所安，慷慨成壯烈。」先師忠貞愛國的節操，可謂上干青雲而長貫日月。

先師維護中國固有文化不遺餘力。中國文化以孔孟學說爲中心，乃與友好生徒組成孔孟學會，被推選爲常務理事。除在國內戮力推行其學說外，並遠涉美國、西班牙傳道，使異邦人士了解孔孟學說的眞諦。先師又以爲中國文字兼具形、音、義之美，不容破壞，因而組織中國文字學會，被推選爲理事長。其後受教育部委託，領導學生整理中國文字，研定國字標準字體。先師衛道的精神，可說是鞠躬盡瘁。

先師出生於書香世家，幼年承受庭訓，十六歲，負笈北平中國大學，受業於當代名儒黃季剛先生。汎濫停蓄，深博無涯。年甫弱冠，即任教河北、金陵、北平師範等大學，與當時碩儒講道論學，踔厲風發，常能屈服座人。

民國三十八年，神州板蕩，先師挈眷渡台，先後執教於政治、東吳、輔仁、淡江及文化等大學，教導學生，深入淺出，循循善誘。凡是經承先生口講指點過的人，無不欣然有得。三十餘年來，先師作育英才，不計其數。省府主席邱創煥先生、中國國民黨中央黨部前副秘書長陳水逢先生、文建會主任委員郭爲藩先生、銓敘部前次長傅宗懋先生、中國文化大學前校長潘維和先生，以及國內外各大學中文系的教授，大都曾受教於其門下。

先師的著述等身，已經出版的有：中國學術思想史大綱、中國聲韻學通論、文字學概說、訓詁學概要、周禮今註今譯、兩漢三國文彙、中文大辭典、大學字典、景伊詩鈔等，單篇論文分別發表於國內外各大學學報及各種期刊，不勝枚舉，孔子所說的「學不厭，教不倦」，先師可以當之無愧。

先師有風骨峻峭、慈祥愷悌的一面，也有優游瀟灑的一面。課餘之暇，喜歡和摯友、學生，或縱情山水，或開懷暢飲。每當酒酣耳熱之際，先師總喜歡高談闊論，舉凡求學趣事、抗日壯舉、教學心得，無所不言，在座之人咸感獲益匪淺。因此，學生在閒暇之時，總喜歡和先師喝酒聊天。

先師有子女十三人，常以順其情性，自由發展的態度教育之。故其子女的成就是多方面的：教授、工程師、新聞業、外交官、海內外企業家、醫學、西洋棋士（先師三公子煥曾兄的三公子林文勗，曾獲西班牙薩拉曼加省西洋棋雙料冠軍）無所不包，這是先師得力於老子自然無爲的妙果。

先師逝世已有六年，而風範長存。感其德澤，永懷哀思，因略述先師生平麟爪，俾世人有所瞻仰，引爲楷模。

蟠胸萬卷，在手一杯

——為紀念景伊恩師八十冥誕而作

鄭向恆

民國七十二年六月八日，是我永生難忘的日子。

那天早上，到校不久，就傳來老師病逝的噩耗。頓時，一陣天旋地轉，晴天霹靂。匆匆收拾起講堂上的書本，直奔下樓。在校園攔住了輛計程車，我氣急敗壞地鑽入車座：

「快快，到天母榮總中正樓，趕時間，拜託！」

那時，眞恨不能生出雙翅，向山下飛去。

從華岡到榮總的路上，腦中一片空白，淚水像斷了線的珍珠。車內播放著聒噪的流行歌曲，我一點也聽不進去。

窗外青山白雲依舊，陽明山公墓，沉寂在半山腰。想到老師不久將長眠松柏之下，不禁掩面失聲。

老師是因爲肺癌住院，但是他的生命力很強，很沉得住氣，是最合作的病人。在他病危時，醫生說不准進食，他眞的一連幾天不進任何食物；就是口渴，也只是用棉花棒沾沾嘴唇，用冰塊含在嘴裡。他知道他不能撒下他的子女、學生於不顧。

在老師住院期間，我也曾自動自發服侍老師於病榻，餵過老師吃嬰兒食品。對一向講究「吃」的老師來說，實在是難以下嚥。但是，他卻一口一口地吞下去了。那年開春以來，老師住院照鈷六十，我們都希望有「奇蹟」出現，但是殘酷的病魔，終於奪走了老人的生命。

「百年身世千年慮，幾度寒窗夜不眠。」這兩句詩，是老師年輕時，閉門讀書所作的，正是老師的心聲。常縈迴在我耳邊。

老師秉賦過人，又出生書香世家。十六歲時，就受到國學大師黃季剛先生的賞識，把老師關在家中，圈點十三經，背誦老莊、荀子、昭明文選，並研究中國文字學、聲韻學、訓詁學等。正因爲國學基礎的紮實，以後才能在杏壇上傳道，授業，解惑，春風化雨，造就了無以數計的中國文學碩士、博士。

老師上課，往往不帶課本，即使帶了課本，也很少打開，因爲老師要講的課，早已背得滾瓜爛熟了，尤其當老師酒醉後，背誦典籍之時，更是神采奕奕，聲如洪鐘。可惜，從六月八日那天以後，再也聽不到老師的聲音了。當時，我多希望老師就是莊子，莊子有起死回生之術，眞希望老師復活！

事實上，當我趕到榮總時，中正樓十一號病房，早已人去房空，只有清潔工在打掃，拆除床單等。「謝絕會客」的牌子仍掛在門上。我呆立在門口，凝視著那張熟悉的病床。床頭櫃上的一盆凋謝的花，令人看了更覺傷感，難道眞的是「生命如花籃」嗎？

默哀良久後，我抓住一位護士問：

「病人呢？」

「送到太平間了。」

又等電梯，下電梯，找到太平間在左轉的角落。

再打聽之下，方知老師遺體已送到市立第一殯儀館了。

「老師，您走得太快了！」

「黯然銷魂者，唯別而已矣！」

老師教授「文選」時，講到「別賦」，最爲生動，最爲感人。當時，我眞是體驗到了死別的滋味。

不久，汪履安、李爽秋等學長也趕到了，但都遲了一步。正要離開時，耀曾大師兄，正從高雄趕到。那天上午他偏偏主持了一項學位考試。當他接獲噩耗，立即搭機飛來台北奔喪，竟也沒能見到父親最後一面。

大師兄看我們徘徊在太平間前，情不自禁拉著我們的手嚎啕大哭起來。接著，我們四個人正好一輛計程車，再趕到和平東路喪宅時，客廳已擠滿老師的學生。外子殿魁也夾在人堆中，紅腫著眼。

「快給老師上香行禮」

師妹穎曾早已泣不成聲，和師母坐在飯廳一角。

但見平時老師接見學生，談學問的客廳，已佈置成一座莊嚴肅穆的靈堂。除了鮮花、香燭、水果外，還供了一瓶「拿破崙。」

誰不知老師生平最大的嗜好，就是喝上幾杯呢？

「蟠胸萬卷，在手一杯。」

這是老師五十大壽時，于右老所題的一付中堂賀壽詞，正是老師的寫照。

老師不愧是典型的中國學者——喝酒、吟詩、奕棋。

老師春風化雨，將近半世紀，桃李滿天下。學生們知道老師愛熱鬧，每年陰曆十一月初五，都由各大學中文研究所輪流替老師祝壽，向老師乾上幾杯，祝賀老師福如東海，壽比南山。那時，有一個不成文規定。老師一杯，學生三杯。要想通過學位考試，先得學會喝幾杯不可。

老師最愛喝的是國產紹興酒。年輕時，都是以瓶計算的，因而博得「酒仙」的雅號。

老師不但能喝，也懂得吃，師母尤其做得一手好菜。

家中常常五天一大宴，三天一小宴。

佳肴美酒之後，吟詩唱和，乃人生一大樂事。

老師平時處事待人，無論尊卑、貴賤，皆與之交往，談吐詼諧，且富幽默，無論是他的朋友、學生，一定忘不了他那爽朗的笑聲。

老師的個性，瀟脫開朗，又不拘小節，一高興，就和學生對飲起來，雖然老師隨意，學生乾杯，但是，幾杯下來，不醉也會醉了。

其實，老師醒醒醉醉、醉醉醒醒，很多不能解決的問題，譬如替學生請指導教授、安排口試等，都是在幾杯黃酒下肚之後，而把事情擺平的。

他常勉勵學生：「吃得苦中苦，方爲人上人。」

我不算是老師門下最用功的學生，但是從老師那兒得到的啓迪卻不少，尤其是人生哲學方面。

我在大學時候，選過老師所開的「中國哲學史」，眞是叫座，很多外系的學生慕名而來旁聽，教室內座無虛席。

老師上課，具有特別的一種風采與魅力。

一套陳舊的西裝，右上方口袋，永遠插著一隻鋼筆，進教室時，總是把書緊緊夾在腋下。其實，課本只是做樣子的，每每把書本往桌上一擲，就滔滔不絕，把胸中的學問，全盤傳授給學生。右手指則夾著香煙，一支接一支，不曾斷過。老師就在這吞雲吐霧之中（這正是以後老師導致肺癌的主因吧！）道出老莊的哲理。無論是道德經也好，秋水篇也好，均能朗朗上口，這正是老師的本事啊！

「北冥有魚，其名爲鯤，鯤之大，不知其幾千里也，化而爲鳥，其名爲鵬……」

依稀中，彷佛又聽到老師那帶有浙江口音的聲音在背誦著莊子好文章。

印象中，最深刻的是莊子養生主。

「庖丁解牛，是說明人生活在複雜之社會，要有相應之方來適應客觀環境，任何事自然可以迎刃而解，而不致損形失眞。

至於人的生死，乃自然的現象，不必生樂死悲，生死非人所預卜，所以不必爲生死而苦惱了。」

有時又告訴我們：

莊子悲天下之沈濁不可處也，故求徜徉自得，高遠無所拘束，與天地同運，與造物者遊，以極其逍遙之致，乃作逍遙遊；又說人生有耳目之知，肢體之形，既已爲人矣，又安能隨心所欲，無所拘束，故莊子無可奈何而求之於無何有之鄉，廣漠之野。」

講到齊物論時，老師總是用粉筆在黑板上書寫「方生方死，方死方生」八個大字，墨底白字，非常醒目。

藉著這八個字，說明了天下無所謂的生、無所謂的死。無所謂的好、無所謂的壞。無所謂的貴、無所謂的賤。無所謂的得、無所謂的失。在道家眼中，都是一樣的，對等的。

正因老師對莊子研究得很透徹，所以從不計較成敗得失，也不鑽牛角尖。

每當我遇到不如意的事情，或受挫折時，老師就會說：「回去把莊子好好讀讀。」

老師那種逆來順受、瀟灑自如的曠達人生觀，就是受到莊子思想的影響！

老師是不畏死的，他常說：

「人來自然，歸向自然。」

老師雖有這種出世的思想，但是又是以儒家入世救世自許的人。

他常說：「讀聖賢書，所學何事？」

蟠胸萬卷，在手一杯

早在抗戰時候，老師就已置個人生死於度外了。那時，他在做敵後的工作，曾被汪精衛僞政府捕繫獄中，不畏漢奸的威迫利誘，被拖出去槍斃了三次，他都不屈降。

老師是不怕死的，他坐在監牢裡，曾寫絕命詩一首自誓：

「此心同日月，此志擬冰雪。日月長光輝，冰雪終皎潔。昔思李郭公，今灑文山血。忠義分所安，慷慨成壯烈。翹首望天衢，悠悠恨無極。家園遭屯蹇，中原遍荆棘。生死寧足論，憂時心惻惻；但惟後來者，無忘滅虜賊。」

從這首詩中，正可看出老師慷慨就義的決心。

老師忠黨愛國，生性耿介，守正不阿。以後，老師放棄了做大官的機會，加入了杏壇，作育英才。現在各大學國文研究所，或中文系的主任，泰半是老師的學生。

老師在去世之前的數年，就已患有急性肺炎，卻不肯長期休養，仍抱病上課，一忍再忍，一拖再拖。於民國七十一年，已開始背脊酸痛（上樓尤其顯著）終於積勞成疾，住進醫院時，百病發作，回天乏術。

老師是最能「忍」的人，自從醫生告之病情後，老師就痛下決心，戒酒、戒煙。他不願意我們因他生病而憂愁，在醫院時，他常銜著淚水說：

「我痛苦，但是不願意你們跟著我一起痛苦。」

他強打精神，反而要我們不必緊張，要鎮靜。

我們看得出，老師病痛時，淚水已在眼眶中打轉，但他卻不出聲，怕我們難過。

有一次，和外子殿魁同趨醫院探望老師時，老師問及當時修訂中文大辭典的工作情形時，雙目盯著殿魁，像是有好些話要說，要交待，但呼吸困難，說不清楚。爲了怕老師著急，我們連連點頭說：「知道了，知道了，老師，您好好休養，等病好了再說。」

老師生平最得意的事，就是負責主持了「中文大辭典」的編纂工作。那是民國五十三年，老師在文化大學張創辦人其昀先生的倚重下，主持了「中文大辭典」的籌備工作。剛開始時，沒有薪酬，完全是種奉獻。所以，山上經常五天一大宴、三天一小宴，請國內博、碩士義務幫忙，總算慢慢上了軌道，後來整整花了八年時間，才完成了這套十大冊的中文大辭典。在當時，可以說是古今辭典中，最完整的一套。

老師常說：

「文字爲文藝復興之首要工作。」所以後來又主持了教育部的標準常用字的研訂。

如今，老師雖然已逝世，但遺留下來的是無窮的文化資產。

當年老師的學生，如今都是已肩負了這些「繼往開來」的使命。

老師，請安息吧！

日子匆匆，老師仙逝，轉眼已六個年頭。今年十二月二日（農曆十一月六日）是老師的八十誕辰，撫今追昔，思念無已，謹以此文悼念之。

父親八十冥誕抒感

林慰曾

親愛慈祥的爹爹去世已經六個年頭了，您的去世，使我們頓覺失去一股支撐的力量，但是，在我們心目中，爹爹您卻從未離開過我們，您對子女的關懷和期許，以及您爲人處世的精神，無時無刻都在我們的腦海中縈繞。

我們林家先德，上自曾祖父，祖父諱辛，字次公，叔祖父諱損，字公鐸，以至爹爹，都是鑽研國學，可說是書香世家，先祖父次公府君，在彌留之時，賜詩給您，勉勵您要承傳國學衣缽，以忠孝傳家。

「吾生今已矣，夢亦不還家，猿鶴終餘恨，蹉跎只自嗟。遺經誰續抱，有子尚堪嘉，梅嶺孤山外，重開萬樹花。中原未北定，我去意安之，故國情無極，青山夢所思。傳家忠孝德，教汝子孫知，他日能歸骨，無忘祭此詩。」

爹爹，我知道您一直以此詩爲範本，自勉，力行，卻也不負祖父對您的期望。當中日戰爭興起之際，您膺任中國國民黨漢口特別市黨部主任委員兼綰游擊，受命危難，託身虎穴，而志不少怯，與強寇周旋，出奇蹈險，屢建殊勳，於是敵僞引爲巨患，必欲得之而甘心，終於民國三十年，爲敵所擒，然而，您秉正氣，厲冰雪，雖受百般脅誘，卻毫無所動，此乃是您浩然之氣，忠貞之節，也正是孟子所謂的「富貴不能淫，威武不能屈。」每當憶及此事，我百感交集，不能自已，淚濕衣襟，渾然不知。在國學上您的博聞強記，以及治學之嚴謹，更可謂承傳父志，盡了孝道最難能可貴的繼志述事了。尤其是爹爹您恭錄祖父彌留時賜予您的那兩首詩給子孫們作爲忠孝傳家之本，更使我感覺到您的期許，猶如耳提面命，未敢或懈，在您的關注下，衆家人各有所成，兄弟姐妹中，繼承您的志向，研究國學的有大弟耀曾等多人，三弟煥曾中文系畢業後從事新聞工作，小妹穎曾任職外交部，目前派駐國外，外子雲傑，雖未能克紹岳父之箕裘，亦長年從事教育工作，斲雕棫樸，成材極衆，爹爹你亦常引以自慰，謂作育英才，不分男女老少，只要是人才，都在造就之列，雲傑受到岳父的讚許，更加兢兢業業，不敢稍息，差可告慰父親在天之靈。孫輩中，小女亦文在您的囑咐下，淬礪奮發，歷經八年歲月，終於通過文學博士考試，取得學位。當她知道自己高分通過時，竟喜極而泣，抱著我說：「我通過了，媽媽我通過了。」在這八年艱辛漫長的攻讀過程中，除了亦文自己努力奮發外，全家人（母親，外子，弟妹們）都給予全力的支持、協助和鼓勵，爲的就是不讓爹爹您失望。當然兒女有所成就，爲人父母者，除了自豪之外，更重要的是：我對爹爹您總算有了交待，心中百感交集，個中辛酸難以言喻。此外值得一提的是，當亦文在中文研究所博士班肆業期間，曾經向多位學者、專家（都是爹爹您的高足弟子，請求指導其論文，均遭婉拒，只有一位與您毫無淵源的輔仁大學教授林明德先生，慨然應允，令亦文感激非常，林教授愛護後進，不遺餘力，非惟難能，亦且可貴。謹在此敬致十二萬分之謝意。

爹爹您一生忠黨愛國，承傳父志，嚴謹治學，來台三十餘年，教導學生無數，教誨之餘，更不忘懷他們學以致用，爲他們安排工作，如今您的學生中，成爲社會精英的爲數不少，綜觀您對兒孫、學生們的訓誨，此成就豈止是「重開萬樹花」？萬樹桃李已經結成果實，種子廣佈，又開出更多的花了。

在往昔，每年您生日這天以及大年初一，是家中最熱鬧的日子，家人歡聚一堂，親朋、學子等賀客絡繹不絕。您之所以能如此受家人、親朋、學生們崇敬，都是您老人家的學識、風采，以及忠黨愛國的情操，和誨人不倦的精神，深深地折服了每一個人的心，當您六十歲生日時，學生們便開始熱烈慶賀，刊行慶祝六秩誕辰論文集，七十歲時，更有七秩誕辰論文集的印行。學生們以論文集獻給一位畢生作育英才的學者做爲生日禮物，是再恰當不過的了，這也是肯定這位學者「爹爹」您在教育方面的成就。

今年是爹爹您八十冥誕，學生們循例要印行八十冥誕紀念集，紀念您老人家畢生的成就，在您去世六年之後，家人及學生們仍以承傳您的遺志，努力不懈，今年再度交出一份總成績單，爹爹呀！您在天有靈，亦當樂見其成。

爹爹！承傳祖父和您的遺志，是子孫們的重任，我們都不想稍忘。自民國三十八年您追隨政府播遷來台以後，既時刻惦念家鄉瑞安的祖宗廬墓，深以未能歲時祭掃爲憾。當您臨終時猶耿耿於懷，並渴望能夠歸葬祖塋。可見爹爹您受儒家思想——不忘本源的薰陶至深且鉅，蓋狐死首丘，葉落歸根，乃是我中華民族五千年來傳統之美德，儘管時代潮流不斷的改變，而此一傳統美德卻是永遠不會改變的，爹爹！我們爲了彌補您的缺憾，完成您的遺志，決定今年十二月暫奉您的香灰返鄉，入祀瑞安林氏祠堂，並將祠堂重加修葺，使其煥然一新，一俟國家統一之後，再恭奉您的靈柩回瑞安，葬於祖塋，以略盡子孫的孝心，希望爹爹您在天之靈，本著生前對我的那份關愛之心來保祐我們，有您的庇祐，後代子孫當會更團結，更發奮，會有更大的成就，因爲您永遠都是我們的精神支柱，是國家的耆宿，是學生們的良師，子孫們都以您爲榮，以您爲傲，爹爹您魂兮有知，或當經常捻髯含笑九泉吧。

風木哀思

林煥曾

歲月不居，時序如流，轉瞬之間，父親去世已經六年了，在這兩千多個日子裡，父親的聲音笑貌無時無刻不深印在我的腦海，縈繞在我的耳畔。尤其在他八十冥誕的前夕，更令我思潮起伏，情緒激盪，其中有敬佩，有慚愧，有感慨……都在此時一起湧向心頭，久久不能自已。

父親最令我敬佩的地方，就是他在學術方面的卓越成就。他從小就資質明敏，潛心力學，終日手不釋卷，對於時俗好尙，均不屑意，在先祖父（諱辛，字次公）嚴格督導之下，奠定了深厚的國學基礎。後來又從先叔祖父（諱損，字公鐸）那兒學得了老莊學術的精粹，從蘄春太舅公黃侃（字季剛）先生那兒學得了文字音韻之學的奧窔，並加以融會貫通，纘緒發皇，至今猶有耿光。

父親第二點令我最敬佩的地方，就是對黨國的忠愛，生死不渝。抗日戰爭初期，他毅然以學者身分，投入救國行列，期以所學貢獻邦國，出任中國國民黨漢口特別市黨部主任委員兼綰游擊，他始終都以文信國公自許，不爲所動，在獄中屢賦詩以見志，這種寧殺身以成仁的高風亮節，實在是書生報國的楷模，不僅是我們林家的榮光而已。

其次令我慚愧的是，父親畢生獻身教育，愛護青年，不遺餘力，尤其對於清寒優秀的學子，更是備加矜憫，時相存問。因此在他去世之後，理當速設立「林尹獎學金」，獎助寒微，以彰顯父親之德意，無如人事栗碌，海外奔馳，蹉跎八年，竟未能如願。午夜思維，汗顏無已，深願上天再假我以年，我當賈其餘勇，繼續努力，再次出擊，以後半生矢志為文化傳播事業克盡棉薄，非達目的，決不終止，今後努力之方向，其一是追隨華美日報報系當軸諸公之後，兢兢業業，黽勉以赴，必使其成為國際上赫赫有名之大報而後已。其二是決定於近期內斥資創辦「景伊文化事業公司」藉以紀念父親，並大量印行中外優良學術名著，以為中華文化復興之一助，現已獲得許博俊弟之允諾，鼎力支持，父親泉下有知，必當欣然首肯，備致嘉許，並樂觀其成。

最後是我的些許感慨。古人常以人情冷暖、世態炎涼之語慨歎人類之現實，世情之澆薄，沒想到我居然親自體驗到了，父親在國立政治大學政治研究所、國立台灣師範大學國文研究所擔任教授及所長歷時達三十年之久，春風廣拂，桃李盈門，久已被尊為「中華民國文學博士之父」。父親秉性仁慈，對受業學生備極關愛，親如子姪，不但傳道解惑而已，同時還憑藉自己的聲望和私人的交情，陸續推介到海內外各大學任教，數十年如一日，未嘗間斷，受惠者不計其數，這種愛心，求諸中外古今，殆難多覯。老子云：「天道無親，常與善人。」像父親這樣的善人，非惟常得皇天之眷顧，亦且獲致後進之崇仰，譬如台灣省政府主席邱創煥先生當年肄業政大研究所時，曾列父親之門牆，多年來對父親崇敬有加，未嘗間斷，尤其在父親逝世之後，每當我從海外歸來，前往拜訪時，邱主席輒以親切態度，殷殷垂詢我之近況，備極關心，情逾手足，如此高誼隆情，令人銘感無已，又如師大國文研究所現任所長王熙元教授不忘父親當年培育之恩，當其獲知我們兄弟姐妹想要為父親出版「八十冥誕紀念集」時，即誠懇表示由該所師生負責所有編校事務，此種盛情，亦令人感激莫名。

在父親的學生中，像上述邱、王二氏之風義者，固然很多，然而薄情寡情義者亦未嘗沒有。在父親去世之後，其中忘恩負德者有之，態度冷漠者有之，不相往來者有之，絕口不提者有之，畫清界限者有之……種類繁多，不一而足。父親宅心寬厚，若其沖靈不遠，當復莞爾置之，而不以人心不古相責也。

茲值父親八十冥誕，本於慎終追遠之義，特綴數語，以誌哀思，方寸瞀亂，不知所云。

親切的教誨　深沉的懷念

——林尹先生八十冥壽紀念

錢學津

景伊先生是我從小尊敬仰慕、由衷欽佩的鄉賢先哲，又是我的義父，我爲他的逝世感到萬分悲慟。在他八十歲誕辰的日子裡，我遙望海峽，百感交集，情不自禁地想起他生前對我的親切教誨和誠摯的關懷。

景伊先生少年時代遊學北平，就讀於北平中國大學、國立北京大學研究所，畢業後執教於北平師範大學、國立四川大學等高等學府。抗戰軍興，又爲國運奔波，與倭寇周旋，政務倥傯，鮮有返瑞之時。一九四七年夏，他回鄉看望高堂，我聞訊後立即去見他，而他又坐在老屋二樓西廂房裡，見我來，他和藹親切，笑容可掬，連忙叫我坐。我問安後，面對而坐，一眼可以看到他臉色紅潤，精神抖擻，身材雖不魁梧，但目光炯炯，顯得精力充沛，英氣勃勃，他見我先是凝望不說話，就先開口問我的身體及學業情況，我那時身體不好，雖在浙江大學中文系學習，但幾次因病輟學，加之當時社會混亂，「求是園」裡學潮迭起，很不平靜，言談話語之間，自然地流露出悲鬱心情，他以親身經歷，循循善誘；同時勉勵我要振作起來，自強不息，學習瑞安前輩碩儒孫詒讓、陳介石、林損先生的治學精神，在國學方面多作探索研究。當我談起「大學國文」所學的荀況、莊子、老子、墨子及唐宋八大家散文和唐詩、宋詞、元曲等方面的內容時，他語重心長地說：「作為打基礎無所不可，但博覽不能代替專精，治學當以孔孟為本，諸子百家、詩詞曲賦，均可涉獵，然不宜作為終身方向。」聯繫我平素聽到的關於義父抗倭事蹟，以及後來誦讀他所作的獄中絕命五言律詩「此心同日月，此意擬冰雪，日月常光輝，冰雪終皎潔。昔思李郭功，今灑文山血。忠義分所安，慷慨成壯烈。」我深深地感到他的話確實是經驗之談，是點撥後學的金玉良言。可惜因為中間來了貴客，我只得提前告辭，他送我到樓梯口，囑我有機會到上海，一定要到他家，並告訴我詳細住址和乘車線路。

一九四八年冬，我因事回家，返校時途經上海，我就遵囑去看望義父，恰巧慰曾、耀曾等義弟妹也在，我們歲數相近，談得很投機，義父很高興，但事出意料，上海到杭州的火車票很難買到，即使買到票進站也非常困難。因為當時政局已十分吃緊，火車客運極其擁擠，車廂裡連站的地方也沒有，車頂上也坐滿了逃難的江北災民。我正為此憂心忡忡的時候，他說：「我要到南京去開會，憑證明提前買票進站沒有問題，你就跟我一起去吧。」於是我就坐他的小轎車進了北站，進站後，他還不放心，幫我打聽那一列是當晚到杭州的車，找到並問明列車員得到確證以後，他指著車門讓我上車，我進車廂後他仍站在月台上往車窗內張望，我連忙到窗口握緊他的手，他也緊緊地握住我的手，調車的火車頭的燈光，正好照到他的臉上，我看到他比去年清癯多了，我祝他千萬珍重身體，他點點頭，並舉起右臂招招手，然後左手掛著風衣，右手提著公事包，快步向開往南京的列車走去，我一看錶，離發車時間已經只有幾分鐘了。夜幕中，我凝望著他漸漸遠去的模糊的身影，抑制不住淚水奪眶而出。他對下輩的關懷，是多麼的無微不至啊！我是刻骨銘心，終生難忘的。

我原以爲不久還可以瞻仰義父的尊容，那曉得一別竟是三十多年，音訊全無，正當我深切思念時，一九八三年「參攷消息」傳來噩耗。開始時，我將信將疑，希望這不是事實。後來慰曾義妹寄來義父入殮彩照，我方知確是眞的，禁不住淚濕枕衾，想不到當時握別，竟成永訣。

一衣帶水何悠悠，景伊先生八十冥壽，我不能身往，謹以此聊表寸心，哲人其萎，光輝長存，先生的著作、事業、功德、作風，將如經天之日月，行地之江河，百代傳揚，千秋流芳。

我的大舅父林尹

王維弼

我的大舅父林尹、字景伊，是一位衆所周知的大學教授。人們都知道舅父是北京大學名教授次公、林公鐸之子、侄；是『書香門第、學術世家』；知其『幼承父教、聰穎特異』。因此，一般人總是以爲舅父日後之所以成名，必定是賴其家庭之力也。

其實，當一個人在世時就成爲著名人物，當他踏上成爲名人的艱難歷程，當他因顧及影響而對自己的一言一行都要再三斟酌時，人們就不容易透過他的公開形像去了解他私生活中難以啓齒的苦衷。實際上，舅父的青少年時代並不幸福，眞可謂『早年險釁，夙遭閔兇。』我的母親景昭舅父爲一母同胞，因幼年喪母，兄妹相依爲命。稍長，舅父成家後，卻因爲外祖父續弦之繼外婆年輕氣盛，而使全家不得安寧。經常因子、孫間的糾紛波及舅父，引得外祖父雷霆大怒；記得有一次因大表兄與小舅父之間的爭吵，致使大舅父險遭驅逐，幸虧外祖父老友說情，才免于此難。

母親恐怕紛亂的家事干擾了舅父的學業，經常給予勸解，而舅父卻以一笑置之，舅父說：『君子忍人所不能忍，容人所不能容，處人所不能處。我的心中自有一王國，一切快樂皆能從這裡得到；上天所賜人世福澤，我心比之無不遠過；我雖然有很多欲望、很多要求、很多煩惱，我能夠節度、能夠控制、能夠坦然處之，因此，我的心中沒有憂愁。』

長兄維邦，自幼聰慧，九歲時即能背誦古詩詞百首；古典名著過目不忘；時或和大人談論，語出滔滔，旁若無人；鄰里親朋讚不絕口。舅父卻撫兄首訓之曰：『學問之道無捷徑、無止境，入之愈深，其進愈難，其所見愈奇。『你年尙幼，不可驕縱、不可懶惰，持之以恆，方可成大器。』

……往事如煙，彈指間已有四十餘年矣！四十年來，因歷史上的厄困，我和舅父再沒有見過面。但舅父的許多令人難以忘懷的往事卻給我留下了無窮的回憶。

魂兮歸來

——懷念我的舅父林尹先生

王梓秀

舅父去世已六年了，可是我不見舅父慈顏卻已四十三年！無情歲月的流逝，竟使我再也沒有機會像兒時一樣倚在母親的懷裡聽他兩兄妹娓娓傾談的聲音，一直到我進入夢鄉。

記得舅父仙逝的噩耗是爸爸在瑞安故鄉先得到的，後來在報上得到證實。我們先是驚愕，但還將信將疑，希望傳聞失實，繼而悲從中來。母親去世後，我又失掉了一位尊敬的親人。海峽兩岸的睽隔竟使我永遠不能再見慈顏。今後只有在記憶裡、夢寐中看到談笑風生而親切慈祥的身影了。

舅父和母親是同胞手足，他們年幼時外祖父不幸早亡，兄妹二人相依爲命。稍大後，外祖父便把家政放給母親，而母親也任勞任怨負起了裡裡外外的責任，讓外祖父安心工作，舅父安心讀書，雖因此身體孱弱，卻贏得了親友的讚譽。母親出閣後，因兩家距離很近，仍經常回去照料，舅父結婚後，舅母是湖北人，在浙江瑞安人地生疏，鄉音不通，母親更是關心體貼大嫂，舅母有事也經常同母親商量，姑嫂倆比親姊妹還親。因此，母親在家族中享有很大聲望。我們表姐妹兄弟相繼降生後，兩家來往更加親密，逢年過節，上學逛街，嬉戲讀書常在一起。兒時，舅父一直在外地工作，好脾氣的舅母碰上淘氣的孩子躺在地上哭鬧得沒有辦法時，只得跑去喚大姑媽來，而母親也總能說得他們乖乖聽話。以後舅母只要說一聲大姑媽來了，撒嬌的孩子立即打一個滾從地上爬起來，免得給大姑媽看見而羞紅了臉。

我是長女，不僅家中人把我看作心肝寶貝，外祖父和舅父也特別喜愛我。每次舅父回家探親，給我家捎來大包小包禮物，其中總有專給我的一份。我那些傲視同儕的大小玩具，幾乎都是舅父千山萬水從外地購回來的。交通尙不方便的瑞安城還是挺希罕的呢。記得我發蒙讀書時，舅父專門送給我一個皮書包，我高興極了，天天上學提著它。開始時雖覺得有些沉甸甸的，但看見小伙伴們和不認識的孩子露出羨慕的眼光盯著書包時，那驕傲勁，眞不知天高地厚了。對要好的同學還讓她摸一摸，打開瞧一瞧，表示對她們特別的友誼呢。

抗戰開始後，舅父的消息逐漸稀少，好久不見他回故鄉。那時，敵機經常從海面掠過溫州、瑞安等縣城，有時在縣城上空偵察，再後來對飛雲江渡口掃射，間或轟炸。舅父家離我們讀書的東南小學很近。警報一拉響，我和慰曾表姐、耀曾表兄等一起趕緊跑到他家的後花園躲避。這時，外祖父一方面囑咐我們小心躲藏，一面捋著鬍子，兩眼望著敵機來去的方向，露出憂鬱且憤怒的神色。此後，外祖父空閒時，常給我們這些孩子講岳飛、文天祥、史可法的故事，講勾踐臥薪嚐膽和戚繼光東南沿海平倭的歷史。我那時已十多歲，在親人的愛撫下雖還不大懂事，內心已充滿著同仇敵愾的心理，但對母親和舅母經常在一起低語，有時相對拭淚，卻總不大明白，看見母親比過去更多地和外祖父在一起，只直覺到有什麼事會發生。母親這時已不再叫我背誦什麼「關關雎鳩」了，只是語重心長地督促我背「天地有正氣，雜然賦流形」那叫正氣歌的長詩，還講解張巡、顏常山的故事，爸爸似乎在院子裡徘徊的時間也更長了。這樣沉悶的時日一直延續了十個月左右。一天我放學回家，突然看到舅母和母親依偎著讀一封信，容光煥發，好像有大喜事光臨，舅母一看見我提著皮書包，笑著說：「阿秀，放學了？你舅父快要回來了！」我高興地大喊道：「眞的嗎？什麼時候？」媽媽立即說：「快了！快了！先洗洗手，準備吃飯吧。」過幾天，舅父眞的回來了，並立即先來看望媽媽，那幾天，我們兩家眞像過節一樣，親戚朋友，不斷前來探望談笑。這時，我們才得知舅父從事抗日工作，被敵僞逮捕，面對威脅利誘，不爲少屈，後來獲救脫身的驚險經過。我心裡對舅父敢於直對殘暴陰險的敵寇汪僞威武不屈，保持民族氣節，充滿了敬意。爸爸也將舅父在獄中所賦的壯烈詩句寫成橫幅懸在室內，供我們不時吟哦。不久，爸爸和舅父一起出門了，據說是到重慶，但爸爸因身體不適，一個多月後又單獨回來了。

舅父在故鄉的日子不多，除經常收到他老人家的禮物外，記得有一次到外公家，外祖父剛出庭辯護回來，一下轎，我便高叫道：「外公！外公！」外祖父慈祥地撫著我的頭髮說：「乖外孫女。」我又故意拉長聲音說：「外公——林次公。」外祖父故意一瞪眼，一吹鬍子，也拉長聲音：「唔——！」我一伸小舌頭趕快向裡跑，看見舅父拿著電熨斗燙西裝剛畢，已聽見我那調皮的聲音，就說：「阿秀，來摸摸這個銀光鋥亮的小輪船。」那時，電熨斗是個稀罕物，我一點不認識，覺得很新奇，便伸出小手，舅父輕輕地把它放在我手掌上，暖乎乎的。我一驚，趕緊縮回來，裝出吃虧的樣子，蹦著腳叫道：「燙壞了！燙壞了！」舅父開心地說：「瞧你的，看你還對外公沒有禮貌嗎！」這是一件小事，儘管兒時的歲月已長逝，但那種親切溫暖的氣氛卻始終漾溢在我的心中久久不忘。現在，我也當上外祖母了，但五十年前童稚的心靈仍溫暖著我，每一回憶，溫馨的感覺又充滿心頭。

抗戰勝利後，舅父爲了競選國大代表曾一度回到故鄉，此後就再也沒有見面了。七十年代舅父開始與爸爸聯繫上。八十年代開始，舅父聽到我家都從事教育工作，親自託人從香港寄來一套十大本他所主編的中文大辭典。這是瑞安所得到的台灣出版的第一部故鄉人主編的辭典。舅父生前的友好紛紛來觀看；甚至九十高齡的舅父的老師林煒然先生也顫巍巍拉著拐杖將第一部借回去細閱。故鄉爲有舅父學術上的造詣而增添光彩。海峽兩岸的文化交流終於使我們又讀到了「周禮今注今譯」及其他舅父所寫的論著。我想，隨著中華民族親情的發揚，隨著海峽兩岸交流的發展，我一定能見到闊別近半個世紀的舅父和舅母。哪知噩耗傳來，舅父不幸離開了人世，兩年後爸爸也棄絕塵寰。外祖父則在六十年代初歸了道山。現在長輩中碩果僅存的已不多了。舅母也八十高齡，紀念舅父，我更盼望舅母早日回到大陸探親旅遊。期望我們表兄妹們重新團聚，一道回憶兒時的溫馨，重遊故鄉的仙岩梅雨潭、愚溪等名勝風景之地。希望不久的將來，外祖父舅父的靈櫬能運回安葬在先人的墳塋。那時，如冥間有知，舅父和母親兩感情極篤的兄妹定會攙扶著外祖父，一道站在那原來刻著「少住爲佳，看南浦雲飛，西山雨卷；請君快渡，趁一帆風順，兩岸潮平」長聯的飛雲閣前，欣賞著橫跨亞洲最長的公路橋之一——飛雲江大橋，寄託著無限的鄉思。啊！魂兮歸來，故鄉的地方誌上已記載你的生平和不朽的鴻篇鉅製。

豪情不羈、辯才無礙的名教授林損

潘善庚

在二十世紀四十年代初，溫州瑞安城內有一次規模盛大的出殯活動，人們爲一位教授送葬。與此同時，陪都重慶也舉行極盡哀榮的公祭大會，國內要人、名流所送的花圈、挽聯不少。其中張學良送的挽額『人師、經師、國學大師』，最爲引人注目。這位教授是什麼人呢？就是曾與胡適打筆墨官司的林損。

林損（一八九〇—一九四〇），字公鐸，又字攻瀆，浙江瑞安縣人。清光緒十六年十二月初七日出生于瑞安東門打錫巷一座三間平屋裡。他的出生，給家庭帶來了悲喜劇。一面是他父親林養頤得中秀才，賓客盈門，好不熱鬧；一方面是他的生母因勞瘁過度，分娩以後即溘然去世。因此全家人對他誕生沒有好印象，都『痛而欲棄之』，結果是他的舅父陳介石（黻宸）把他抱過來，交給自己另一個嫁給鄭氏的妹妹撫育長大。介石妹妹『精通經史、周覽載籍』，是一位既賢淑又有學問的婦女。在她的悉心誨誘和啓蒙下，林損從小就非常聰明，讀書過目不忘，到了七歲就已讀完五經。八歲時，他父親也去世了，他就在瑞安穎川學塾跟他舅父陳介石學習。陳介石是光緒壬寅年進士、一代大儒。林損在他的指引下，在古文學的海洋裡，進一步探索三墳五典、八索九丘和經傳義理的精微，進益很快。光緒三十三年（一九〇七年），陳介石應兩廣總督岑春煊的厚聘，到廣州主持兩廣方言學堂的學務，林損又隨同去羊城繼續深造，就讀于兩廣優級師範學堂。在此期間，受到學友馬叙倫的鼓勵，經常寫作，在報刊上發表。畢業後，在瑞安高等小學教了一年書，主要教英語和數學。宣統三年（一九一一年）到上海《黃報》任編輯，與黃興、宋教仁等一起宣傳革命，聲名大震。民國五年（一九一六年）北京大學校長胡仁源慕名聘請他任主預科講師，兩年後聘爲文學系教授。當時的北京是人文薈萃之地，而北大更是四方名師之所聚。這時在北大任教的有他舅父陳介石、哥哥林次公（辛），還有馬叙倫、胡適、吳梅、許之衡、沈尹默、陳漢章、劉師培、黃侃、黃節、錢夏、張爾田等名教授。舅父和哥哥對他這個只有二十多歲的小青年，是否能勝任教學，開始頗爲擔心，曾經專門組織一批老教授去聽他的課。林損態度鎮定，聲音宏亮，分析清楚，結論精闢，大家聽了課後非常讚許，對他的『博辯挺特，周旋群流，衍百家之說，析以片言；證古今之學，歸于至當』十分欽佩。

『五四』運動前後，國故與新思潮對壘，旗陣分明，各是其說。錢玄同與胡適等提倡新文學和白話文，反對封建文學和文言文，風靡全國，蓬勃發展。林損與林次公、陳孟沖和北大史學教授黃離明等則和前清一些遺老一起，堅持舊學觀點，組織漢學研究會，創辦《唯是學報》，宣傳文言文與儒家的傳統理論，與之辯論。林損對漢學存廢問題，發表了長達數萬言的論文，雖然博大精深，但是所起的影響是不好的。一九二七年春，林損應王永光之聘，去瀋陽東北大學任教，與張學良有交。次年皇姑屯事變發生後，回歸江南，在上海交通大學任教。一九二九年仍返北大任教並兼國史編纂處編輯。這時新派挾雷霆萬鈞之勢批判舊學，許多老師宿儒漸被壓迫，先後離校他去，唯林損仍堅持在北大抗衡，倍受白眼。當時的處境從他給程學圃的詩中可以看出：『故國將亡故老稀，故書一讀一沾衣。』一九三四年，胡適升任北大文學院院長，並提出中文系和歷史系合並，林損就毅然拂袖；中文系主任馬裕藻、詩人黃節、名教授許之衡等亦相繼辭去。同年秋林損應黃侃之約，受聘于南京中央大學。黃侃字季剛，湖北蘄春人。早年宣傳革命，曾被清廷緝捕，逃至日本。民初在北大與林損同爲舊學之砥柱，情誼甚厚，直至通婚聯姻（黃侃外甥孫女嫁與林損侄林尹）。當時黃有贈林損詩云：『握手華京白髮新，依然四海兩畸人。傷心師友多爲鬼，嘔血詩篇尚有神。凍雀山頭非健翮，蟄龍地底亦窮鱗。悲吟無益還成笑，坐待嚴寒轉好春。』不久，黃侃死，林損懷著十分悲痛的心情寫詩憑弔，內有『醉有千夫指，夢無一夕娛』之句。一九三六年，林損去陝西任西北農林專科學校教授，在這段時間，正發生西安事變，他與張學良的交往依舊。次年抗戰爆發，回瑞安故里，閉門養病，整理舊稿，河南大學校長邵瑞彭帶來聘書，沒有赴任；國民政府教育部長陳立夫聘請他擔任特約撰述，也無所表見。一九四〇年八月廿六日因患肺病與世長辭，享年五十一歲。國民政府主席林森『欽其志節，嘉其行誼』，曾明令褒揚。一九四三年四月二十一日葬于瑞安前韓山之麓，吳雅暉爲篆寫碑額，林損弟子、復旦大學教授徐英爲之寫墓志銘，北大同事沈尹默爲之書丹勒石。

林損治學謹嚴，不爲清代考證、訓詁、章句之學所拘，博覽群書，致力于學術研究、闡揚，窮本溯流，對先秦諸子、老莊佛學、周易內典、名理經史、詩文辭章等無不精通，並繼承永嘉學派傳統，吸收唐宋元明清諸子之長，倡名理經世之學，益廣其傳。于諸子之中尤長于儒道二家之說。在賓朋酬酢間，辭令縱橫，爲文下筆數千言立就，其博辯之才，強于同輩。章炳麟（太炎）對他的評價是：『公鐸之學深于文，得力于諸子，又長于史事，故析理特精且熟若此，蓋能善繼其舅介石先生者也』。

林損爲人剛直放傲，健談善飲：即或賓朋在座，也是手不釋杯，由于憤世嫉俗，有時就乘著酒興，揮發喜笑怒罵的情懷。他性雖自負，不可一世，但每與青年們接席時，就一面持杯，一面以獎掖後進的態度，諄諄善誘，始終無倦容。因此青年們還是樂于同他接近的。

林損平生著作約數十種，大都未刊刻，主要有《倫理正名論》、《政理古微》、《中庸通義》、《老子通義》、《大學衍義注疏義例》、《老子微》、《莊子微》、《列子微》、《辨墨》、《中國文學講授發端》、《文學要略》、《永嘉學派通論》及《叔苴閣詩文錄》、《甌音變遷略論》等。十年浩劫中，有一箱手稿一度散失，幸經溫州市圖書館及時收集，已交還其女兒林稷若女士，這是研究發掘林公鐸學術思想極其珍貴的資料。

林損有一子四女，孫林超在西班牙馬德里，林損的侄子林尹（幾年前已逝世）在台灣，對國學造詣也極深，主編過台灣出版的《中文大辭典》及著有《周禮今注今釋》等書。林損十個侄孫、三個侄孫女，分別在台灣及美國洛杉磯、弗雷斯諾、西班牙馬德里等地工作。

群經通義

中央大學 胡自逢

引言

群經之義相通，以經爲義理之學，據理而言，初無先後終始之分，小大精粗之跡，其條貫無不通也。言其相通，則如本枝之相爲連理，源委之涇流一貫，以其聲氣之相引，脈息之一致也。群經敷暢義理，理有本有末，有源有委，而一本散爲萬殊，萬殊復歸一本；一源分爲百川，百川朝宗於海。前者伊川所謂「體用一源」，後者伊川所謂「顯微無閒」也（註一）請以治道隅舉，史公曰：「六藝於治，一也」。（註二）。如《詩》以諷諭感發；《書》示牧民之要；《易》以開物成務，《禮》以規範行爲；《春秋》以立王者之大法，同趨於治化，其歸則一也，此其相通之一方也。

孔孟皆舉相通之事，孔子兩言吾道一以貫之，一語曾子曰：

參乎：吾道一以貫之，曾子曰唯……（註三）。

一謂子貢曰：

賜也，女以予爲多學而識之者與？對曰然。非與？曰非也。予一以貫之（註四）。

此道當是「仁」。如何一以貫之，孔子未明言。又答哀公問政：

天下之達道五，所以行之者三……知仁勇三者，天下之達德也，所以行之者，一也。

又曰：

凡爲天下國家有九經，曰修身也，尊賢也……所以行之者，一也（註五）。

右兩「一」字朱註皆曰「誠」，此當指本原之理。至孟子於「一」，則明言其爲「仁」，孟子曰：

居下位不以賢事不肖者，伯夷也；五就湯五就桀者，伊尹也；不惡汚君，不辭小官者，柳下惠也，三子者不同道，其趨一也，一者何？曰仁也。君子亦仁而已矣，何必同？（註六）

蓋伯夷之淸，伊尹之任，柳下惠之和，三子所由塗轍不同，而其趨於淑世之仁，則一也。孟子又曰：

君子之於物也，愛之而弗仁，於民也，仁之而弗親，親親而仁民，仁民而愛物（註七）。

親親（施由親始），仁民愛物，有本末先後之殊？其爲仁之理則一也。又曰：

堯舜之仁，不偏愛人，急親賢也（註八）。

堯舜發政施仁，亦有輕重緩急之分，然而皆推仁之理，而一以貫之者也。

孟子復言經義相通之聖，基於人心之所同然。孟子曰：

故凡同類者，舉相似也……口之於味也，有同耆焉；耳之於聲也，有同聽焉；目之於色也，有同美焉，至於心獨無所同然乎，心之所同然者何也？謂理也義也，聖人先得我心之所同然耳。

故理義之悅我心，猶芻豢之悅我口（註九）。

理義爲人心之所同然，經載理義，後人讀經，深契於理義之教，今古有此同感，古人之言戚戚焉實獲我心，蓋於義理之認可，此心同，此理同也。不過聖人先得我心之所同然。我嘗欲言之而未能（辭不足以擧），聖人即爲我直道吾心之所欲言，心之歡慶，豈不愈於芻豢之悅我口哉？是人心之有同然者，其理固相通也。

經自孔子董理刪約，以爲定本，總先聖先王覺世牖民之嘉言懿行，體國經野之大經大法，修己立人之準繩，天人性命之幾微畢具於是。謂群經爲往古聖哲德慧睿智之總匯，其誰曰不宜。

歷代治經，每重其專義，即篤守一經之義訓以立言垂教，而於群經之大義，尟有撮其宏綱，綜其機要，合其歸極，以觀其會通者，本文名曰通義，務在觀其會通，抉其大者，由是而執其環中以應乎無窮者也。

嘗思學術之產生，始於人類之求生存，天下之生久矣，其初爲欲適應環境，以遂其生，自力求謀生之道，於是水則資舟，陸則資車，海利魚鹽，山利畜牧，應其所需，是以力求知識，以維生計。迨人物交際往來之久，而知其有所不足也，進而追求學問，以健全其生活，迨人事紛繁，物競天擇，愛惡相攻而利害滋生，人則難以自爲也。有聖人作，力謀人類相與生存之道，俾能生生自庸，而學術應之而興，故昌黎謂：

古之時人之害多矣！有聖人者立，然後教之以相生養之道，爲之君，爲之師，驅其蟲蛇禽獸而處之中土。爲之禮以次其先後，爲之樂以宣其壹鬱，爲之政以率其怠 ，爲之刑以鋤其強梗（註一〇）。

禮樂政刑立，治道具矣，而學術由之而蔚起，往古聖哲每以通天人之幾微，洞性命之本原之學，名之曰「道」，又曰「道術」（註一一），曰「學」（註一二），曰「義學」（註一三），曰「術學」（註一四），後世總名之曰「學術」。然「學術」一詞之嬗衍，每與《經學》相因，班〈志〉稱：

六藝之文，《樂》以和神，《詩》以正言，《禮》以明體，《書》以廣聽，《春秋》以斷事，五者蓋五常之道，相須而備，而《易》爲之原，至於五學，世有變改，故之學者耕且養，三年而通一藝，存其大體玩經文而已。

觀孟堅以六藝爲「道」、爲「學」、爲「經」，而明言經以載道者。又曰：

儒家者流，游文於六經之中，留意於仁義之際，宗師仲尼以重其言，於道爲最高，惑者既失精微，而辟者又隨時抑揚，遠離道本，是以五經乖析，儒學寖衰。

文中「道」字承上「六經」，又下續「五經」之文，「道」，爲經中之道，經所以載道之義至明。又《後漢書·魯丕傳》，丕上〈疏〉曰：

臣聞說經者，傳先師之言，不得相讓，相讓則道不明。丕言說經所以明道，經固所以載道也。至經學一名，始見於《漢書·儒林傳》曰：

（兒）寬有俊材，初見武帝，語《經學》……。

又曰：

諸儒始得修其《經學》。

學術總薈於群經，歷代賢智之士，鑽研玩索，寢饋其中，發揚昌大，經類之著作益多，而《經學》遂爲傳統文化之中心矣。

今日治經復當留意者數事：

一曰孔子刪定五經之功。

裴松之曰：

臣松之以爲孟軻稱宰我之辭曰：以予觀於夫子，賢於堯舜遠矣。又曰生民以來，未有盛於孔子也。若乃經緯天人，立言垂制（按謂刪定五經），百王莫之能違，彝倫資之以立，誠一人而已。夫能光明三五之道，以成百世之功，齊天地之無窮，等日月之久照，豈不有踰於群聖哉（註一五）！

松之言孔子刪定五經之功，令三皇五帝立人經世之道彰著於後世，與日月合其明，侔天地之無窮，其推尊可云至矣！

二曰淑世必資經常之道。

蓋經常之道，歷萬變而不可移易者也。亦必有弛張之具，隨時而制其宜者，今日工業霸世，經濟獨裁，科學技術，應時而起，吾人當知科技者，適亦弛張之耳，而所以爲改弦更張者，要不可離經常之道，群經所載者是也。人類苟不自毀，其必率由五經之教無疑，蓋經義廣大精微，所謂範圍天地之化而不過，曲成萬物而不遺（註一六）。唯聖智明哲，覃思殫慮、遊息脩藏，饜飫其中，眞積力久，誠有味於五經之敎，乃見其字字句句，皆切於人生實用，而不可須臾離也。

三曰經學為義理之學。

離義理豈別有所謂經學。若離經學而言義理，則爲無根之言；離義理而言經學，則徒章句之知、記問之學而已。而義理絕非空疏無常，遠離事物。蓋理事不二，未有外於事物之理，亦未有不合於理之事，知此則知事物之不得其當者，胥由於義理不明之故也。

四曰物論是非常折衷於經義。

史公曰「學者載籍極博，猶考信於六藝。（註一七）」考信、非徒取資於史實，蓋藉以覈其是非也。莊子謂「此一亦是非，彼亦一是非」（註一八）謂世俗之言是非，非確乎不可易之理。然眞是眞非，則不雜纖毫私見，一惟折衷於經義，所謂「無適無莫，義之與比」（註一九）而所謂是者，要非義精仁熟，深知經義者，亦未足以認定也。

五曰百氏之學，皆出於五經。

經學爲傳統學術思想之主導。莊子謂「道術無乎不在，其在於《詩》、《書》、《禮》、《樂》者，鄒魯之士，搢紳先生多能明之」（註二〇）此謂經學之爲「道術」，傳自儒家。又謂「道術」之裂爲方術，諸子各得一察焉以自好，「後之人不幸不見天地之純，古人之大體」（註二一）《漢·志》以「九家之言，皆六藝之支與流裔」（註二二）後世群言淆亂，涇渭莫辨，若折衷於聖人，攝之以五經，而其眞僞得失，灼然立見，經學爲學術思想之主導，信矣。

六曰經義之實踐。

漢儒首倡通經致用之說，保存古訓，服膺經義，實踐經訓，以匡濟時艱，朝廷政令及疑獄，無不本之經義，其尊崇經訓，期見之實行，雖冒萬死而不辭，如眭孟蓋寬饒輩，爲申張經義，面折廷爭，至死而不悔，其熱愛眞理之誠有如是，今日治經當實踐經義，非徒誦習章句而已。

七曰經學之大用，直關世運之興衰，治化之隆污，風俗之厚薄。

《後漢書·儒林傳》論曰：

自光武中年以後，干戈稍戢，專事經學，自是其風世篤焉。其服儒衣稱先王，遊庠序，聚橫（黌）塾者，蓋布之於邦域矣。若乃經生所處，不遠萬里之路，精廬暫建，贏糧動有千百，其耆名高義，開門受徒者，編牒不下萬人，皆專相傳祖，莫或訛雜……夫書理無二，義歸有宗……然所談者仁義，所傳者聖法也。故人識君臣父子之綱，家知違邪歸正之路。自桓靈之間，君道秕僻（秕，穀不成也，以喻教化之惡），朝綱日陵，國隙屢起，自中智以下，靡不審其崩離，而權彊之臣息其闚盜之謀，豪傑之夫，屈於鄙生之議者，人誦先王言，下畏逆順埶也。至如張溫皇甫嵩之徒，功定天下之半，聲馳四海之表，俯仰顧盼，則大業可移，猶鞠躬昏主之下，狼狽折札（簡）之命，散成兵，就繩約而無悔心。暨乎剝橈自極，人神數盡，然後群英乘其運，世德終其祚，迹衰敝之所由致，而能多歷年所者？斯豈非學之效乎（言猶有儒學，故能長久也）！故先師重典文，褒勵學者之功篤矣！

史臣極論經學之大用，君臣父子之綱紀立，人知正邪之分野，雖有彊權，不敢肆其姦宄。明章光武，講經論道，敦悅詩書，學風、士氣之不振，乃有如是之宏效，豈可忽哉！

司馬溫公又即此而論教化風俗之關鍵而曰：

教化、國家之急務也，而俗吏慢之；風俗、天下之大勢也，而庸君忽之。夫惟明智君子，深識長慮然後知其爲益之大，而收功之遠也！光武遭漢中衰……征伐四方，日不暇給，乃能敦尙經術，賓延儒雅，開廣學校，修明禮樂，繼以孝明孝章，臨雍拜老，橫經問道，自公卿大夫至於郡縣之吏，咸選用經明行修之人，虎賁衛士，皆習學經，是以教立於上，俗成於下，自三代既亡，風化之美，未有若東漢之盛者也。及孝和以降，貴戚擅權，嬖倖用事，賢愚渾殽，是非顛倒，可謂亂矣？然猶綿綿不至於亡者？上則有公卿大夫袁安楊震……李膺之徒，面引廷爭，用公議以扶其危；下則有布衣之士符融郭泰許邵之流，立私論以救其敗，是以政治雖濁，而風俗不衰……夫豈數子之賢哉？亦光武明章之遺化也……由是觀之，教化安可慢，風俗安可忽哉？（註二三）

溫公謂三代以降風俗之美，未有盛於東漢者，其　揚可謂至矣！而此風俗仍以學風爲主，當時文武無不誦習經籍，在朝有公卿之公議；在野有布衣之輿論，共挽衰隤之趨勢，固光武明章之遺化，收學術之宏效？其幾，則是光武之敦尙經術，學統之領導治統，惟此時爲然。然學風之開啓，西京已肇其端，《漢書·匡衡傳》，望之：奏衡「經學精習」，長安令楊興稱衡「材智有餘，經學絕倫」。成帝即位，衡上〈疏〉曰：

臣聞六經者，聖人所以統天地之心，使不悖於其本性者也。故審六藝之指，則天人之理可得而知，草木昆蟲可得而育，此永永不易之道也。及《論語》《孝經》，聖人言行之要，宜究其意。（註二四）

匡衡以六經所載，所以統天地之心，足知人者天地之心（註二五），人上合天地之心，天地固自有心，〈復·彖傳〉謂「復其見天地之心乎」是也。又謂明悉六經之旨，施於政教，可以和天人，育萬物，則「天地位焉，萬物育焉」（註二六），可致中和之美盛，則經學之極詣，蔑以加於此矣。由右述乃知儒學在中國常爲中心之思想，爲學術發展之主導，而確乎其不可拔者？以其植根於中華之民族性，有至大至深之基石也。本文分八目：一曰道，二曰天人，三曰內外，四曰性命，五曰德行，六曰倫紀，七曰治平，八曰結語，分述於後：

一、道

甲、釋　名

《說文》二篇下〈辵部〉曰：

道，所行道也。從辵首。一達謂之道。

是道爲道路，人所由行，故孟子曰：

夫道若大路然，豈難知哉，人病不求耳。（註二七）

按「道」、爲德性義理之會歸，學術整全之代，中國傳統文化之精神在「道」字，實萬有之本原，人類嚮之所止。凡自然規律，倫理法則，靡不賅備。按字訓，本爲道路，人所由行，而天體運動，星漢曜光，顯呈自然美妙之天體秩序；人類在覆載之間，則有倫常綱紀，相與維繫，親愛精誠，互助合作，而有和諧融洽之社會秩序，是無天所共由之路，乃一和諧秩然有序之大道也。則道由道路而爲天人所共循之法則也。天不言而四時行、百物生，裁成化育，順帝之則，仍在乎人，人類苟知善盡自我，自強不息，固能與天地參矣。

乙、道之別名

1、天道。

群經均言道，道本一物，孟子曰：

夫道，一而已矣。（註二八）

莊子謂之：

天地之純，古人之大體（即全體）。（註二九）

荀子則曰：

君子知夫不全不粹之不足以爲美也……天見其明，地見其光（廣通），君子貴其全也。（註三〇）均以道爲整全之名，是道無天人之分，天人一也。曰天道，曰至道，曰大道，皆贊之之辭。《周易·謙·彖傳》立天道、人道之名曰：

天道虧盈而益謙，人道惡淫而好謙。

〈繫傳下〉第八（註三一）〈說卦傳〉（註三二）同，其具形上義者有

①太　極

〈繫傳上〉第十一章曰：

是故《易》有太極，是生兩儀，兩儀生四象，四象生八卦，八卦定吉凶，吉凶生大業。

「太極」爲宇宙之絕對本體，萬有皆此一本體之作用，鄭康成《易注》釋太極曰：「極中之道，淳和未分之氣也。」（註三三）鄭以中訓「極」，以極釋「太」，謂太極爲至大至中之道，覈其實則爲「淳和未分之氣。」及其已分，則爲陰陽二儀，「太極」創生天地萬物，《傳》文兩儀以下所生是也。說見小箸《周易鄭氏學》一四七頁，文繁不具引。

②乾　元

《周易·乾卦·彖傳》：

大哉乾元！萬物資始，乃統天。

〈乾·卦辭〉：「元亨利貞。」〈彖傳〉因釋元而美之曰：「大哉乾元！萬物資始。」明「乾元」爲萬物之

潛龍勿用。

本始，萬有之所由來。元者，天地之元氣也。乾爲陽氣，〈乾·初九·爻辭〉曰：

潛龍勿用，陽氣潛藏。

〈象傳〉即曰：

明乾之爲陽氣。元，古訓氣，《公羊·隱元年注》：

元者，氣也。無形以起，有形以分，造起天地，天地之始也。

《九家易注》：（註三四）

元者，氣之始也。

皆明元氣爲萬物之本始，富形上義，因天地之元氣在太空流行、鼓盪，以之涵泳化育萬物也。謹案後世於〈易傳〉偶有微辭，不知《荀子·大略篇》已引〈咸·彖傳〉之文凡十餘句，《戰國策》卷六引〈未濟·彖傳〉之文一句。《荀子》與《國策》極可信。班〈志〉言「孔氏爲之〈彖〉〈象〉〈繫辭〉〈文言〉〈序卦〉之屬十篇。」《史記·孔子世家》謂「孔子晚而喜《易》，〈序〉〈彖〉〈繫〉〈象〉〈說卦〉〈文言〉，讀《易》韋編三絕。」馬班號良史，皆言孔子作傳。自宋歐陽修作《易童子問》以〈繫傳〉〈文言〉有子曰字，始疑非孔子作，今細審〈易傳〉除引子曰等文必爲七十子後學所傳述外，餘亦多與儒家思想密契。孟子稱「盡信書則不如無書」（註三五）可疑者疑之，要不可過，過則後人無書可讀，亦一罪也。按天地化育，基於變化，其爲變化之主因者有：

①對待

對待爲《易》之精蘊，六十四卦，皆兩相對待，〈睽·彖傳〉特發此義曰：

睽，火動而上，澤動而下，二女同居，其志不同行……天地睽而其事同也；男女睽而其志通也；萬物睽而其事類也，睽之時用大矣哉！

按睽卦☲☱（兌下離上，顯寓對待之理，上離爲火，下兌爲澤，火動而上（火炎上），澤動而下（澤含水，水性就下），其事固相乖迕，對待在自然界，天尊地卑，高下懸絕，此對待也，於人事，男女對待之名也。然相待者，每相反相成，故天地雖睽，而其生物之事同，男女雖睽，而其相求之志則通萬物形殊而同秉天地之氣以生則相類也，陰陽實爲對待之顯例。

②終始

終始之義，於卦爻可見，凡六位成章之卦，初爻爲始，〈坤·初六〉曰：

履霜堅冰至。

〈象傳〉曰：

履霜堅冰，陰始凝也。

上爻爲終，〈否·上九〉曰：

傾否，先否後喜

〈象傳〉曰：

否終則傾，何可長也。

此一卦之終始也，卦之有終始，〈彖傳〉於〈乾〉，已闡明之曰：

大明終始，六位時成。

終始所以紀時，亦天行（天道）之常，〈傳〉於〈蠱卦〉，則直抒其義曰：

先甲三日，後甲三日，終則有始，天行也。

先儒以甲爲創作新令之日，先甲後甲，告曉丁寧，取反復申警之義，以象天道之終而復始，故曰「天行」。終始之義，〈恆·彖傳〉言之綦詳曰：

恆亨無咎利貞（卦辭），久於其道也。天地之道，恆久不已也。利有攸往，終則有始也。日月得天而能久照，四時變化而能久成……。

右明終則有（又）始，爲天地恆久之至道，四時之變化，春夏之次，冬春相嬗之律則，終而復始之理，此其尤大彰明顯著者也。終始亦曰反復。

③反　復

〈復·卦辭〉曰：

復亨，出入無疾，朋來無咎，反復其道，七日來復。

〈彖傳〉曰：

反復其道，七日來復，天行也。

經文曰「反復其道」，明天道有反復之理，故〈傳〉即曰：「天行」也。〈泰卦·九三·爻辭〉曰：

無平不陂，無往不復。

〈泰卦·上六·爻辭〉曰：

城復於隍。

《正義》：「隍，城下池也。」城可復而爲隍，亦證天道反復之義。《說文》二下「復，往來也。」段《注》「往而仍來。」往而復來，四時運行，日月代明，皆其顯例，天道本自如此。按今人有謂周易經文不言天道，易傳乃專言天道，此耳食之語，未細讀周易。右舉三事，皆是經文，尙不止此，後人以此而詆〈易傳〉，余不能不言。人間無是非（莊子語），學術誠有是非，亦不可不明。

④不　息

《禮記·哀公問》敢問君子何貴乎天道也？孔子對曰：

貴其不已，如日月東西相從而不已也，是天道也。

不已即不息，《中庸》「故至誠無息（前章曰：誠者，天之道也）（註三六），不息則久」。右舉①對待，②終始，③反復，④不息，皆天道之變化，所以生物之爲也，觀《大戴記·哀公問》第四十四曰：

大道者，所以變化而凝成萬物者也。

唯變化乃能生物，而變化之主力則爲陰陽，陰陽之有消息是也。〈剝卦·彖傳〉曰：

剝，剝也。柔變剛也。不利有攸往，人小人長也。

〈夬卦·彖傳〉曰：

夬，決也，剛決柔也。

按剝卦䷖坤下艮上，五陰剝蝕一陽，爲以陰消陽也；夬卦䷪乾下兌上，五陽決（排斥義。《孟子》決汝漢，排淮泗。（註三七）朱《注》：「決，排去其壅塞也」）去一陰，此以陽消陰也。此消則彼息，彼息則此消，明陰陽之有消息也。〈彖傳〉發明《易》之大義處，尤足珍貴。實則周易一言以蔽之曰：「陰陽消息而已」。左氏於此謂之盈必毀，《左·哀十一年傳》曰：

吳將伐齊，越子率其衆以朝，子胥諫曰：越在我，心腹之患也……吳其忘乎？三年，吳始弱矣，盈必毀，天之道也。

盈毀與消息一義，息爲盈，消爲毀，盈虛消息，乃天之道。消息、爲對待二者相反之一面。對待之理相反相成，故陰陽又有相交之理勢，此二氣之感應也。〈咸·卦辭〉：「咸亨利貞取女吉」〈彖傳〉曰：

咸，感也。柔上而剛下，二氣感應以相與，止而說，男下女，是以亨利貞，取女吉也。天地感而萬物化生……。

柔上剛下，於咸恆二卦反對之象可見（參小著《易說通考》九八頁有說，此略）。相與者，密契交感之意，「與」訓黨與，有親比之義，二氣感應以相與，所以化生萬物，故傳下句曰「天地感而萬物化生」也。《禮記·月令》言交感之事曰：

是月（孟春）也，天氣下降，地氣上騰，天地和同，草木萌動。

天氣地氣，即陰陽二氣，下陰上騰，則二氣之交合也。天地和同，陰陽二氣之和同，陰陽和而後萬物生，故曰「草木萌動」也。若其不交，則萬物不育，故〈歸妹卦·彖傳〉曰：

天地不交而萬物不興。

〈姤卦·彖傳〉直曰：

天地相遇，品物咸章。

天地，皆指二氣言，《禮記·郊特牲》曰：

天地合而後萬物興焉。

蓋大化流行之主因，是陰陽交感，〈繫傳上〉第一章：

是故剛柔相摩，八卦相盪，鼓之以雷霆，潤之以風雨，日月運行，一寒一暑，乾道成男，坤道成女。

在易，乾坤、剛柔、陰陽爲一事，剛柔相摩，即二氣之相摩盪，成男成女，人以之生，物類亦莫不然，此陰陽合德之事，〈益卦·彖傳〉言之尤悉曰：

天施地生。

使天無所施，則地亦何由生？所謂孤陰孤陽之不能生長也。〈繫傳上〉第四章：

一陰一陽之謂道。

明道已渾含陰陽，此天地之生德也，故〈繫傳下〉第一章曰：

天地之大德曰生。

生生之謂易。

《繫傳上》第五章曰：

生物必資二氣，天地之生德，固係天道無疑。

2、人道。

孔子曰：

道不遠人，人之爲道而遠人，不可以爲道（註三八）。

人道，固人之所當奉行，當篤守者，舍此不爲人道。中庸首揭：

天命之謂性，率性之謂道。

人受性於天，天命之性，猶有天命在，而率性之事，循性固有之明德而爲之，則直人道耳。然天道遠，而人道在己，固當先修人道，《左·昭十八年·傳》：

壬午、宋衛陳鄭皆火，來告火，裨竈曰：「不用吾言，鄭又將火！」鄭人謂用之（用瓘斝以祓之）。子產不可。子太叔曰：「寶以保民，若有火，國幾亡，可以救亡，子何愛焉？」子產曰：「天道遠，人道邇，非所及也，焉知天道，是亦多言矣。」遂不與，亦不火。

子產之意，謂當修人道以勝天道，達人之言也。至人道當以仁爲主。《里仁》篇孔子曰：

參乎！吾道一以貫之。曾子曰唯，子出、人問曰何謂也？曾子曰：夫子之道，忠恕而已矣。

仁道至大，孔子不常以仁許人。故曾子就其切近而易行者言之，曰「忠恕」而已。盡己推己，人所易知易行，實踐忠恕，庶幾於仁，故孟子曰：

強恕而行，求仁莫近焉。（註三九）

其次爲君子之道，所以特許子產者。子謂子產：

有君子之道四焉：其行己也恭，其事上也敬，其養民也惠，其使民也義。（註四〇）

恭、敬、惠、義，修己治人之事具，故治道爲要，《穀梁·桓六年·經》「秋八月壬午大閱」，〈傳〉：

大閱者何？閱兵車也，修教明諭，國道也。

注：

修先王之教以明達於民，治國之道也。

孟子曰：

不愆不忘，率由舊章，遵先王之法而過者，未之有也。（註四一）

范注言修先王之教，與孟子言遵先王之法同，此治道，亦人道之大者。《穀梁·僖二年·經》「二年春王正月城楚丘」〈傳〉：

楚丘者何？衛邑也……其言城之者，專辭也。故非天子不得專封諸侯，雖通其仁，以義而不與也。故曰仁不勝道。

注：存衛是桓之仁，義不可以專封。仁，謂存亡國，道，謂上下之體。

注謂「道，上下之體」。體者體制，即君臣上下之綱紀，正名分之大義，尤治道，人道之大者。然人道有經有權，又不可不知。《公羊·桓十一年·經》「九月宋人執鄭祭仲」〈傳〉：

祭仲者何？鄭相也。……何賢乎祭仲？以爲知權也……宋人執之，謂之曰：爲我出忽而立突，祭仲不從其言，則君必死、國必亡，從其言、則君可以生易死，國可以存易亡。權者何？反於經也，然後有善者也。行權有道，自貶損以行權，不害人以行權，殺人以自生，亡人以自存，君子不爲也。

據〈傳〉，則道有經有權，又論行權之道：不害人以行權等爲應變權宜之計，與戰國權謀之徒，以詭詐相尙者大異？《穀梁》又爲權立一界義，僖二十二年〈經〉「宋師敗績。」〈傳〉：

《春秋》二十有四戰，未有以尊敗乎卑，以師敗乎人者也……宋公與楚人戰於泓水之上，司馬子反曰：楚衆我少，鼓險而擊之，勝無幸焉。襄公曰：君子不推人危，不攻人厄，須其出，既出，旌亂於上，陳亂於下。子反曰：楚衆我少，擊之，勝無幸焉。襄公曰：不鼓不成列，須其成列而後擊之，則衆敗而身傷焉，七月而死。（疾其信而不道，以取大辱）。倍則攻，敵則戰，少則守，信之所以爲信者，道也。信而不道，何以爲道？道之貴者時，其行勢也。

〈注〉：

凱曰：道有時，事有勢，何貴於道？貴合於時。何貴於時？貴順於勢。宋公守匹夫之狷介，徒蒙恥於夷狄，焉識大通之方，至道之術哉？

此言道貴時，時者時中、時措之宜也。此論襄公之敗，與《公羊》不同，本傳謂其不諳時勢，拘守愚信，似不若公羊之持議正也。右言人道貴知權。子曰「可與立，未可與權。」（註四二）知權之難如是。孟子曰：

權然後知輕重，度然後知長短，物皆然，心爲甚。

言吾心當有權度，以審知其是非得失也。

3、常道。

道體眞實，雖無聲無臭，然體物而不可遺，故天有常道，荀子曰：

天行有常，不爲堯存，不爲桀亡。天有常道矣，地有常數矣，君子有常體矣。君子道其常，而小人計其功。（註四三）

按荀子謂天人皆有常道是也。天道眞常，萬變之所自出，人道爲事理之當然，通古今中外，而未可或易，故天人均有常，《左·昭三十二年·傳》：

公薨於乾侯，趙簡子問於史墨曰：季氏出其君而民服，君死於外，而莫之罪，（史墨）對曰：魯君世役其失，季氏世修其勤，民忘君矣。社稷無常奉，君道無常位，自古以然。故《詩》曰：「高岸爲谷，深谷爲陵（《詩·小雅·十月之交》，言高下有變易）。三后之姓，於今爲庶，主所知也。在《易卦》、雷乘乾爲大壯䷡（乾下震上，震在乾上，故云雷乘乾），天之道也（乾爲天子震，爲諸侯，而在乾上，君道易位）。

按史墨以君臣易位爲天之道。明天道有變易之理。於《易》、《易》有三義：曰簡易，曰變易，曰不易。而以變易爲之樞。然人道亦有常有變，《禮記·大傳第十六》曰：

聖人南面而治天下，必自人道始矣。立權度量，考文章，改正朔，易服色，殊徽號，異器械，別衣服，此其所得與民變革者也；其不可得變革者則有矣，親親也，尊尊也，長長也，男女有別，此其不可得與民變革者也。

親親、尊尊、長長、男女有別，此倫紀之原理，爲天道之大經（倫紀原於天常），人倫之大法，無論何時、何地，但爲人類，決無可變之理，所謂天常者，《左·哀六年·傳》：

是歲也，有雲如衆赤鳥，夾日以飛三日，楚子使問諸周太史，周太史曰：其當王身乎！若禜（禳祭）之，可移於令尹司馬，王曰：除心腹之疾而寘諸股肱，何益？不穀不有大過，天其夭諸？有罪受罰，又焉移之？遂弗禜。初，昭王有疾，卜曰：河爲祟，王弗祭。大夫請祭諸郊，王曰：三代命祀，祭不越望（竟内三川星辰），江、漢、睢、章，楚之望也。禍福之至，不是過也。不穀雖不德，河非所獲罪也。遂弗祭。孔子曰：楚昭王知大道矣！其不失國也宜哉！《夏書》曰：惟彼陶唐，帥彼天常（逸《書》言堯循天之常道）。有此冀方。今失其行，亂其紀綱，乃滅而亡（滅亡謂桀唐虞及夏同都冀州，不易地而亡，由不知天道故。按僞《古文尚書·夏書·五子之歌》其三曰：「惟彼陶唐，有此冀方，今失厥道，亂其紀綱，乃底滅亡。」雖點竄原文，其勦襲之跡顯然可見）又曰：允出茲在茲，由己率常可矣。

按昭王不移禍於股肱，不淫祀河，自責而不逃禍，故孔子以爲知大道，大道即天常，一國之紀綱肖之，在亡之循常而已，他非所望也。又昭十八年《左傳》曰：

十二月，齊侯田於沛，招虞人（掌山澤）以弓，不進，公使執之，辭曰：「昔我先君之田也，旃以招大夫，弓以招士，皮冠以招虞人，臣不見皮冠，故不敢進。」乃舍之。仲尼曰：守道不如守官（君招當往，道之常也；非物不進，官之制也），君子韙（是也）之。

右謂道有常，守官是權，《春秋》與權，言當通其變也。

4、理。

理之古訓，本有文理、條理之意。《中庸》：

文理密察，足以有別也。（註四四）

孟子曰：

始條理者，智之事也；終條理者，聖之事也。（註四五）

《說文》「理」、訓治玉，實則理字當訓玉之文理，玉之文理，內外一致，與他物殊。《樂記》：

人化物也者？滅天理而窮人欲者也。

天理與人欲相對。天理，謂人心所同然之公理，今人或名之曰眞理，觀載籍言「道」字，時幾與「理」字一義，《左·成十八年·傳》：

己丑，公薨於路寢，言道也。

杜預《注》：

在路寢，得君薨之道。

此「道」字，蓋指常理而言。《左·襄三十一年·傳》：

穆叔曰：太子死，有母弟則立之，無則立長，年鈞擇賢，義鈞（賢等）則卜，古之道也。

此「道」字，亦即常理斷之也。又《穀梁·僖十四年·經》「八月辛卯沙鹿崩」。《傳》：

林屬（連）於山爲鹿（山足）。沙，山名也。無崩道而崩，故志之。其日，重其變也。

山因久雨、危巖而崩，是常理，無故而崩，蓋無是理。道，猶理也。今人猶「道理」二字連言，蓋古語。本傳成五年《經》「梁山崩」。《傳》：

不日何也？高者，有崩道也。

山高崒危，故易崩。道，猶理也。與前條同。按理與事不相離，理爲眞實之物事，通常分析一切事物，而得其原理、法則，無有差謬，名曰眞理，儒學所指眞理，每斥宇宙之眞際，宋儒謂之曰實理，爲絕對之體，非止於條理、文理而已。

丙、經　學

《周易·賁·彖傳》：

觀乎人文，以化成天下。

《正義》曰：人文，《詩》《書》《禮》《樂》之謂。

群經爲人文學術之正宗。人文思想，人文精神，爲我中華立國之大本，自三代即以經學設教。《禮記·王制篇》：

樂正崇四術，立四教，順先王《詩》《書》《禮》《樂》以造士，春秋教以《禮》《樂》，冬夏教以《詩》《書》。

孔子特明示經教之宏效。《禮記·經解篇》引孔子曰：

入其國，其教可知也，其爲人也，溫柔敦厚，《詩》教也；疏通知遠，《書》教也；廣博易良，《樂》教也；絜靜精微，《易》教也；恭儉莊敬，《禮》教也；屬辭比事，《春秋》教也。

《記》又續言其失及匡正之方曰：

故《詩》之失愚；《書》之失誣；《樂》之失奢；《易》之失賊；《禮》之失煩；《春秋》之失亂。其爲人也，溫柔敦厚而不愚，則深於《詩》者也；疏通知遠而不誣，則深於《書》者也；廣博易良而不奢，則深於《樂》者也；絜靜精微而不賊，則深於《易》者也；恭儉莊敬而不煩，則深於《禮》者也；屬辭比事而不亂，則深於《春秋》者也。

右言六經之失。然非經之失，不善學者則有失，教也者長善而救其失者也。六教所以致失？如《詩》之失愚，敦厚過，則姑息溺愛是也；《書》之失誣者，《書》載事，事難覈實，過信則誣也；《樂》之失奢者？《樂》主和樂，過樂則入奢泰也；《易》之失賊者？易言天道，天道有生有殺（春生秋殺），用刑太過，則失之殘賊也；《禮》之失煩者？禮有本有文，偏於文，文勝質，則失之煩也；《春秋》之失亂者？春秋屬辭比事，事與辭協，不睹其紛紛，竊取之義，一以貫之也。若各因其失而豫防之，則深得經義，化民成俗，其必由學乎！昔孔子告子路以六言六蔽，孔子曰：由也、女聞六言六蔽矣乎？對曰未也。居吾語女，好仁不好學，其蔽也愚；好知不好學，其蔽也蕩；好信不好學，其蔽也賊；好直不好學，其蔽也絞；好勇不好學，其蔽也亂；好剛不好學，其蔽也狂。

按六教之失與六言之蔽，事有類似者，如「詩之失愚」，則與「好仁不好學其蔽也愚」之義全同。記所言之失，爲不善學之失，論語之六蔽，乃不好學之蔽，不好學，不能深明其理。朱子於六蔽之下注曰：「六言皆美德，然徒好之，而不學以明其理，則人各有所蔽。」甚是。六經有何失？不善讀經，不好學以明其理，非經之過也。按儒者宗師仲尼，孔子身兼師儒之尊，《周禮·天官　宰第一》太宰之職，掌建邦之六典以九兩繫（鄭注兩猶耦也。所以協耦萬民，繫，聯綴也）邦國之民：

三曰師，以賢得民；四曰儒，以道得民。

孔子師表萬世，儒學所宗。孔子刪定五經，儒家之道在經，經即儒學之眞際。孟子曰：

聖人，人倫之至也！（註四六）

荀子更謂聖人與道爲一體而曰：

聖也者，道之管也（管籥，即鑰匙）。

又謂天下之道畢集於儒學曰：

天下之道管是矣，百王之道一是矣，故《詩》《書》《禮》《樂》之（道）歸是矣（楊《注》：是，儒學。劉台拱曰「之」下當有「道」字）。（註四七）

荀子不宜阿其所好，群經即儒學之眞際，經學爲中華立國之根本，根本不固，則枝葉焉依，《詩·大雅·蕩》之什：

人亦有言，顚沛之揭（顚，仆也。沛，拔也。揭，樹根蹶起也），枝葉未有害，本實先撥（撥，絕、斷。），殷鑒不遠，在夏后之世。

枝葉二句，言大樹之拔倒而根蹶起者，枝葉並無病害，實因其根先斷絕也。經學，我國家之根也。人不尋根則已，又何忍自拔其根，自斷其根乎！今人治經，有今古文之爭，乃說經家之異議，於本經無與。今文出口授，古文出壁中，偶有異文，無關宏旨，其中如僞古文尚書，雖出自纂輯，亦必有依據，其中嘉言至理，每有踰於今文經者，多不可輕廢。又有漢宋之分，漢學一詞，本起於淸人之反宋明，因而上溯兩漢考據之業。宋學本指兩宋濂洛關閩諸儒心性之學，兩者各有所長，漢學精析名物，宋學擅言義理，難分軒輊，昔康成注經，今古文兼採，不失爲通儒，淸季道咸以降，漢宋合流。說經者，以通經爲主，擇善而從，祛除私見，言天下之公言爲是，不問其爲今文古文，又何必界其漢宋乎？要之，義理必以五經爲宗，學問不本於經，謂之爲無根柢可也。經載常道，常道者，確乎其不可拔之眞理也。儒家祖述堯舜，憲章文武，其道之大，誠致廣大而盡精微，極高明而道中庸，諸子百氏之所自出，文化思想之本原，凡眞學問當綜萬殊之理而觀其會通，融智慧、道德、生活而爲一，始可名之曰眞學問，要令後世知人道之尊崇，中華文化之優越，所以究天人之故，明大化之原者，咸在於斯，發揚昌大，固今日之急務也。

丁、民族精神

中華民族由五千年博厚高明之文化涵育培植，乃有堅苦卓絕、不屈不撓之精神，剛健不息，奮發進取之毅力，環顧宇內，罕有與之倫匹者，據群經所載，分一、勤勞。二、戒懼以述之：

1、勤勞。

《周易·乾卦·象》曰：

天行健，君子以自強不息。

天道剛健不息，《詩·周頌·維天之命》：

維天之命，於穆不已。

自孔子始一生學而不厭，誨人不倦，故曰：

若聖與仁，則吾豈敢，抑爲之（聖與仁）不厭，誨人不倦，則可謂云爾已矣。（註四八）

孔子已秉此義拳拳服膺而弗失之矣。復當知我民族含宏廣大之德量又深受坤象之影響。〈坤·象〉曰：

地勢坤，君子以厚德載物。

所謂坤厚載物德合無疆者也。古有勤箴，《左·宣十二年·經》「楚子圍鄭。」《傳》：

欒武子曰：楚自克庸以來，其君無日不討（治也）國而訓之。……訓之以敖蚡冒篳路藍縷，以啓山林，箴之曰：民生在勤，勤則不匱。

篳路藍縷以啓山林，令子孫知創業之艱難，箴之曰民生在勤勤則不匱，知民生之不易，必先難而後乃有獲也。《周頌·敬之》之什：

日就月將，學有緝熙（繼續）於光明。

此勉人求學之勤，宜日有所成，月有所進，而後乃至於光明（深造之以道）。子夏曰：

日知其所亡，月無忘其所能，可謂好學也已矣。（註四九）

子夏所言，亦深契詩人之意。《書·皋陶謨》皋陶曰：

無教逸欲有邦，兢兢業業，一日二日萬幾，無曠庶官，天工，人其代之。

此皋陶告禹言天子當以勤儉率諸侯，不可以逸欲先之也。故後世聖君無不夙興夜寐，以理庶政，《詩·齊風·雞鳴》曰：

雞既鳴矣，朝既盈矣。東方明矣，朝既昌（盛也）矣。

皆深警之詞，後世迄清，猶有早朝之制，蓋由來久矣，至《周書·無逸》周公告成王曰：

嗚呼！君子所其無逸，先知稼穡之艱難，乃逸，則知小人之依，相小人，厥父母勤勞稼穡，厥子乃不知稼穡之艱難……周公曰：嗚呼！我聞曰：昔在殷王中宗（太戊），嚴共（恭）寅畏，不敢荒寧，肆中宗之享國，七十有五年；其在高宗，時舊勞于外，不敢荒寧，嘉靖殷邦，肆高宗之享國，五十有九年……自時厥後，立王生則逸，不知稼穡之艱難，不聞小人之勞，惟耽樂之從，亦罔或克壽，或十年，或七八年，或五六年，或四三年。周公曰嗚呼！厥亦惟我周太王王季，克自抑畏，文王卑服（惡衣服），即康功田功（安民、養民之功），自朝至于日中昃，不遑暇食，周咸和萬民，厥享國五十年。嗚呼！繼自今後嗣王，則其無淫（過）于觀、于逸、于遊、于田，以萬民惟正之供……。

此成王初政，周公懼其好逸，故作是書以訓之。天子當知稼穡之艱難者？中華向以農立國，迄今猶然。稼穡、小民之所持之爲生者也。王者首重民食，民以食爲天。〈豳風·七月〉歷述周之先人，力田桑麻之勤，與本篇同。又舉殷中宗高宗周文王享國久遠，以其勤勞，不敢荒寧，自貽其咎也。周室享祚八百餘年，曠絕中外古今，胥由於勤勞不逸，此我民族精神之所在，其可忽哉？

2、戒懼。

《中庸》曰：「是故君子戒愼乎其所不睹，恐懼乎其所不聞。……」君子之心常存敬畏，雖不睹不聞，亦不敢怠肆，《乾·九三·爻辭》：

君子終日乾乾，夕惕若厲无咎。

〈文言傳〉釋之引孔子曰：

君子進德修業，忠信所以進德也；修辭立其誠，所以居業也……故乾乾因其時而易，雖危無咎矣。

惕者，憂懼之意，自朝至夕，常懷戒懼之心，雖遇困危，終必无咎。「懼以終始，其要无咎。」（註五〇），此之謂《易》之道。故〈震·象〉曰：

洊雷震，君子以恐懼修省。

震卦𤳳𤳳震下震上，重雷故曰洊。洊，頻仍義，經文曰：

震來虩虩，震驚百里。

〈彖傳〉：「震來虩虩，恐致福也」「震驚百里，驚遠而懼邇也。」霹靂頻仍，人懷恐懼，因以反躬修省而自求多福。《詩·小雅·小旻》：

戰戰兢兢，如臨深淵，如履薄冰。

〈周頌·我將〉：

我其夙夜畏天之威，于時保之。

天命威嚴，固當敬畏。孔子曰：

君子有三畏：畏天命，畏大人，畏聖人之言。

三畏以畏天命爲首，故常存臨淵履薄之心，以加深憂患之意，〈繫傳下〉第六曰：

《易》之興也，其於中古乎！作易者其有憂患乎！

〈繫傳下〉第八又曰：

《易》之興也，其當殷之末世，周之盛德邪？當文王與紂之事邪？是故其辭危。

《易》爲衰世之學，憂患之書。我民族歷經異族入侵，驚濤駭浪，終能突破險難，而履道坦坦，豈非善處憂患乎？《周易·否卦·九五·爻辭》曰：

其亡，其亡！繫于苞桑。

《正義》曰：「凡物繫於桑之苞本，則牢固也。常以危亡自警，則心甚安泰。」越王臥薪自呼，正此等憂患意識之啓示，《繫傳下》第四引孔子曰：

危者，安其位者也；亡者，保其存者也；亂者，有其治者也。故君子安而不忘危，存而不忘亡，治而不忘亂，是以身安而國家可保也。

居安思危，治不忘亂，於後世處豐持盈，明哲保身之啓示至大，故我族乃有莊敬自強之毅力。《禮記·表記》第三十二曰

君子莊敬日強，安肆日偷。君子不以一日使其身儳焉（集說：儳者參錯不齊貌，心無所檢束，而紛紜雜亂，按謂不知爲也），如不終日。

當我國往者退出聯合國時，國人岌岌自危，先總統　蔣公以「莊敬自強處變不驚」勉全國，終於躍然奮起，卓爾自立，終於履險若夷，國益以安。吾人今日豈可安肆日偷以自棄乎？孟子曰：

天將降大任於是人也，必先苦其心志，勞其筋骨……。（註五一）

孔子戒子路曰：

必也臨事而懼，好謀而成者也。（註五二）聖哲勉人之意，至深切矣。

二、天人

吾人載天而履地，在三才之中（〈繫傳〉以天人地爲次），爲萬物之秀，固不能外天地而生存，人在天地之間，一瞬目，一投足，凡耳目所及，無非天象，天人之密契至矣！故首有敬天之思想，〈大雅·板〉第八章曰：

敬天之怒，無敢戲豫（逸樂也）；敬天之渝（變也），無敢馳驅（馳馬出遊）。

由敬天畏天而法天。

甲、法天

考其初，法天，本自然之勢。《詩·大雅·皇矣》曰：

不識不知，順帝之則。

帝，指上帝，本篇首章即曰「皇矣上帝，臨下有赫，監觀四方，求民之莫（莫，定也。欲安定下民）」。不識不知，有「帝力於我何有哉」（註五三）之意，後世聖人制禮作樂，亦取法於天地。〈樂記〉：

樂者，天地之和也；禮者，天地之序也。和故百物皆化，序，故群物皆別。樂由天作，禮以地制，過制則亂，過作則暴，明於天地，然後能興禮樂也。

又申《樂》象天地之事曰：

是故淸明象天，廣大象地，終始象四時，周旋象風雨。

《樂》象天地之和，《禮》象天地之序，按〈鄉飲酒義〉曰：

天地溫厚之氣，始於東北，而盛於東南，此天地之盛德氣也，此天地之仁氣也。

溫厚之氣，當是和氣，《中庸》言「致中和，天地位焉」，是天地之和也。《禮》象天地之序者？天尊地卑，有高下尊別之別，是自然之序〈皐陶謨〉曰「天秩有禮」，尤足明《禮》法天秩而作也。又淸明象天四句，廣及四時風雨，法天地而制作之意尤明，〈繫傳上〉第十一章直曰：

是故天生神物，聖人則之。天地變化，聖人效之。天垂象，見吉凶，聖人象之。河出圖，洛出書，聖人則之。

按《正義》曰：「天生神物聖人則之者，謂天生蓍龜，聖人則之以爲卜筮也。天地變化聖人效之者，四時生殺，賞以春夏，刑以秋冬，是聖人效之。天垂象見吉凶聖人效之者，若璿璣玉衡（按見〈堯典〉）以齊七政，是聖人象之也。」此釋象法天地之事至悉。仲尼祖述堯舜而曰：

大哉堯之爲君，巍巍乎！唯天爲大，唯堯則之！（註五四）

是法天之事，堯時已著。

乙、天人一理

《禮記·樂記》天理人欲並舉而曰：

人生而靜，天之性也。感於物而動，性之欲也。物至知知，然後好惡形焉，好惡無節於內，知誘於外，不能反躬，天理滅矣。夫物之感人無窮，而人之好惡無節，則是物至而人化物也。人化物也者，滅天理而窮人欲者也。

《記》言天理人欲相待而生。天理存則人欲淨；人欲熾則天理滅矣。天理本在吾心，人生而靜，則天理在焉，靜者，好惡未發之中也（心靜性全）。發而中節謂之和，和者，天理之發用，曰「好惡無節於內，知誘於外，不能反躬，（則）天理滅矣。」若能反躬自省，好惡有節（好善惡惡，是非之心在）則天理自然呈現，是天理固在吾心，待物化之後，天理乃滅，是外誘使之然。足知天理不在外，而在吾心，良知是也。理而曰天者，天人一源，人心即天心，天人一理也。《左·昭二年·傳》：

鄭公孫黑將作亂，子產使吏數之曰，伯有之亂（在襄三十年）以大國之事，而未爾討也。爾有亂心無厭，國不女堪。專伐伯有，爾罪一也；昆弟爭室，而（爾同）罪二也（謂爭徐吾犯之妹）；薰隧之盟，女矯君位，而罪三也（謂使太史書七子）。有死罪三，何以堪之，不速死，大刑將至。辭曰：死在朝夕，無助天爲虐？子產曰人誰不死，凶人不終，命也。作凶事，爲凶人，不助天，其助凶人乎？不速死，司寇將至！

按天道福善禍淫，人道勸善懲惡。天誅凶人，人亦殛凶人，是天人之理一也。《左·昭三年·傳》：

小邾穆公來朝，季武子欲卑之，穆叔曰：不可！曹滕二邾，實不忘我好，敬以逆之，猶懼其貳，又卑一睦焉，逆群好也，其如舊而加敬焉。志曰：「能敬無災。」又曰「敬逆來者，天所福也！」季孫從之。

敬爲禮之本，曲禮首曰「毋不敬」。敬爲美德，天之所福，是天佑有德，德孚衆望，人亦歸有德，是天人之理同。《左·定元年·傳》曰：

城（城成周）三旬而畢，乃歸諸侯之戍（不必戍）。齊高張後，不從諸侯（後期，不及役）。晉女叔寬曰：周萇弘、齊高張，皆將不免。萇弘違天，高子違人（天既厭周德萇弘欲遷都以延其祚，故曰違天；諸侯相帥以崇天子，而高子後期，放曰違人）。天之所壞，不可支也；衆之所爲，不可奸（犯）也。

天意若此不可違，人意若彼，亦不可違，不過順理而已。順理者昌，取其合於理也。《穀梁·莊六年·經》「三月夫人孫于齊」（傳）：

孫之爲言猶孫也，諱奔也。接練（小祥）時，錄母之變，始人之也。不言氏姓，貶之也。人之於天也，以道受命，於人也，以言受命，不若於道者，天絕之也，不若於言者（言不順），人絕之也，臣子大受命。

右言君臣、夫婦之道（親親尊尊），天人所共循，不順此理，天人咸棄絕之，是天人之理，一也。按天人一理，天人合德也。〈乾·文言傳〉曰：

夫大人者，與天地合其德，與日月合其明，與四時合其序，與鬼神合其吉凶……。

言大人（聖人）與天地合德，日月、四時、鬼神，申言合德之目。〈謙·彖傳〉即言合德之事。〈謙·卦辭〉「謙亨，君子有終。」〈彖傳〉：

天道虧盈而益謙；地道變盈而流謙；人道惡淫而好謙。

據《傳》則天人均尚謙，天道虧盈者，所謂日中則昃，月盈則食（註五五）是，地道變盈者，如高岸爲谷（註五六）之類是也。人道好謙者，謙謙君子，卑以自牧（註五七），滿招損謙受益，（註五八），是天人之德同，經具此義也。孔子嘗謂：

如有周公之才之美，使驕且吝，其餘不足觀也已。（註五九）

周公尚不能驕，自昔尚謙讓，其來久矣。

丙、天人之際。

天人有感通之理，首發於〈咸　·彖傳〉：

天地感而萬物化生；聖人感人心而天下和平。觀其所感，而天地萬物之情可見矣。

天地感而萬物化生者？因「二氣感應以相與」（已見上文），聖人感人心而天下和平，是治化之績效。漢之文景，唐之貞觀開元，史述昭然，不待詞費，而曰「天地萬物之情可見矣」者，言感通之理，通乎天人萬有。人與天地鬼神，人與人，人與物皆然。此爲宇內普徧之原理（所謂哲理，眞理），常人自不之察。《易》於〈恆〉、〈萃〉二卦，皆著「觀其所恆（所萃），而天地萬物之情可見」一句是。天人之感者，《書·堯典》之「光（廣同）被四表，格于上下」又曰「八音克諧，無相奪倫，神人以和。」是。人與人之感，在於至誠，孟子曰：「誠者，天之道也，思誠者，人之道也。至誠而不動者，未之有也！不誠，未有能動者也。」（註六〇）按誠與思誠，即天人之際也。人之有感，孔子言之至明，孔子曰：

清明在躬，氣志如神，耆欲將至，有開必先。（註六一）

有開必先者，人所願欲之事，先有徵兆以見其幾，即《中庸》：

至誠之道，可以前知。國家將興，必有禎祥；國家將亡，必有妖孽，見乎蓍龜，動乎四體（如面熱心動）。禍福將至，善，必先知之；不善必先知之，故至誠如神。（註六二）

常人所以無感者，以心志昏濁，日汩其平旦清明之氣也。人之與物者，如「夔曰，於！予擊右拊石，百獸率舞（言樂聲之和，感及鳥獸。按此十二字，乃〈皐陶謨〉之文，因簡亂而重見於此。）又〈中孚·經〉曰「豚魚吉」〈彖傳〉「豚魚吉，信及豚魚也（誠信感及豚魚）。」群經所載感通之例，不具舉。《中庸》：

誠者，天之道也；誠之者，人之道也。

與《孟子》略同。誠之者，人事之所當盡，人力之所能爲，此則天人之際也。察天人之所以相通，其幾在乎人之心。《禮運》：

故人者，天地之心也，五行之端也，食味別聲被色而生者也。

人秉天地之德而生，故上文曰：

故人者，其天地之德，陰陽之交，鬼神之會，五行之秀氣也。

據右引知人實具天地之德，則人心即天地之心，天有心乎？《復·彖傳》「復其見天地之心乎！」復承剝，一陽來復，天地生物之心已肇，此天地生德之發用（天地之大德曰生，前已引），天地生物之心，即天心之仁（以天擬人），孟子則曰「仁人心也」（註六四）。是天人之心同（人達天德（註六五））「人者，天地之心也」一句，已通天人而爲一，此語緊切之至！然天人之際，仍以人爲主，《左·襄十八年·傳》：

晉人聞有楚師，師曠曰：不害，吾驟北風，又歌南風，南風不競，多死聲（以樂音審知，孟子所謂師曠之聰是（註六七）），楚必無功。董叔曰：天道多在西北，南師不時，必無功。叔向曰：在其君之德也（言天時地利不如人和）。

右言天道因人而異。皇天無親，惟德是輔。天人之際，仍以人爲主也。《詩·小雅·十月之交》第七章曰：

下民之孽，匪降自天，噂沓背憎（噂噂沓沓，多言以相悅而背則憎之，小人之行），職競由人（職、主。競、力。）。

災害非由天降，主由人之自爲，《書·酒誥》曰：

　天非虐，惟民自速辜。

言非天有意降災，咎由人自取之耳。孟子曰：

　禍福無不自己求之者（註六七），《詩》云：「永言配命，自求多福」。（註六八）

天人之際，主在於人，人當自求多福也。

丁、天人相應

天人相應，捷若影響。故民之所欲，天必從之（註六九）。《公羊·成五年·經》「梁山崩」。《傳》：

　梁山者何？河上之山也……何異爾？大也。……梁山崩壅河，三日不（玉篇古文流字），此何以書？爲天下記異也。

《注》曰：

　山者陽精，德澤所由生，君之象。河者，四瀆所以通道中國，與王道同。託山崩壅河者？此象諸侯失勢，王道絕，大夫擅恣，爲海內害。自是之後，六十年之中，弒君十四，亡國三十一，故溴梁之盟，偏刺天下之大夫。

《注》謂此象諸侯失勢，大夫擅恣，爲天下害，故梁山崩，天以象警示於人，言大人相應之速。六十年之中，弒君十四，亡國三十二，天所以警大夫也。故古之明君，上對天命，則應時（天時）而施政。《禮記·月令》：

是月（孟春）也，不可以稱（舉也）兵，稱兵必有天殃……毋變天之道，毋絕地之理，毋亂人之紀（生德盛時用兵，是以殺戮逆生育之氣，亂生民之紀敘）。是月（仲春）也，安萌芽，養幼少。存孤獨……是月（季春）也，生氣方盛，陽氣發泄，句者畢出，萌者盡達，不可以內（納同吝嗇閉藏）……是月（孟夏）也，繼長增高，毋起土功，毋發大衆（妨農桑之事，故禁止之）……仲冬之月，是月也，日短至，陰陽爭……去聲色，禁耆欲，安形性，事欲靜，以待陰陽之所定。……。

此皆順月令施政之事，所以奉天時，《易》曰「後天而奉天時」（註七〇）是也。上帝寵綏下民，惟監觀四方，〈皋陶謨〉皋陶曰：

天聰明，自我民聰明；天明畏，自我民明威，達于上下，敬哉有土。

天因民之視聽以爲聰明，因民之好惡，以爲明威。「達于上下」者？言天人一體，聲息相通，而無少閒也。《書·康誥》王若曰：

孟侯、朕其弟，小子封！惟乃丕顯文王，克明德愼罰，不敢侮鰥寡，庸庸、祇祇、威威顯民，用肇造我區夏，越我一二邦，以修我西土，惟時怙冒聞于上帝，帝休！天乃大命文王，殪戎殷，誕受厥命。

言文王之德，上聞於天帝，帝休美之，天乃降大命於文王。又〈文侯之命〉平王嘉文侯之功，王若曰：

父義和（文侯字）！丕顯文武，克慎明德，昭升于上，敷聞于下，惟時上帝集厥命于文王。……。

仍言文王武王光明之德，昭然升聞於天上，萬民莫不聞知，上帝因而降大命（國運）於文王之身，又《君奭》篇周公告召公曰：

君奭！我聞在昔，成湯既受命，時則有若伊尹，格于皇天；在太甲，時則有若保衡；在大戊，時則有若伊陟、臣扈，格于上帝。……故殷禮陟配天，多歷年所。

言成湯既受天命，又有如伊尹，能以精誠感格皇天。太甲時有保衡，大戊時有伊陟、臣扈等以精誠感通上帝，故殷之國祚，多歷年所，天人之應，一何速哉！

戊、參贊化育。

化育爲天地之盛德，唯聖人足以參贊天地，以輔成其大業，《中庸》第二十二章曰：

唯天下至誠爲能盡其性，能盡其性，則能盡人之性，能盡人之性，則能盡物之性，能盡物之性，則可以贊天地之化育，可以贊天地之化育，則可與天地參矣。

〈樂記〉曰：

天高地下，萬物散殊，而《禮》制行矣；流而不息，合同而化，而《樂》興焉。春作夏長，仁也；秋斂冬藏，義也。仁近於《樂》，義近於《禮》。《樂》者，敦和率神而從天；《禮》者別宜居鬼而從地。故聖人作樂以配天，制禮以配地，禮樂明備，天地官矣。

右言聖人制《禮》作《樂》，本自然之法則，協合天地之德業。春作夏長，爲天地之仁；秋斂冬藏，爲天地之義。天地有仁義之氣，〈鄉飲酒義〉：

天地嚴凝之氣，始於西南而盛於西北，此天地之尊嚴氣也，此天地之義氣也；天地溫厚之氣，始於東北而盛於東南，此天地之盛德氣也，此天地之仁氣也。

《樂》象天地之仁，《禮》象天地之義，而「安上治民，莫善於《禮》，移風易俗，莫善於《樂》」（註七二）。」禮樂明備，則天地亦各得其職，即《中庸》「天地位焉」之意，制禮樂，參贊天地之大功也〈樂記〉又曰：

是故大人舉禮樂，則天地將爲昭焉，天地訢（欣同）合，陰陽相得，煦嫗化育萬物，然後草木茂，區萌達，羽翼奮，角觡生，蟄蟲昭蘇，羽者嫗伏，毛者孕鬻（同育），胎生者不殰，而卵生者不殈，則《樂》之道歸焉耳。

按天地訢合，陰陽相得，即聖人以禮樂昭明天地化育之德，然後萬物化育，而各遂其生，各得其所，皆歸於《禮》《樂》之道，總言參翊之功。〈禮運〉篇則總結其事，而曰：

故聖人參於天地，並於鬼神，以治政也。

鬼神者，造化之功能。程子曰：「鬼神者，天地之功用，而造化之跡也。」（註七三）並於鬼神，與鬼神並行其事，與參於天地爲一事。此皆所以治政，即所以參贊之事也。《周易》又言裁成輔相之宜。

《泰卦・象》曰：

　　天地交泰，后以財成天地之道，輔相天地之宜，以左右民。

天地之道，《正義》謂「冬寒夏暑，春生秋殺之道。」天地之宜者，《正義》謂「天地所生之物，各有其宜。」按即土性所宜，如黍宜高燥，稻宜卑溼也。財裁通，裁成天地之道者，順時施政，說見前，輔相天地之宜，分別土性、農時，以令其暢茂，此皆養民、愛民之政，故以之佐佑吾民也。《書》曰「天工人其代之」，聖人之德，固與天地參矣。

三、內外。

內外，即成己成物之德業也。《中庸》：

　　誠者，非自成己而已也，所以成物也。成己，仁也；成物，知也。性之德也，合外內之道也，故時措之宜也。（註七三）

仁知，性德之所固有。先有諸己，而後能及人，有諸內而後形諸外，此即內聖外王之業也。內聖外王之名，出自《莊子》，莊子學於田子方，田子方受業於子夏（註七四）。而孔子之勉子貢曰：

　　夫仁者，己欲立而立人；己欲達而達人。

立己立人，達己達人，亦內外之事。本章分甲內聖、修己。乙、外王、安民、述之於次

甲、內聖、修己。

修己、所以爲安百姓也。子路問君子，子曰：修己以敬。曰：如斯而已乎？曰：修己以安人。曰：如斯而已乎？曰：修己以安百姓。修己以安百姓，堯舜其猶病諸。（註七五）

《中庸》孔子亦言：

知斯三者（知仁勇），則知所以修身，知所以修身，則知所以治人，知所以治人，則知所以治天下國家矣。（註七六）

明言修己，即修身。安百姓，即所以治天下國家也。皆由內以及外，即由內聖以成外王之業也。然必由修己始。又謂知「知仁勇三達德，乃知所以修身」，明修己實大非易事，故曰內聖。修己當自治心始。

1、治心。

心、爲一身之主宰，荀子名之曰「天君」（註七七）。又曰：「心者，形之君也，而神明之主也」（註七八）。治心當研窮樂理，〈樂記〉君子曰：

禮樂不可斯須去身，致樂以治心，則易直子諒（從朱子讀爲慈良）之心油然生矣。易直子諒之心生則樂，樂則安，安則久，久則天，天則神，天則不言而信，神則不怒而威，致樂以治心者也。

《記》言致樂以治心，可臻神化之境。心治則正，《大學》又謂意誠而後心正，而誠意又須愼獨。

2、愼獨。

《大學傳》第六曰：

所謂誠其意者，毋自欺也。如惡惡臭，如好好色，此之謂自謙（謙讀爲慊，快也足也）故君子必愼其獨也。小人閒居爲不善，無所不至，見君子而後厭然（厭，鄭爲黶厭然，消沮閉藏之貌），掩其不善而著其善，人之視己，如見其肺肝然，則何益矣。此謂誠於中，形於外，故君子必愼其獨也。

愼獨，不自欺，好惡乃得其正。如惡惡臭，好好色，則足以克己。

3、克己。

《損卦·象》曰：

山下有澤，損，君子以懲忿窒欲。

《損卦》䷨兌下艮上，山下有澤，澤氣上烝，以潤山之草木，損下以益上，損人以利己，不可！君子當懲忿窒欲，有克己之功也。如此則無欲自得矣。《詩·陳風》：

衡門之下，可以棲遲，泌之洋洋，可以樂飢。

衡門，橫木爲門，蓬戶甕牖，貧之至也，而可以棲遲游息，泌水洋洋（盛貌），可以觀賞而忘其飢，無欲自得，隱士之高行也。由治心、愼獨、克己而後容止可觀，進退可度，而謹言又宜務勉。

4、謹言。

《詩·大雅·抑》：

愼爾出話，敬爾威儀，無不柔嘉。白圭之玷（缺也），尙可磨也，斯言之玷，不可爲也。無易由言，無曰苟（草率）矣，莫捫朕舌，言不可逝（及也）矣。無言不讎（答），無德不報。

……

《繫上傳》第七章孔子曰：

亂之所生也，則言語以爲階（梯）。君不密則先臣，臣不密則失身，幾事不密則害成，是以君子愼密而不出也。

此孔子釋《節·初九》「不出竹庭無咎」。謂亂之所生，由於言語不謹，尤以愼密爲要，王《注》謂「愼密不失，然後事濟而无咎」是也。治心、愼獨、克己、謹言，所以反身修德也。《蹇·象》曰：

山上有水蹇，君子以身修德。

蹇卦☵☶艮下坎上，上山難，山上有水，行之尤，難君子惟有自反也。反身修德，反求諸己也。《中庸》孔子曰：

射有似乎君子，失諸正鵠，反求諸其身。

反求諸身者，求必有得，孟子曰：

求則得之，舍則失之，是求有益於得也，求在我者也（註七九）。

所求則爲放心，孟子曰：

仁，人心也；義，人路也。舍其路而弗由，放其心而不知求，哀哉！人有雞犬放，則知求之，有放心而不知求，學問之道無他，求其放心而已矣。（註八〇）

孟子又曰：

行有不得者，皆反求諸己。（註八一）

由右，則修己之事備矣。

乙、外王、安民

莊子謂「百家往而不反，必不合矣（不合於道），道術將爲天下裂，是故內聖外王之道，闇而不明，鬱而不發，天下之人各爲其所欲焉以自爲方，悲夫！」（註八二）莊子傷王業之難見，蓋王者以德行仁，人之仰望，如春風化雨之及時，故孟子曰：

以德行仁者王……以德服人者，中心悅而誠服也，如七十子之服孔子也。（註八三）

王業之足貴若是，茲分述其要如下：

1、愛民。

王者視民如傷，若保赤子然。《書·康誥》王曰：

封！若有疾，惟民其畢弃咎（免於疾苦）。若保赤子，惟民其康乂（平安）。

王者愛民如赤子，不忍見其飢寒，故重民食，《公羊·宣十年·經》「饑」。〈傳〉：

何以書？以重書也。

《注》：

民食不足，百姓不可復興，危亡將至，故重而書之，明當自損減，贍振之。

《公羊·宣十五年·經》「初稅畝。」〈傳〉：

初稅者何？始也。稅畝者何？履畝而稅也……。古者什一而藉，什一者，天下之中正也。多乎什一，大桀小桀也……什一而頌聲作矣。

《穀梁》同年〈傳〉：

初者始也，古者什一，初稅畝，非正也……非公之去公田而履畝，十取一也。以公之與民爲已悉矣（悉、盡其力）。

《公》《穀》譏稅畝，以其多取，民食自不足也。故經書災，《公羊·隱五年·經》「螟」，〈傳〉：

何以書？記災也。（災者有害於人）。

書雨。《穀梁·僖三年·經》「夏四月不雨。」〈傳〉：

一時言不雨者，閔雨也。

《注》曰：

經一時輒言不雨，憂民之至！閔，憂也。

又《經》「六月雨。」《傳》：

雨云者？喜雨也。喜雨者，有志乎民者也。

書年。《穀梁·宣十五年·經》「冬，大有年。」《傳》：

五穀大熟爲大有年。

按《說文》七下禾部曰：「年，穀孰也。從禾，千聲。《春秋傳》曰：『大有年』」。即用《穀梁傳》之文。春秋愛民故重民，《穀梁·僖十六年·經》「是月六鷁退飛過宋都」《傳》：

石，無知之物，鷁，微有知之物。君子之於物，無所苟而已矣。石鷁且猶盡其辭，而況於人乎？故五石六鷁之辭不設，則王道不亢矣。

《注》曰：

不遺微細，則王道可舉，民所聚曰都。

王道重民，微細尚不遺，而況於民乎！重民故惜民力，《公羊·隱七年·經》「夏，城中丘。」《傳》曰：

何以書？以重書也。

《注》曰：

發衆城之，猥苦百姓，空虛國家，昭其功重。

王者用民之力，歲不過三日，此重惜民力也。《公羊·僖二十六年·經》「冬，楚人伐宋，圍緡。」《傳》

曰：

邑不言圍，此其言圍何？刺道用師也。

《注》曰：

時以師與魯未至，又道用之，於是惡其視百姓之命若草木，不仁之甚也。

此不知重民，惡其不仁之甚也。故〈小雅·車攻〉詠五師曰：

徒御不驚。又之子于征，有聞無聲。

言王師所至，民不驚擾，愛民重民之至也。

2、尙德賤力。

《公羊·隱五年·經》「宋人伐鄭圍長葛。」〈傳〉曰：

邑不言圍，此其言圍何？彊也。

《注》曰：

至邑雖圍當言伐，惡其彊而無義也。必欲爲得邑，故知其意，言圍也。

春秋以義斷事，王者尙德賤力，故惡恃彊陵弱，且誅其意。《公羊·僖九年·經》「九月戊辰，諸侯盟于葵丘。」〈傳〉：

桓之盟不日，此何以日？危之也。貫澤之會，桓公有憂中國之心，不召而至者，江人、黃人也。葵丘之會，桓公震而矜之，叛者九國。震之者何？猶曰振振然，矜之者何？猶莫若我也。

按王者尚德，不以力威懾人，以力服人者，心必不服，故叛者九國，其失大矣！當知武德有七，《左·宣十二年·傳》：

楚子曰：夫文，止戈爲武。武王克商作《頌》，又作《武》，其六曰：綏萬邦，屢豐年。夫武：禁暴、戢兵、保大、定功、安民、和衆、豐財者也。故使子孫無忘其章（著之篇章，使子孫不忘）。

按武德有七，未聞尚力。《左·襄二十七年·傳》：

晉楚爭先（爭先歃血），叔向謂趙孟曰：諸侯歸晉之德只，非歸其尸（主）盟也。子務德，無爭先，楚爲晉細（自謙讓），不亦可乎？乃先楚人。

言諸侯歸德，不在主盟。《左·昭四年·傳》：

楚椒舉如晉求諸侯，晉侯欲勿許。司馬侯曰：晉楚唯天所相，不可與爭，君其許之：而修德以待其歸，若歸于德，吾猶將事之，況諸侯乎，若適淫虐，楚將棄之（不以爲君），吾又誰與爭？曰：晉有三不殆（危），其何敵之有？國險而多馬，齊楚多難，有是三者，何鄉而不濟？對曰：恃險與馬，而虞鄰國之殆，是三殆也。四嶽、三塗、陽城、太室、荆山、中南、九州之險也，是不一姓。冀之北土，馬之所生，無興國焉，恃險與馬，不可以爲固也，從古以然。是以先王務修德音，以享神人，不聞其務險與馬也？

右言爭諸侯，在德不在險，險不可終恃也。《穀梁·僖七年·經》「秋七月，公會齊侯宋公……鄭世子華于寧母。」《傳》：

衣裳之會也。

明非兵車之會、衣冠文物，尙德而賤力也。

3、修禮義。

《春秋》者，禮義之大宗也（註八四）。故修明禮義，凡無禮則書。《公羊·桓二年·經》「夏四月取郜大鼎于宋，戊申，納于太廟。」《傳》：

何以書？譏。何譏爾？遂亂受賂，納于太廟，非禮也。

以其公納賂器於太廟，辱及祖先，非禮之至！《公羊·桓三年·經》「春王正月公即位」《傳》：

繼弑君不言即位，此其言即位何？如其意也。

《注》曰：

弑君欲即位，故如其意，以著其惡。

桓北面君事隱，欲早即位，故弑隱，春秋誅其意，明其不義也。

4、尊王。

春秋大一統，嚴君臣之義，故尊王。《公羊·僖二十八年·經》「公朝于王所。」《傳》：

曷爲不言公如京師？天子在是也。曷爲不言天子在是？不與致天子也。

《注》曰：

時晉文公年老，恐霸功不成，故上白天子曰：諸侯不可率致，願王居踐土……迫使正君臣，明王法，雖非正，起時可與。

不與致天子者，以臣召君，不可爲訓，故不許，尊王也。又《公羊·二十八年·經》「天王狩于河陽。」《傳》：

狩不書，此何以書？不與再致天子也。

《注》曰：

一失禮尚愈，再失禮重，故深其義，使若天子自狩，非致也。

《公羊·宣元年·經》「冬，晉趙穿帥師侵柳。」《傳》：

柳者何？天子之邑也。曷爲不繫乎周？不與伐天子也。

《注》曰：

絕、正其義，使若兩國自相伐。

《穀梁·僖九年·經》「九月戊辰諸侯盟于葵丘。」《傳》：

桓盟不日，此何以日？美之也。爲見天子之禁，故備之也。葵丘之盟，陳牲而不殺，讀書加於牲上，壹明天子之禁曰：毋雍泉，毋訖羅，毋易樹子，毋以妾爲妻，毋使婦人與國事。

《傳》曰彰明天子之所禁，尙知尊王，故美之。孟子載此事曰：

葵丘之會諸侯，束牲載書而不歃血，初命曰：誅不孝，無易樹子，無以妾爲妻。再命曰：尊賢育才，以彰有德。三命曰：敬老慈幼，無忘賓旅。四命曰：士無世官，官事無攝，取士必得，無專殺大夫。五命曰：無曲防，無遏糴，無有封而不告。曰：凡我同盟之人，既盟之後，言歸於好。（註八五）

五命同，而內容則孟子較詳備，故附錄於此。

5、興滅繼絕。

《論語·堯曰篇》曰：「興滅國，繼絕世。舉逸民，天下之民歸心焉。」此春秋之大義也。《公羊·隱二年·經》「無駭率師入極。」《傳》：

無駭者何？展無駭也。何以不氏？貶，曷為貶？疾始滅也。始滅昉於此乎？前此矣，前此，則曷為始乎此？託始焉爾。曷為託始焉爾？春秋之始也。

《注》曰：

春秋託王者始，起所當誅也。諸滅復見不復貶，皆從此取法，所以省文也。

《公羊·隱八年·經》「冬，十有二月，無駭卒」《傳》：

此展無駭也。何以不氏？疾始滅也。

《中庸》「繼絕世，舉廢國，治亂持危，朝聘以時，厚往而薄來，所以懷諸侯也」（註八六）按絕世尚繼，廢國尚舉之，況滅人之國乎？兩言「疾之」，重之也。

6、嚴夷夏。

夷夏進退，春秋之義，內諸夏而外夷狄。爲保衛中華傳統之文化，以安濟天下之民。其別夷夏也，以有禮與否爲斷，不計其種類與國土也。《公羊·僖三年·經》楚屈完來盟于師，盟于召陵。」（傳）：

屈完者何？楚大夫也。何以不稱使？尊屈完也。何爲尊屈完？以當桓公也。……楚有王者則後服，無王者則先叛，夷狄也而亟病中國，南夷與北狄交（交亂中國），中國不絕若綫，桓公救中國而攘夷狄，卒帖（懷也）荊，以此爲王者之事也。

《注》曰：

言桓公先治其國以及諸夏，始諸夏以及夷狄，此王者爲之，故云。

《春秋》，天子之事也。（註八七）夷狄交侵，天子當衛中國而攘夷狄。內夏外夷之大義也。《穀梁·宣元年·經》「宋公陳侯衛侯曹伯會晉師于棐林。伐鄭。」（傳）：

列數諸侯而會晉趙盾，大趙盾之事也。（大其衛中國攘夷狄）。其曰師何也？以其大之也。

《注》曰：

以諸侯大趙盾之事故言師。師者，衆大之辭。

與前條同，大其攘夷狄以存中國。存中國，爲天子之事，《左·定十年·傳》：

春及齊平，夏公會齊侯於祝其，實夾谷，孔丘相，齊侯使萊以兵劫魯侯，孔丘以公退，曰：士兵之（以兵擊萊人），兩君合好，而裔夷之俘，以兵亂之，非齊君所以命諸侯也。裔不謀夏，夷不亂華，俘不干盟，兵不偪好，於神爲不祥，於德爲愆義，於人爲失禮，君必不然！齊侯遽辟之（去萊兵）。

不許夷之亂華，嚴夷夏之防也。信不干盟，兵不偪好，干神人之怒，則以愆義失禮責齊桓，大義凜然矣。然夷狄而憂中國者，則亦進之，《穀梁·僖十八年·經》「邢人狄人伐衛。」《傳》：

狄，其稱人何也？善累而後進之。伐衛，所以救齊也。功近而德遠矣。

《注》曰：

伐衛，功近耳。夷狄而憂中國，其德遠也。

狄尚知救中國，故進之而稱人，夷有救中國之功，其恤中國之德又遠大，故當進之，是以德禮爲進退也。孔子嘗許管仲之仁，謂其「相桓公伯諸侯，一匡天下，民到於今受其賜，微管仲，吾其被髮左衽矣。」（註八八）此嚴夷夏之防也。孟子深知《春秋》者，而曰：「吾聞用夏變夷者，未聞變於夷者也。」（註八九）其意遠矣。

7、愛人類。

王者以德行仁，推愛親愛民以及人類，《公羊·莊三十年·經》「齊人伐山戎。」《傳》：

此齊侯也，其稱人何？貶，曷爲貶？子司馬子曰，蓋以操之爲已蹙矣（操、迫也，已、甚也，蹙、痛也。迫殺之甚痛）！春秋敵者言戰，桓公之與戎狄，驅之爾。

《注》曰：

時桓公力，但可驅逐之而已，戎，亦天地之所生，而乃迫殺之甚痛，故去戰、貶。見其事，惡其不仁也。

桓公力能驅之，不驅，乃迫而殺之，不仁之至！天地之大德曰生（引見前），春秋愛人類，戎狄亦人類，故貶而稱人。《春秋》尊王業，王者公天下之心，如天地之無不覆載，子夏問三王之德何以參於天地？孔子曰：

奉三無私以勞（存撫之）天下，子夏曰敢問何謂三無私？孔子曰：天無私覆，地無私載，日月無私照，奉斯三者以勞天下，此之謂三無私。（註九〇）

孔子又美虞帝之不可及曰：

後世雖有作者，虞帝弗可及也已矣！君天下，生無私，死不厚其子，子民如父母，有憯怛之愛，有忠利之教。（註九一）

王者慈民如父母，故〈周頌·武〉曰：

勝殷遏劉（止殺），耆定爾功。

言武王勝殷止殺，致定其功。孟子言天下之定於一曰：

孰能一之？不嗜殺人者能一之。（註九二）

〈大雅·江漢〉之什曰：

矢其文德，洽此四國。

言陳敷文德，則四方和洽，安恃武功？故孔子曰：

遠人不服，則修文德以來之。（註九三）

孟子深知《春秋》，故曰：

保民而王，莫之能禦也。（註九四）

又曰：

仁者無敵（註九五）

觀此，則外王之業，春秋之大義，思過半矣。

四、性命。

性命一詞，《禮記·中庸》一言以蔽之曰「天命之謂性。」儒學、經義之重心在是。

甲、性命本原

人之生命，來自天地。《禮記·禮運》第九曰：

故人者，其天地之德，陰陽之交，鬼神之會，五行之秀氣也。

按陰陽、鬼神、五行，皆統於天地。在《易》、天地、陰陽爲一事，陰陽，主司化育者也（愚於《易說通考》中論陰陽至詳請參閱）。天地之大德曰生（引見上），天地不僅生人，亦生萬品，曰交，曰會，所謂妙合而凝也。人具靈明之性，則其所稟之秀氣，所以優於庶類者也。《穀梁·莊三年·經》「五月葬桓公」《傳》：

改葬也……獨陰不生，獨陽不生，獨天不生，三合然後生。

《注》曰：

徐邈曰：古人稱萬物負陰而抱陽，沖氣以爲和（按二句見《老子》第四十二章）。然則傳所謂天，蓋名其沖和之功，而神理所由也。會二氣之和，極發揮之美者，不可以柔剛滯其用，不得以陰陽分其名，故歸於冥極，而謂之天。凡生靈稟靈智於天，資形於二氣，故又曰獨天不生，必三合，而形神生理具矣。

注本傳意論人之生命來自天地之理甚備。人其天地之德，資二氣之和以賦形，其靈智，則屬天地之神理，故曰三合而後生，實皆天地之功化，宇宙人物之生元，一而已矣。《左·成十三年·傳》：

三月公如京師，公及諸侯朝王，遂從劉康公成肅公晉侯伐秦？成子受脈於社，不敬，劉子曰：吾聞之，民受天地之中以生，所謂命也。

按天地之中，當指中和之氣。天地有溫厚之氣，此天地之盛德氣，天地之仁氣（見《鄉飲酒義》已引見上）也。「民受天地之中以生所謂命也。」命，直斥「生命」而言也。《詩·大雅·烝民》之什首章曰：

天生烝民，有物有則，民之秉彝（常），好是懿德。

按有物有則，物，指形色，則，指天性。孟子曰：「形色，天性也，惟聖人然後可以踐形。」（註九六）與〈烝民〉之詩意同，孟子引烝民詩以證人之性善，甚是。後世訓則爲法，義涉泛。孔子曰：

天生德於序，桓魋其如予何。（註九七）

性命本原，來自天地，其理至明。

乙、分述

1、命。

命，淺言之，即人之生命（見前）《禮記．祭法》：

大凡生於天地之間者，皆曰命。

更進而有天命之意。孔子曰：

道之將行也與，命也；道之將廢也與，命也。公伯寮其如命何？（註九八）

《中庸》：

故君子居易以俟命；小人行險以徼幸。

《孟子》曰：

堯舜性者也，湯武反之也。動容周旋中禮者，盛德之至也。哭死而哀，非爲生者也，經德不回，非以干祿也，言語必信，非以正行也，君子行法以俟命而已矣。（註一〇〇）

按居易俟命，行法俟命，皆聖人立身用舍之大節所在，歷代重之，諸引「命」字，似皆指天命，「命」有限定之義。

2、心。

《說文》十下釋心字曰：

心，人之藏也。在身之中，象形。

此言血氣之心也。至人之心，實爲一身之主宰，即良知良能是也。孟子謂之「本心」，亦曰「良心」（註一〇一）。此即〈樂記〉之善心也。〈樂記〉曰：

先王恥其亂，故制雅頌之聲以道之，使其聲足樂而不流，使其文足論（論、倫通，倫、理也）而不息，使其曲直繁瘠廉肉節奏，足以感動人之善心而已矣。

是則人有善心，孟子謂之四端，孟子曰：

惻隱之心，仁之端也；羞惡之心，義之端也；辭讓之心，禮之端也；是非之心，智之端也。人之有是四端也，猶其有四體也（註一〇二）……。

以其天眞爛漫，又曰赤子之心。孟子曰：

大人者，不失其赤子之心者也（註一〇三）。

皆就人之本心言，人之本心，爲生生不息之實體，與天地萬物爲一，亦即萬化之大源處，人盡其心，即見天地之心，然平時亦當涵養。孟子曰：

養心莫善於寡欲，其爲人也寡欲，雖有不存焉者（本心）寡矣；其爲人也多欲，雖有存焉者寡矣。（註一〇四）

孟子又主操持，故曰：

苟得其養，無物不長，苟失其養，無物不消。孔子曰操則存，舍則亡，出入無時，莫知其鄉（向之本字），惟心之謂與。（註一〇五）

吾心常爲主宰，常存義理，而後可以處憂患、歷困厄而當大任也。

3、性。

《說文》十下心部釋性字曰：

性，人之昜（陽本字）气，性。善者也。從心，生聲。據《易傳》，則性受於天，《繫傳上》第四曰：

一陰一陽之謂道。繼之者，善也；成之者，性也。仁者見之謂之仁；知者見之謂之知，百姓日用而不知，故君子之道鮮矣。

繼之、成之兩「之」字皆承「道」而言，道，具形上義，是性當受之於天也。故有仁、知之見。《傳》承上文又曰：

顯諸仁。

則性之發用爲仁無疑。而載籍言性又有生長之義，《左·襄十四年·傳》：

晉侯曰：衛人出其君，不亦甚乎？對曰：或者其君實甚。良君將賞善而刑淫，愛民如子，蓋之如天，容之如地，民奉其君，愛之如父母，仰之若日月。天生民而立之君使司牧之，而失其性……天之愛民甚矣，豈其使一人肆（放）於民上，以從（縱）其淫，而棄天地之性，必不然矣。

《傳》文兩「性」字，皆含生長之義。天地生養萬民，是天地之生德，令其自然生長，不令夭傷也。

又《左·昭十八年·傳》：

楚人城州來，沈尹戌（戌，莊王曾孫，葉公諸梁父也）曰：吾聞撫民者，節用於內，而樹德於外，民樂其性而無寇讎，今宮室無量，民人日駭，勞罷死轉（遷徙）？忘寢與食，非撫之也。

《傳》文「性」字，亦生長之義。性，自然生長之性，性與生義近。至性與心之別，孟子曰：

盡其心者，知其性也。知其性，則知天矣。（註一〇六）

盡其心者，充其心之量。孟子曰：

凡有四端於我者，知皆擴而充之矣。若火之始然，泉之始達……。（註一〇七）

充其心之量，即可知性，蓋性即心之體，心即是性，不過賴心以顯性，因性之顯現，必資心之自覺活動，性潛在而不易顯現。凡言性，均即心而告曉之，故即主體之發用言，謂之心，即客體之存在言，謂之性。質言之，心即是性，心性非二也。孔子曰：

性相近也，習相遠也。（註一〇八）

相近者，相近於善，蓋謂人性相去不遠也。

4、情。

《說文·十下心部》曰：

情，人之气，有欲者。從心，青聲。

《禮記·禮運》言人之情有七：

何謂人情？喜、怒、哀、懼、愛、惡、欲。七者，弗學而能。

七情弗學而能，然有禮以治之，則情亦能得其正，故又曰：

聖人之所以治人七情，修十義（父慈子孝、兄良弟弟、夫義婦聽、長惠幼順、君仁臣忠，見上文），講信修睦，尚辭讓去爭奪，舍禮何以治之。

5、欲。

今推欲之所由生《禮記·樂記》曰：

人生而靜，天之性也。感於物而動，性之欲也。

言人性常平靜，及其感於外物而動，則欲生矣。曰：性之欲者，明言欲出於性，爲人性所固有。《左·襄三十年·傳》：

子產爲政，有事伯石，賂與之邑。子太叔曰：國，皆其國也。奚獨賂焉？子產曰：無欲實難，皆得其欲，以從其事而要其成，非我有成，其在人乎？何愛於邑，邑將焉往？

子產意謂人孰無欲，故曰：「無欲實難」。蓋言欲者，人性所固有之也。故〈禮運〉曰：

飲食男女，人之大欲存焉；死亡貧苦，人之大惡存焉。故欲惡者，心之大端也。

人有七情，欲惡爲其大者。而曰「心之大端也」者，言欲生於心也。〈樂記〉言欲出於性，〈禮運〉言欲生於心，心統性情，言人莫不有欲，子產之言是也。然「欲」非全是惡，亦未必是私。宋儒過重視「欲」，以人欲、天理對舉，防之太過，似違人情，待斟酌。如人之願欲，鼓舞人之進取，否則生活何以日臻於善境也，但欲稍涉放肆，則入邪僻，方爲私欲，故曰「欲不可從（縱）（註一〇九）」甚是，本章述性命本中庸「天命之謂性」，非天命之外別有性，無聲無臭謂之天，流行曰命。流行者，天德之顯用也。大化流行，人秉之而生則爲性，性與天命爲一，所謂上下與天地同流（註一一〇）者也。大化流行，本具生機，人性亦具生生不息之理，則「仁」是也。孟子曰「仁，人心也」（引見前）天人之幾在此。〈說卦傳〉：

昔者聖人之作易也，將以順性命之理。

此先聖作易之本旨，吾人當三復斯言。

五、德行

甲、釋義

《周禮·地官·司徒》敎官之職，師氏以三德教國子，一曰至德以爲道本。二曰敏德，以爲行本。三曰孝德，以知逆惡。教三行：一曰孝行以親父母，二曰友行，以尊賢良，三曰順行，以事師長。鄭《注》：

德行，內外之稱。在心爲德，施之爲行。

《禮記·樂記》「德者，得也。」《鄉飲酒義》：「德也者，得於身也。故曰：古之學術道者，將以得身也。是故聖人務焉。」按鄭《注》以內外分釋德行，內先畜德，《大畜·象》曰：

天在山中大畜，君子以多識前言往行以畜其德。

《樂記》、《鄉飲酒義》皆曰「德者，得也。」後者尤詳，謂得於身也。得於身者，有益於身，大學所謂「富潤屋，德潤身」（註一一一）者是也。先哲於德行極爲重視，《樂記》曰：

樂者，非謂黃鍾大呂弦歌干揚也，樂之末節也，鋪筵席，陳尊俎，列籩豆，以升降爲禮者，禮之末節也……是故德成而上，藝成而下；行成而先，事成而後。是故先王有上有下，有先有後，然後可以有制於天下也。

此先民極重視德行之明證，上下先後，序其輕重也。以德爲上，以行爲先。德行之實踐，遂爲我中華文化之特徵，孔門四科，首列德行（註一一二）可知，德行並重，而行尤急，《禮記·仲尼燕居》孔子曰：

制度在禮，文爲在禮，行之，其在人乎！

是故君子恥服其服而無其容；恥有其容而無其辭；恥有其辭而無其德；恥有其德而無其行。

《表記》第三十二曰：

德輶（輕也）如毛，民鮮克舉之！

《詩·大雅·烝民》之什曰：

故《周易》勉人之實踐曰：

默而成之，不言而信，存乎德行（註一一三）。

乙、仁統諸德

仁統諸德，兼百行，會衆理，備萬善，其孳生也：衍而爲二曰忠恕，曰仁義；衍而爲三曰知、仁、勇，衍而爲四曰仁義禮智；衍而爲五曰仁義禮智信，衍而爲六曰：知、仁、聖、義、中、和（用馬一浮先生說，見復性書院講錄卷一），是諸德皆統於仁也。《禮記·儒行》曰：

溫良者，仁之本也；敬愼者，仁之地也；寬裕者，仁之作也；孫（遜）接者，仁之能也；禮節者，仁之貌也；言談者，仁之文也；歌樂者，仁之和也；分散者，仁之施也。儒者皆兼而有之，猶且不敢言仁也，其尊讓有如此者。

右言儒者內畜仁德，見之於外有如此，所謂有諸內必形諸外（註一一四），和順積中而英華發外（註一一五），仁之不可揜如此夫。孔子則言行仁之難曰：

仁之爲器重，其爲道遠，舉者莫能勝也，行者莫能致也。取數多者仁也，夫勉於仁者，不亦難乎！（註一一六）

行仁之方，亦復不同記，又曰：

仁者安仁，知者利仁，畏罪者強仁。（註一一七）

此《中庸》所謂：

或安而行之，或利而行之，或勉強而行之，及其成功一也（註一一八）。

故人當勉於仁，至乎沒而後止，孔子曰：

中心安仁者，天下一人而已矣。〈大雅〉曰德輶如毛，民鮮克舉之，我儀圖之，惟仲山甫舉之，愛莫助之（註一一九）。〈小雅〉曰高山仰止，景行行止（註一二〇）。子曰詩（詩人）之好仁如此，鄉道而行，中道而廢（此當有誤），忘身之老也，不知年數之不足也，俛焉日有孳孳，斃而後已（註一二一）。

孟子亦勉人行仁曰：

夫仁、天之尊爵也，人之安宅也。（註一二二）又居天下之廣居。（註一二三）

吾人當知仁者吾心（仁，人心也（註一二四）），則人之生機活潑，與天地同流矣。朱子謂「仁者，心之德，愛之理」（註一二五）此語誠允洽之至。

1、惡不仁。

《論語・里仁》篇孔子曰：

> 我未見好仁者，惡不仁者。

《春秋》以王者之仁心愛人，故痛惡不仁，孔子修《春秋》，力秉斯旨，即作俑亦深非之。〈檀弓〉篇引孔子曰：

> 哀哉！死者而用生者之器也，不殆於用殉乎哉。其曰明器，神明之也。塗車、芻靈，自古有之，明器之道也。

孔子謂爲芻靈者善，爲俑者不仁，不殆於用人者哉？孔子意謂以泥爲車，束草爲人形尚可，作俑過於象人，非仁者之爲。孟子曰「仲尼曰『始作俑者，其無後乎！』爲其象人而用之也。」（註一二六）正詳述其事也。《公羊・僖十九年・經》「己酉，邾婁人執鄫子，用之。」〈傳〉：

> 惡乎用之？用之社也。其用之社何？蓋叩其鼻以血社也。
>
> 注：惡無道也，不言社者，本無用人之道，言用之已重矣，故絕其所用處也。

聖人不忍言其地。注曰「絕其所用處」。蓋深惡之也。《公羊・僖二十三年・經》「春，齊侯伐宋，圍緡。」〈傳〉：

> 邑不言圍，此其言圍何？疾重故也。

《注》曰：

> 疾，痛也。重故，喻若重故創矣。襄公欲行霸守正履信，爲楚所敗，諸夏之君，宜雜然助之。

乃因其困而伐之，痛與重故創無異，故言圍以惡其不仁也。

諸夏之君，因宋之困而伐之，是乘人之危也，諺所謂投阱下石，不仁之甚者也。《公羊·宣十八年秋·經》「七月邾婁人戕鄫子于鄫。」《傳》：

戕鄫子于鄫何？殘賊而殺之也。

《注》曰：

支解節斷之，故變殺言戕，戕則殘賊，惡無道也。于鄫者，刺鄫無守備。

孔子特書戕，以其殘賊之至，太不仁也！《公羊·昭十一年·經》「冬十有一月丁酉楚師滅蔡，執蔡世子友以歸，用之。」《傳》：

惡乎用之？用之防也。其用之防奈何？蓋以築防也。

《注》曰：

持其足以頭築防，惡不以道，孔子曰：「人而不仁，疾之已甚，亂也。」（註一二七）

以人築防，視人若物，故深惡之。《穀梁》僖十九年《經》「鄫子會盟于邾。己酉，邾人執鄫子，用之。」《傳》：

微國之君因邾以求與之盟，人因己以求與之盟，己迎而執之，惡之，故謹而日之也。用之者，叩其鼻以衈社也。

注：衈者，釁也。取鼻血以釁祭社器。

用人爲牲，殘忍之至，況以鼻血爲釁乎！季康子問政，孔子告之曰：「子爲政，焉用殺？（註一二八）」又曰「善人爲邦百年，亦可以勝殘去殺矣。」（註一二九）聖人惡不仁之心，昭昭明矣。

2、賢改過。

孔子曰「過則勿憚改」（註一三〇）又曰：「苟志於仁矣，無惡也」（註一三一）又曰：「人之過也，各於其黨，觀過斯知仁矣」（註一三二）由過知仁，故賢改過。《公羊》文十二年《經》「秦伯使遂來聘。」《傳》：

遂者何？秦大夫也。秦無大夫，此何以書？賢繆公也。何賢乎繆公？以爲能變也。……惟諓諓善竫言（諓諓，薄貌。竫，猶撰也）其心休休（美大貌）能有容（能含容賢者逆耳之言）是難也（是難行也）。

《注》曰：

繆公自傷前不用百里奚蹇叔之言，感而自變悔，遂霸西戎，故因其能聘中國，善而與之。

「其心休休」，休休當以鄭注寬容爲愈，繆公能納逆耳之言改悔自厲，春秋賢其改過，特書美之。《公羊．宣十一年．經》「納公孫林父于陳。」《傳》：

此皆大夫也。其言納何？納公黨與也。

《注》曰：

書者，美楚能變悔改過，以遂前功，卒不取其國而存陳。

美楚不利陳之國土，納其大夫，改其前者入陳之過。《左·襄七年·傳》：

衛孫文子來聘，公登亦登（禮、登階，臣後君一等），叔孫穆子相，趨進曰：諸侯之會，寡君未嘗後衛君（敵體並登），今吾子不後寡君，寡君未知所過？吾子其少安（徐）！孫子無辭，亦無悛容，穆叔曰：孫子必亡！爲臣而君，過而不悛，亡之本也。

孫文子聘魯，以臣而僭君禮，又不納穆子忠告，無悛容，穆子斥其必亡，絕之也。《易·益卦·象》曰：

風雷益，君子以見善則遷，有過則改。

益卦䷩震下巽上，震雷巽風，雷聲震，風助其勢，相益之象，遷善改過肖之，改過即是遷善，故春秋賢之。孔子曰「過而不改，是謂過矣。」（註一三三）又自厲曰：「不善不能改，是吾憂也。」（註一三四）孔子特許顏淵爲好學者，以其「不遷怒，不貳過也」（註一三五）又曰「顏氏之子，其殆庶幾乎！有不善未嘗不知，知之未嘗復行也」（註一三六）易復卦初九「不遠復」。王注「不遠而復，幾悔而反」改過宜速，易有明訓，故孔子曰「五十以學易，可以無大過矣」（註一三七）聖人尚思改過，況其下焉者乎？

丙、孝

唐虞號稱盛世，因其以孝治天下也。故孟子曰「堯舜之道，孝弟而已矣。」（註一三八）又曰：「大孝終身慕父母，五十而慕者，予於大舜見之矣。」（註一三九）曾子嘗釋「孝」之義曰：

孝有三：大孝尊親，其次弗辱，其下能養。公明儀曰：夫子可以爲孝乎？曾子曰：是何言與（不敢當孝之名）！君子之所謂孝者，先意承志，諭父母於道。參直養者也，安能爲孝乎？（註一四〇）

曾子又申言不辱其親之事曰：

居處不莊，非孝也；事君不忠，非孝也；涖官不敬，非孝也；戰陳無勇，非孝也。五者不遂，烖及其親，敢不敬乎！（註一四一）

五者皆易辱及其親，然五者亦後人所宜深思之事。又言孝爲諸德之本，曰：

衆之本教曰孝。仁者，仁此者也；禮者，履此者也；義者，宜此者也；信者，信此者也；強者，強此者也。樂自順此生，刑自反此作。（註一四二）

仁禮義信強，皆由孝起，七「此」字，皆指孝言，故爲德教之本。曾子又贊孝道之大！曰：

夫孝，置之而塞乎天地，溥之而橫乎四海，施諸後世而無朝夕，推而放諸東海而準，推而放諸西海而準，推而放諸南海而準，推而放諸北海而準。詩云：自西自東自南自北，無思不服（註一四三），此之謂也。（註一四四）

按孝經第七亦引曾子，曾子又述孔子贊孝之言而曰：

甚哉！孝之大也！子曰：夫孝，天之經也，地之義也，民之行也。天地之經，而民是則之，則天之明，因地之利（按夫孝以下至因地之利八句與左昭二十三《傳》子太叔論禮之語全同，左傳作因地之性，只易一字耳），以順天下，是以其敎不肅而成，其政不嚴而治。

天經地義，通古今中外而無可移易，孝道之大若是，政教焉有不成、不治之理。孝不忘其本，故《春秋》又著貴始之義《穀梁·僖十五年·經》「己卯晦，震夷伯之廟。」〈傳〉：

夷伯，魯大夫也。因此以見天子至於士皆有廟：天子七廟，諸侯五，大夫三，士二。故德厚者流光；德薄者流卑（德厚者位尊，道隆者爵重，故天子遠及七世，士祭祖而已）是以貴始，德之本也，始封必爲祖（契爲殷祖，棄爲周祖）。

立廟祭祖，在不忘其本始。曾子曰：「愼終追遠，民德歸厚矣」（註一四五）即此之謂。《公羊·僖二十四年·經》「冬，天王出居于鄭。」〈傳〉：

王者無外，此其言出何？不能其母也。

《注》曰：

不能事母，罪莫大於不孝，故絕之言出也。

《春秋》絕不孝之人，以罪莫大於不孝。自天子達於庶人。天下之通義也。考人之初，孝德發自天性，《禮記·三年問》曰：

凡生天地之間者，有血氣之屬必有知，有知之屬，莫不愛其類，今是大鳥獸，則失喪其群匹，越月踰時焉，則必反巡，過其故鄉，翔回焉，鳴號焉，蹢 焉，踟躕焉，然後乃能去之。小者至於燕雀，猶有啁噍之頃焉，然後乃能去之。故有血氣之屬，莫知於人，故人於其親也，至死不窮（按此段凡十九句與荀子禮論篇同，戴記如此類者尙多，疑係鈔自荀子）

此言人之愛其親也，發自天性，凡有血氣之屬莫不皆然。鳥獸尙知愛其類，而況於人乎？故《詩》有〈凱風〉之詠，〈蓼莪〉之哀，孝子不匱，永錫爾類之意至深遠矣。

丁、敬讓

《周禮·地官》大司徒教官之職，別五物，辨五地之物生，謂山林、川澤、丘陵、墳衍、原隰而曰：因此五物者民之常，而施十有二教焉：一曰：以祀禮教敬，則民不苟。二曰：以陽禮教讓，則民不爭。

教敬，敬其祖先。則民不苟者？不忘本始也。即孔子曰：

「君子篤於親，則民興於仁，故舊不遺，則民不偸（薄）（註一四六）」之意，令風俗淳厚也。

教讓，則民不爭者？孔子曰：

「能以禮讓爲國乎何有（何難之有）？」（註一四七）

言以禮讓爲國，治平不難，敬讓之效如此。

1、敬。

《左·成十三年·傳》：

晉侯使郤錡來乞師，將事不敬。孟獻子曰：郤氏其亡乎！禮，身之幹也；敬，身之基也。郤子無基，且先君之嗣卿也，受命以求師，將社稷是衛而惰，棄君命也，不亡何爲？

獻子謂敬爲身之基，無基何以立身？受君命以乞師而怠惰，有失國體，不敬之事大，不亡何待？深戒「敬」之不可忽。又〈宣十五年·傳〉：

晉侯使趙同獻狄俘於周，不敬！劉康公曰：不及十年，原叔必有大咎，天奪之魄矣（心之精爽，是謂魂魄）。

不敬必有大咎，是不敬者，自貽伊戚也。而曰天奪之魄者，言其精力衰減，不自振作，咎由自取也。《左·襄二十二年·傳》：

鄭公孫黑肱有疾，歸邑於公，召室老宗人立段（段，子石，黑肱之子），而使黜官薄祭，以特羊，殷以少牢（四時祭以羊豕，殷、盛也），足以共祀，盡歸其餘邑曰：吾聞之：生於亂世，貴而能貧，民無求焉，可以後亡，敬共（恭）事君，與二三子生在敬戒，不在富也。己巳、伯張卒，君子曰：善戒！詩曰：愼爾侯（維也）度，用戒不虞」（註一四八）。鄭子張其有焉。

伯章辭富居貧，猶堅持敬戒，以示子孫，以敬爲鍼，處亂世當如此。

2、讓。

讓爲至德，泰伯三以天下讓。孔子美之曰：

泰伯，其可謂至德也已矣！三以天下讓，民無得而稱焉（註一四九）

史公作史記，〈世家〉首泰伯，〈列傳〉以伯夷爲冠，皆讓國之大賢也。《禮記·祭義》：

天子有善，讓德於天；諸侯有善，歸諸天子，卿大夫有善，薦於諸侯；士庶人有善，本諸父母，存諸長老，祿爵慶賞，成諸宗廟，所以示順也。

以善讓諸人，歸善於父母長者及其祖宗。讓德之高矣！美矣，不可以加矣！顏回曰「願勿伐善，勿施勞。」（註一五〇）孔子賢之，有以也夫。《左·昭十年·傳》：

五月庚辰戰于稷，欒高敗，欒施高彊來奔，陳鮑分其室，晏子謂桓子，必致諸公。讓，德之主也。讓之謂懿德。凡有血氣，皆有爭心，故利不可強（不可強取），思義爲愈！義，利之本也。蘊利生孽（蘊，畜也，孽妖害也）。姑使勿蘊乎，可以滋長。桓子盡致諸公，而請老于莒。

人皆爭利，而蘊利生孽，非利之本；義，乃利之本，推「讓所以爲德之主」之意。讓，又爲禮之主。《左·襄十三年·傳》：

晉侯蒐於綿上以治兵，使士匄將中軍，辭曰：伯游長……使韓起將上軍，辭以趙武……晉國之民，是以大和，諸侯遂睦。君子曰：讓，禮之主也。范宣子讓，其下皆讓，欒黶爲汰（驕侈），弗敢違也。晉國以平，數世賴之，刑（法）善也夫！

讓，爲禮之主，能以禮讓爲國乎何有（前引）？士匄等相次有讓，風靡所及，晉國以平，皆讓之遺風也。《左·成十六年·傳》：

晉侯使郤至獻楚捷於周，與單襄公語，驟稱其伐，單子語諸大夫曰：溫季（郤至）其亡乎！位於七人之下（佐新軍、位八），而求掩其上，怨之所聚，亂之本也。多怨而階亂，何以在位？郤至不知讓，故驟稱其伐（功），欲揜其上。不知推功於人，取怨之道也。人自伐，則爭功者多，怨之所聚也，欲無階亂，得乎？《左·成十四年·傳》：

衛侯享苦成叔（郤犨），甯武子（殖）相，若成叔傲，甯子曰：若成家其亡乎！古之爲享食也，以觀威儀，省禍福也。故詩曰：「兕觥其觩，旨酒思柔，彼交匪傲（詩作敖），萬福來求。（註一五一）」今夫子傲，取禍之道也。

傲以取禍，不知禮讓也。詩曰「匪傲」，所以求福，傲則取禍。禍福無不自己求之者。有功不可伐，然有德亦不可居。《易·夬卦·象》曰：

澤上於天夬，君子以施祿及下，居德則忌。

夬卦䷪　乾下兌上，澤上於天必來下潤，施祿於下之象。然施祿之後，不可居德，居德、則受之者不以爲德，而反以滋怨，爲人上者，尤戒居德也。

戊、大　正

孟子謂大丈夫當「立天下之正位（禮），行天下之大道（義）（註一五二）《春秋》大正。大正者，蓋以禮義爲天下之正道，故曰「春秋者，禮義之大宗也。（註一五三）《公羊·隱三年·經》「冬，癸未，葬宋繆公。」《傳》：

君子大居正。

明修法守正，最計之要者。

《注》曰：

《公羊》首明居正之義爲「修法守正」。故孟子曰「不愆不忘，率由舊章，遵先王之法而過者，未之有也。（註一五四）」《春秋》上明三王之道（先王之法），故大正也。《公羊．僖二十二年．經》「冬十有一月己巳朔，宋公及楚人戰于泓，宋師敗績。」《傳》：

偏戰者日爾，此其言朔何？《春秋》辭繁而不殺者，正也。（注，繁，多也。殺，省也。正，得正道，尤美！）何正爾？宋公與楚人期戰於泓之陽，楚人濟泓而來，有司復曰：請迨其未畢濟而擊之！宋公曰：不可！吾聞之也，君子不厄人。既濟，未畢陳，有司復曰：請迨其未畢陳而擊之！宋公曰：不可！吾聞之也，君子不鼓不成列。已陳。然後襄公鼓之，宋師大敗。故君子大其不鼓不成列，臨大事而不忘大禮，有君而無臣，以爲雖文王之戰，不過此也。

《傳》謂「正」，《注》曰「正道」。正道者，不鼓不成列，臨大事而不忘大禮也。《穀梁．桓九年．經》：「冬曹伯使世子射姑來朝。」《傳》：

朝不言使，言使，非正也。使世子伉諸侯之禮而來朝，曹伯失正矣。諸侯相見曰朝，以待人之道待人之子，以內爲失正矣。

「非正」、「失正」則書，固大正之義。《穀梁．僖四年．經》「四年春王正月，公會齊侯……曹伯侵蔡，蔡潰。」〈傳〉：

潰之言，上下不相得也。侵蔡而蔡潰，以桓公爲知所侵也。不土其地，不分其民，明正也。

按天地有正氣，〈大壯・卦辭〉：「大壯利貞。」〈彖傳〉：

大壯，大者壯也。剛以動故壯，「大壯利貞」，大者正也。正大，而天地之情可見矣。

大壯卦☳☰乾下震上，四陽二陰，故曰大者壯也（陽稱大）。〈傳〉即以正釋大，而曰「正大而天地之情可見」，明天地間充塞正大之氣，所謂浩然之正氣也。天地有正氣，春秋法天，故大正，質之人事，人如不正，則有災殃，故〈无妄・卦辭〉曰：

无妄，元亨利貞，其匪正有眚，不利有攸往。

至誠無妄，天之道也。元亨利貞，即象天道（見乾文言傳），其不正者，必有災殃，故曰「匪正有眚」明天道之與「正」也。

己、人禽之辨

孟子曰：「人之所以異於禽獸者，幾希，庶民去之，君子存之。舜明於庶物，察於人倫，由仁義行，非行仁義也。（註一五五）」幾希，極微之辭。細玩全章，則所存者爲仁義。〈曲禮上〉：

道德仁義，非禮不成。教訓正俗，非禮不備。君臣上下，父子兄弟，非禮不定。是以君子恭敬撙節退讓以明禮。鸚鵡能言，不離飛鳥；猩猩能言，不離禽獸；今人而無禮，雖能言，不亦禽獸之心乎！夫惟禽獸無禮，故父子聚麀。是故聖人作，爲禮以教人，使人以有禮，知自別於禽獸。

《記》言人禽之辨，在有禮與否。人而有禮，乃與禽獸有別。又曰「道德仁義，非禮不成」者，即實踐仁義，必由夫禮。顏淵問仁，孔子告之以「克己復禮」（註一五六）禮者，天理之節文，仁者，本心之全德（朱註），克去私欲，則心之全德，莫非天理，是仁禮之相契無間耳。仁禮時措之宜則爲義，故曰：「道德仁義，非禮不成」也。《郊特牲》曰：

男女有別然後父子親，父子親然後義生，義生然後禮作，禮作然後萬物安。無別無義，禽獸之道也。

《記》言「昏禮，萬世之始也」上文，又曰「禮之所尊，尊其義也。」義者，禮之精神也。無別無義，即無禮無義，是禽獸之道也。則人禽之辨，以禮義爲主也。孟子曰：

雖存乎人者，豈無仁義之心哉？其所以放其良心者，亦猶斧斤之於木也。旦旦而伐之，可以爲美乎？其日夜之所息，平旦之氣，其好惡與人（人，按指聖賢）相近也者幾希？則其旦晝之所爲有（又）梏亡之矣，梏之反復，則其夜氣（平旦之氣同，心體清明，能辨是非邪正）不足以存，夜氣不足以存，則其違（去）禽獸不遠矣。（註一五七）

孟子明言人若放其良心，無清明之氣，則與禽獸不遠，人禽之辨至微，要在一念之間，其良心常在，則人也。經學之用，教人有以自反，自知有別於禽獸，則人性可復，人道益彰矣。

庚、與人爲善。

1、長善。

《公羊·昭二十年·經》「夏曹公孫會自鄸出奔宋。」〈傳〉：

奔，未有言自者，此其言自何？畔也，曷爲不言其畔？爲公子喜時之後諱也。《春秋》爲賢者諱，何賢乎公子喜時？讓國也。……君子之善善也長；惡惡也短。惡惡止其身，善善及子孫。賢者子孫，故君子爲之諱也。

《注》曰：

君子不使行善者有後患，故以喜時之讓，除會之畔。善善及子孫，則善善之時至長，是爲長（上聲）善，申張善道，助後世之人爲善，此以善養人者也。其義至深遠矣！

2、善人爲寶。

《左·成六年·傳》：

楚公子嬰齊帥師伐鄭，晉欒書救鄭，或曰：欲戰者衆，《商書》（洪範）曰：三年占，從二人，武子曰：善鈞（等）從衆，夫善，衆之主也。三卿爲主，可謂衆矣。從之不亦可乎。善，衆之主也。謂善人爲衆人之主導，衆當樂從之也。《左·成十五年·傳》：

晉三郤害伯宗，譖而殺之，及欒弗忌（晉賢大夫），伯州犁奔楚，韓獻子曰：郤氏其不免乎！

善人，天地之紀也，而驟絕之，不亡何待？

善人、天地之紀，猶言天地之紀綱。天地賴有善人以支柱之也。《左·襄三十年·傳》：

楚公子圍殺大司馬蔿掩，而取其室，申無宇曰：王子必不免，善人，國之主也。王子相楚國，將善是封殖而虐之，是禍國也。且司馬、令尹之偏（佐也），而王之四體也（俱股肱）。絕民之主，去身之偏，艾王之體，以禍其國，不祥莫大焉，何以得免？

言善人爲國之主榦，王之股肱，殘其本枝，以敗其國，難免於禍。《左·昭五年·傳》：

鄭罕虎如齊，聚於子尾氏，晏子驟見之，陳桓子問其故？對曰：能用善人（謂授子產政），民之主也。

3、好善。

《公羊·宣十五年·經》「六月癸卯，赤狄潞氏以潞子嬰兒歸。」《傳》：

潞何以稱子？潞子之爲善也。躬足以亡爾。雖然，君子不可不記也。離於夷狄，而未能合於中國（未能與中國合同禮義，相親比也，故猶繫赤狄），晉師伐之，中國不救，狄人不有，是以亡也。

《注》曰：

以去俗歸義亡，故君子閔傷，進之。

《春秋》嘉其去俗歸義以亡，是《春秋》之好善也。《左·襄三年·傳》：

祁奚請老，晉侯問嗣焉，稱解狐，其仇也。將立之而卒。又問焉，對曰：午也可（午：祁奚子）。於是羊舌職死矣。晉侯曰：孰可以伐之？對曰赤也（赤、職之子伯華）可，於是使祁午爲中軍尉，羊舌赤佐之。君子謂祁奚能舉善矣。舉祁午、羊舌職是舉善，爲國舉善人，好善之行也。

4、納善言。

《左·定四年·傳》：

鄭子太叔卒，晉趙簡子爲之臨，甚哀曰：黃父之會（昭二十五年），夫子語我九言曰：無始亂，無怙富，無恃寵，無違同，無敖禮，無驕能，無復怒，無謀非德，無犯非義。

《左·昭十六年·傳》：

晉韓起聘於鄭，私覲於子產以玉與馬曰：子命起，舍夫玉，是賜我玉而免吾死也，敢不藉手以拜（以玉馬藉手以拜。上文起欲強買玉，子產不可，謂起曰：吾子以好來辱，而謂敝邑強奪商人，毋乃不可乎？得玉而失諸侯，必不爲也，韓子辭玉）故曰「命起舍夫玉」，令我免乎罪戾也。

是起拜善言之賜，與禹拜昌言同美。《左·襄二十四年·傳》：

二月，鄭伯如晉，子產寓書於子西以告宣子曰：子爲晉國，四鄰諸侯不聞令德，僑也惑之！僑聞君子長國家者，非無賄之患，而無令名之難！夫令名，德之輿也。德，國家之基也。有基無壞，無亦是務乎？有德則樂，樂則能久。外本內末，爭民施奪（令民趨利而教之劫奪）。德，爲立國之基石。大學「德者，本也；財者，末也。外本內末，爭民施奪（令民趨利而教之劫奪）。」（註一五八）德，不啻爲立國之基，亦吾人立身之要道，故孟子曰「周於德者，邪世不能亂」（註一五九）自來中國之道德思想，深入人心，使賢者不踰閑，不肖者不敢干，數千年來所畜之力勢，中於人心之深如是，絕不可忽之也。

六、倫紀

倫紀爲天下之達道，古今人類所共由之路，而不可須臾離之者也。《禮記》《中庸》孔子答哀公問政而曰：

天下之達道五，所之行之者三曰：君臣也，父子也，夫婦也，昆弟也，朋友之交也，五者，天下之達道也。

謂之達道者，由中國而外域，凡舟車所至，人力所通，天之所覆，地之所載，日月所照，凡有血氣之屬，莫不遵循者。

甲、倫紀之原理

倫紀之原理，所以爲立教之本者，《禮記·祭統》曰：

夫祭有十倫焉：見事鬼神之道焉，見君臣之義焉，見父子之倫焉，見貴賤之等焉，見親疏之殺焉，見爵賞之施焉，見夫婦之別焉，見政事之均焉，見長幼之序焉，見上下之際焉，此之謂十倫。

此十倫者，所以立教育之本，而總之於祭者，報本反始在於祭，禮之五經，莫重於祭。十倫中，君臣、父子、夫婦、長幼、上下，倫類已具，倫紀之所以建立，其原理在此，原天命之流行，賦予吾人，人受之而有生命，自性之本然言，雖萬德具足，然仁義禮智五常之理，必待有倫類之交際而始顯現，故王制列七教之目曰：

七教：父子、兄弟、夫婦、君臣、長幼、朋友、賓客。七教緊承「六禮：冠、昏、喪、祭、鄉、相見」之後，禮節民性，教與民德，所以行禮、由禮也。而倫紀之分守，《大學》曰：

爲人君，止於仁，爲人臣，止於敬；爲人子，止於孝，爲人父，止於慈；與國人交，止於信。（註一六〇）

此引孔子之言，僅君臣、父子、朋友三倫，其餘可以類推也。五倫之中，夫婦爲人道之始。《公羊·隱二年秋九月·經》「紀履繻來逆女。」《傳》：

外逆女不書，此何以書？譏，何譏爾？譏始不親迎也……託始焉爾。《春秋》之始也。

《注》曰：

《春秋》正夫婦之始也。夫婦正、則父子親，父子親則君臣和，君臣和則天下治。故夫婦者，人道之始，王教之端。……。

夫婦爲人倫之始，治化之端。朋友，群經中惟《詩》二見，〈小雅·伐木〉曰：

相彼鳥矣，猶求友聲，矧伊人矣，不求友生。

〈小雅·鶴鳴〉之什曰：

鶴鳴于九皐（澤中水溢出所爲坎），聲聞于野……它山之石，可以爲錯（礪石也）（次章）……它山之石，可以攻（錯）玉。

朋友切磋輔仁，五倫中絕不可輕忽，《書·洪範》曰「彝倫攸叙」不叙則逆，故事之逆順，每由倫紀以定。《左·隱三年·傳》：

衛莊公娶於齊得臣之妹曰莊姜……公子州吁，嬖人之子也，有寵而好兵，公弗禁，莊姜惡之，石碏諫曰：臣聞愛子教之以義方，弗納于邪，驕奢淫泆，所自邪也。四者之來，寵祿過也……且夫賤妨貴，少陵長，遠間親，新間舊，小加大，淫破義，所謂六逆也；君義臣行，父慈子孝，兄愛弟敬，所謂六順也。去順效逆，所以速禍也。君人者，將禍是務去，而速之，無乃不可乎。

《傳》所謂六順，正五倫之分守，所謂六逆，實反五倫之叙。守者謂之順，違者謂之逆，則人事之逆順，由倫常之存否而定，而禍福亦因之以分，吾人不可不察也，然則國家之賴以治平者，亦在於斯。

《禮記·文王世子》曰：

故學之爲父子焉，學之爲君臣焉，學之爲長幼焉。父子君臣長幼之道得而國治。《記》謂世子能知長長親親之道，皆由於學。尤要者，當知倫常原於自然之秩序，《書·皐陶謨》曰：

天叙有典，勑我五典五惇哉，天秩有禮，自我五禮有庸哉，同寅協恭和衷哉。

天叙，天所定之倫叙，謂五倫（君臣、父子、兄弟、夫婦、朋友）。典，常。勑，謹，正。惇，厚。秩者，貴賤之品秩。謂之天秩者，乃天意之所定。五禮者，天子、諸侯、卿大夫、士、庶之禮（鄭注）。典禮雖天所叙秩，然正之、用之，使其有常不紊，則在乎人也。倫紀之名分孟子言之至詳，孟子曰：

使契爲司徒，教以人倫：父子有親；君臣有義；夫婦有別；長幼有序；朋友有信。（註一六一）

又謂學校教育之宗旨，在於講明人倫：

學，則三代共之，皆所以明人倫也。（註一六二）

倫紀建立之原理，約如上述，分言之則有：

1、人道。

治道之先務爲人道。《禮記·大傳》曰：

聖人南面而聽天下，所且先者五，民不與焉。一曰治親，二曰報功，三曰舉賢，四曰使能，五曰存愛。五者一得於天下，民無不足，無不贍者；五者一物紕繆，民莫得其死。聖人南面而治天下，必自人道始矣。

人道之內蘊，記所舉之五事也，荀子《禮論》曰「禮者，人道之極也。」又曰「三年之喪，人道之至文者也。」又曰「禮者，謹於治生死者也。生，人之始也；死，人之終也。終始俱善，人道畢矣。」蓋養生送死，爲人道之大端，故孟子曰「養生送死無憾，王道之始也」（註一六三）由此，則人道之要可知。

2、尊尊親親。

孟子謂「堯舜之道，孝弟而已矣」（引見前）。尊尊，弟道也。親親自父母始，孝也。尊尊、親親，爲儒家思想之中心，亦即人道之原理。〈喪服·小記〉曰：

尊祖故敬宗，敬宗，所以尊祖禰也。親親、尊尊、長長，男女有別，人道之大者也。

《禮記·大傳》又曰：

禮，不王不禘，王者禘其祖之所自出，以其祖配之……上治祖禰，尊尊也；下治子孫，親親也。旁治昆弟，合族以食，序以昭穆，別之以禮義，人道竭矣。

兩傳皆發明尊尊親親之義，以爲人道之大者，人道盡於此二語，其含蘊之精至可知。孟子推其極致而曰：

道在爾而求諸遠，事在易而求諸難，人人親其親長其長而天下平。（註一六四）

《周禮》卷十八宗伯禮官之職則廣釋「親」字之義而曰：

以嘉禮親萬民，以飲食之禮親宗族兄弟，以昏冠之禮親成男女，以賓、射之禮親故舊朋友。

《中庸》則兼釋尊親二字曰：

宗廟之禮，所以序昭穆也，序爵，所以辨貴賤也，序事，所以辨賢也，旅酬（旅，衆。酬，導飲）下爲上（尊長），所以逮賤也，燕毛（以髮色别長幼），所以序齒也，踐其位，行其禮，奏其樂，敬其所尊，愛其所親，事死如事生，事亡如事存，孝之至也。

推親親之義者：《公羊·僖二十五年·經》「春王正月丙午，衛侯燬滅刑」。《傳》：

衛侯燬何以名？絶。曷爲絶之？滅同姓也。

《注》曰：

絶先祖支體尤重，故名，甚之也。

滅同姓，絶先祖支體，失親親之誼也。《穀梁·經》「衛侯滅邢」《傳》：

燬之名何也？不正其伐本，而滅同姓也。

《注》曰：

絶先祖之支體尤重，故名以甚之。

《公》《穀》二傳同，《穀》在公後，截長補短，注文全同，然《公》用「刑」、《穀》用「邢」知之傳字形有異者。《穀梁·僖二十八年·經》「壬申公朝於王所」《傳》：

朝於廟，禮也。朝於外，非禮也……壬申，公朝於王所，其不月，失其所繫也。以爲晉文公之行事爲巳傎（顛）矣。

《注》曰：

　以臣召君，傎倒上下，不繫於月，猶諸侯不宗於天子。

《傳》謂文公失君臣之禮，蔑上下之序，不知尊尊之義也。《穀梁·文二年·經》「丁卯大事于太廟，躋僖公也。」《傳》：

　大事者何？大是事也。著於祫嘗（祫，合。嘗，秋祭）。祫祭者，毀廟之主，陳於太祖，未毀廟之主，皆升合祭於太祖。躋，升也。先親而後祖也。逆祀也。逆祀，則是無昭穆也。無昭穆，則是無祖也，無祖，則無天也。故曰文無天，文無天者，是無天而行也。

《注》曰：

　祖人之始也，人之所仰，天也。

《傳》亟言親親、尊尊，要當有序，逆祀無昭穆，忘其祖亦忘其天，甚之、蓋無序則無禮，故《中庸》曰：

　仁者，人也N親親爲大；義者，宜也，尊賢爲大。親親之殺，尊賢之等，禮所生也。（註一六六）

親親，仁也；尊賢，義也；禮則節文斯二者而已。明親親尊尊，亦當由禮也，蓋親親敬長，本人之良知良能，孟子曰：

　人之所不學而能者，其良能也；所不慮而知者，其良知也。孩提之童，無不知愛其親也，及其長也，無不知敬其兄也。親親，仁也；敬長，義也。無他，達之天下也。

孟子謂愛親、敬長，爲吾人之良知良能，出於天性，人所固有，尊尊親親之義，由之而益明著，曰「達之天下者」，明人心之所同然，凡有血氣之屬，皆宜遵循也。

乙、社會秩序

社會有當然之秩序，秩序井然，人類乃能安居，因而樂生興事，相將相扶，社會由是而親睦和諧，則繁榮不難矣。《禮記·哀公問》哀公問孔子大禮何如？君子之言禮，何其尊也？孔子曰：

丘聞之：民之所由生，禮爲大！非禮，無以節事天地之神也；非禮無以辨君臣上下之位也；非禮，無以別男女、父子、兄弟之親，昏姻疏數（入聲：親密）之交也，君子以之爲尊敬然！

孔子言倫紀由禮以建立。君臣、上下、長幼各得其位，男女、父子、兄弟之相親睦，則國內雍熙和洽，社會翕然，社會秩序由是以建立矣。《仲尼燕居》第二十八，孔子深察亂之所由起而告子張曰：

禮之所興，衆之所治也；禮之所廢，衆之所亂也。目巧之室（目巧，不用規矩但憑目力而定），則有奧阼；席則有上下；車則有左右；行則有隨；立則有序；古之義也。室而無奧阼，則亂於堂室也；席而無上下，則亂於席上也；車而無左右，則亂於車也；行而無隨，則亂於塗也；立而無序，則亂於位也。昔聖帝明王諸侯辨貴賤、長幼、遠近、男女、外內，莫敢相踰越，皆由此塗出也。三子者既得聞此言也，昭然若發矇矣！

孔子謂衆（社會）之治亂，胥取決於禮之興廢，若亂於堂室、席上、塗、位，皆由無禮。有禮則秩序儼然。倫紀所以綱維社會昭昭然矣，故〈坊記〉第三十引孔子曰：

夫禮，坊民所淫，章民之別，使民無嫌，以爲民紀者也。

此總言禮爲民紀，即爲社會之綱紀也。社會無紀，安有不亂者乎？《書·堯典》帝曰：

契！百姓不親，五品不遜，女作司徒，敬敷五教，在寬。舜告契，百姓不親睦，五品（父子、君臣、夫婦、長幼、朋友，五者之名位等級）不遜順，當敷布五教（父子有親、君臣有義、夫婦有別、長幼有序、朋友有信，以五者之倫理爲教），而曰敬者，特重之詞，右言當使五品和順，百姓自然親睦，社會自亦安定矣，若群輩中偶有梟獍之徒，必處以極刑，〈康誥〉，成王告康叔曰：

封！元惡大憝（大惡），矧（矧，猶亦也）惟不孝不友，子弗祇服厥父事，大傷厥考心，于父不能字（愛）厥子，乃疾（惡）厥子，于弟弗念天顯（天道），乃弗克恭厥兄，兄亦不念鞠（稚）子哀（可憐），大不友于弟，惟弔茲（至此），不于我政人得罪，天惟予我民彝大泯亂；曰：乃其速由（用），文王作罰（文王所定之罰則），刑茲（指不孝不友）無赦。

成王以不孝不友爲元惡大罪，必殺無赦，否則倫常泯滅，不克配天，維護倫常，當資人文，〈賁卦·彖傳〉曰：

觀乎人文，以化成天下。

正義「人文、《詩》《書》《禮》《樂》之謂。」人文足以化成天下，今之所謂文化是也。

丙、倫紀效用。

《書·洪範》兩言「彝倫攸敘」，蓋於倫紀之宏效，企羨而深美之也。《周易·序卦傳》：

有天地然後有萬物，有萬物然後有男女，有男女然後有夫婦，有夫婦然後有父子，有父子然後有君臣，有君臣然後有上下，有上下然後禮義有所措。

《傳》言人文之演進，歷歷在目，「有上下然後禮義有所措」，禮義興而人文化成之功見，故曰：

君子之道，造端乎夫婦，及其至也，察乎天地。（註一六八）

《樂記》論禮樂倫絕之相得，曰：

樂由中出，禮自外作。樂至則無怨，禮至則不爭，揖讓而治天下者，禮樂之謂也。暴民不作，諸侯賓服，兵革不試（用），五刑不用，百姓無患，天子不怒，如此則樂達矣；合父子之親，明長幼之序，以敬四海之內，天子如此，則禮行矣。

揖讓而治天下必賴禮樂。暴民不作六句，極繪昇平之象，是樂之功，合父子之親、明長幼之序、實倫紀之效，亦即禮治之績，然倫紀最大之效用，在於民志之分定，〈履·象〉曰：

上天下澤履，君子以辨上下，定民志。

履卦☰兌下乾上，乾爲天，兌爲澤，天高澤下，天尊澤卑，尊卑上下，儼然有序，而民志以定，安分守己，分定故也。此爲社會安和之定力，亦即倫紀之宏效，任人不可忽視，不可輕者也。〈家人·彖傳〉曰：

家人、女正位乎內；男正位乎外，男女正，天地之大義也。家人有嚴君焉，父母之謂也。父父、子子、兄兄、弟弟、夫夫、婦婦而家道正，正家而天下定矣。

正家而天下定，此倫紀之宏效也，先由男女之正位，而曰「天地之大義」者，明倫紀爲宇宙之眞理，無人可以否定者也。孟子曰「人倫明於上，小民親於下。」（註一六九）則親和力，固爲社會之大定力。倫紀之重要，萬萬不可忽視也。

七、治平

孟子曰「堯舜之道，不以仁政，不能平治天下」（註一七〇）。治平之名本此。

甲、民本思想

民本觀念，爲中國政治思想之特色。《穀梁．僖二十六年．經》「公以楚師伐齊，取穀。」〈傳〉：

以者？不以者也。民者，君之本也！使民以其死，非其正也。

《注》曰：

雍曰：兵者，不祥之器，不得已而用之，安有驅民於死地，以供假借之役乎！

民者，君之本，即爲國之本。此民本之思想也。《禮記．緇衣》孔子曰：

民以君爲心，君以民爲體。心莊則體舒；心肅則容敬；心好之，身必安之；君好之，民必欲之。心以體全；亦以體傷。君以民存；亦以民亡。《詩》云「昔吾有先正，其言明且淸。國家以寧，都邑以成，庶民以生（五句逸詩）。誰能秉國成，不自爲正，卒勞百姓（此三句今見〈小雅·節南山〉之什言師尹實秉成法，而任群小以勞苦百姓）」〈君雅〉〈周書·君牙〉曰「夏日暑雨，小民惟曰怨資（《書》作咨），冬祈寒，小民亦惟曰怨（下奪咨字）」。

孔子言君以民爲體，則休戚與共也。心以體全，亦以體傷，君以民存，亦以民亡，全傷、存亡，直繫於民。民爲邦本，本固邦寧。水能載舟，亦能覆舟。長國家者，當知所警惕，君民一體，故得民爲大有、〈大有卦·彖傳〉：

大有、柔得尊位大中而上下應之曰大有。

大有卦乾下離上，六五處天位，上下五陽皆應之。大有者，有衆也（五陽），故曰大有。得衆則得國。

《大學》：

道得衆則得國，失衆則失國。（註一七〇）

得衆、得民者昌，孟子曰：

得天下有道，得其民斯得天下矣。（註一七一）

孟子又曰：

民爲貴，社稷次之，君爲輕。（註一七二）

民本思想至孟子已發揮無餘矣。

乙、張正義

天地有正氣，旁礡兩間，所謂浩然之氣也。孟子曰：

我善養吾浩然之氣，其爲氣也，至大至剛，以直養而無害，則塞乎天地之間。（註一七三）

正氣即正義，孟子曰：

是集義所生者，非義襲而取之也。（註一七四）

足證二者之爲一事。《公羊·桓五年·經》「秋、蔡人衛人陳人從王伐鄭。」《傳》：

其言從王伐鄭何？從王，正也。

《注》曰：

美其得正義也。故以從王征伐錄之。時天子微弱，莫肯從王者征伐，以善三國之君，獨能尊天子。

《傳》曰「王正」，《注》曰「美其得正義」。是《春秋》之張正義也。《公羊·僖元年·經》「十月壬午，公子友率師敗莒師于犁。獲莒挐。」《傳》：

莒挐者何？莒大夫也……大季子之獲也……季子治內難以正（謂拒慶父），禦外難以正，公子慶父弒閔公，走而之莒，莒人逐之，將由乎齊，齊人不納，卻反，舍於汶水之上……於是抗輈而死，莒人聞之曰，吾已得子之賊矣以求賂於魯，魯人不與，爲是興師而伐魯（故與季子獲之）季子待之以偏戰（善季子忿不加暴，得君子之道）。季子以正道治內難，以正道禦外侮，大季子之正也。《左·昭三十一年·經》「冬黑肱以濫來奔」《傳》：

冬邾黑肱以濫來奔，賤而書名，重地故也。以地叛，雖賤必書地，以名其人，終爲不義，弗可滅也已。是故君子動則思禮，行則思義，不爲利回，不爲義疚，或求名而不得，或欲蓋而彌章，懲不義也。齊豹爲衛司寇守嗣大夫（守先人嗣，言其尊，作而不義）其書爲盜（豹殺衛侯兄，求不畏彊禦之名）是以《春秋》書齊豹盜，三叛人名，以懲不義，善人勸焉，淫人懼焉，是以君子貴之。

《春秋》書齊豹盜，三叛人名，所以懲不義，令善人勸而淫人懼，正所以張正義也。《商書·高宗肜日》祖己曰：

惟先格王正厥事（祭祀之事）乃訓于王曰：「惟天監（監視）下民，典（主持）厥義（正義），降年有永不永，非天夭民，民中厥命。民有不若德，不聽罪（不從天所降之罪罰）……乃曰「其如台」（天其奈我何）。

言上天亦主持正義，降年有永與否，乃民自絕其命，天固以義爲斷也。

丙、禮樂刑政

昔孔子告子貢問爲仁曰「工欲善其事，必先利其器。」（註一七五）禮樂刑政，治國之利器也。禮以範其言行，樂以怡其心志，刑以鋤其強梗，政以齊其步伐。四者爲治之方殊，而其所以趨於治之目標則一，故名之曰、爲政之具，可也。茲分述於次：

1、禮。

①、釋義

《禮記·仲尼燕居》第二十八：孔子曰：

禮也者，理也；樂也者，節也。君子無理不動，無節不作。不能詩，於禮繆，不能樂，於禮素，薄於德，於禮虛。子曰制度在禮，文爲在禮，行之其在人乎！

禮得其理而有序，樂得其節而後和。詩以興發，於禮不背，樂以成德，於禮有爲。君子義以爲質，禮以行之（註一七六）。本立而道生，不爲虛。制度文爲，弛張之具，行之仍在乎人，故禮之爲言履也。（註一七七）

②制禮原則。

《禮記·禮器》第十曰：

禮時爲大，順次之，體次之，宜次之，稱次之。堯授舜，舜授禹，湯放桀，武王伐紂，時也。詩云：匪革其猶，聿追來孝（〈大雅·文王有聲〉。革，急。猶，謀。《詩》惟言文王非急於作邑，欲遂先人之志耳）。天地之祭，宗廟之事，父子之道，君臣之義，倫也（天地宗廟父子君臣皆有倫序，故宜順也）。社稷山川之事，鬼神之祭，體也（社稷山川鬼神之禮，各有不同之體制）。喪祭之用，賓客之交，義也（各隨事之宜故曰義）。羔豚而祭，百官皆足，太牢而祭，不必有餘，此之謂稱也（有餘不足，各稱其有無，稱，相當之意）。

此制禮之原則有五：時爲大，次順、次體、次宜、次稱。而以時爲大。時者，隨時，奉天時，如堯舜揖讓，禹傳子，湯放武伐，皆隨時而異。餘見注，上五則外，又本乎人情。〈問喪〉第三十五或問杖者何也？曰：

服勤三年，身病體羸，以杖扶病也。則父在不敢杖矣，尊者在故也。堂上不杖，辟尊者之處也。堂下不趨，示不遽也。此孝子之志也，人情之實也。非從天降也，非從地出也，人情而已矣。

此言禮因人情而制作也。

③、內容。

〈昏義〉第十四曰：

夫禮始於冠，本於昏，重於喪祭，尊於朝聘，和於鄉射。此禮之大體也。

知〈冠〉、〈昏〉、〈喪〉、〈祭〉、〈朝聘〉、〈鄉射〉爲禮之大體，即禮之內容也。

④、功用。

禮之功用至大。《左·昭二十三年·傳》：

子太叔見趙簡子，趙簡子問揖讓周旋之禮焉？對曰是儀也，非禮也。吉也聞諸先大夫子產曰：

夫禮，天之經也，地之義也，民之行也。天地之經而民是則之，則天之明，因地之性……爲君臣上下以則地義，爲父子兄弟，以象天明……以從四時……以類其震曜殺戮……以效天之生殖長育，禮、上下之紀，天地之經緯也，民之所以生也。大！不亦宜乎？

《傳》言禮爲天經地義民行，又曰民之所以生，其重要性可知！民無禮不得遂其生，其用尤大，左氏固善言禮也，〈樂記〉：

禮節民心，樂和民聲，政以行之，刑以防之，禮樂刑政四達而不悖，則王道備矣。

王道賴禮樂刑政而後備，四者之要至矣。《左·襄三十年·傳》：

伯有死於羊肆，子產禭之，枕之股而哭之，斂而殯諸伯有之臣在市側者，既而葬諸羊城（鄭地名），子駟氏欲攻子產，子皮怒曰：禮，國之幹也。殺有禮，禍莫大焉，乃止。

《左·昭七年·傳》：

孟僖子將死，召其大夫曰：禮，人之幹也。無禮，無以立。故正考父三命茲益共……其共也如是。臧孫紇有言曰：聖人有明德者，若不當世，其後必有達人，今其將在孔丘乎！我若獲沒，必屬說與何忌於夫子，使事之，而學禮焉以定其位。

禮爲國之幹，以支拄其國。禮爲人之幹，以立其身，亦見禮之大用。《左·昭二十六年·傳》：

齊侯與晏子論陳氏之得民，公曰是可若何？對曰唯禮可以已之，在禮：家施不及國……公曰：善哉！我不能矣。吾今而後知禮之可以爲國也。對曰：禮之可以爲國也久矣！與天地並。君令臣恭、父慈子孝、兄愛弟敬、夫和妻柔、姑慈婦聽，禮也。公曰善哉！寡人今而後聞此禮之上（上，尊崇之也）也，對曰先王所稟於天地以爲其民也，是以先王上之。

禮可以爲國「孔子曰，能以禮讓爲國乎何有？」（引見前）禮之可以爲國，歷時已久，君令臣恭五句，正爲國之效。故先王稟禮以治其民，焉可忽哉！

2、樂。

〈樂記〉首言先王立樂之方：

是故樂在宗廟之中，君臣上下同聽之，則莫不和敬；在族長鄉里之中，長幼同聽之，則莫不和順；在閨門之內，父子兄弟同聽之，則莫不和親。故樂者審一以定和，比物以飾節，節奏合以成文，所以合和父子君臣，附親萬民也，是先王立樂之方也。

樂者，所以合和父子君臣，附親萬民，樂之功用，一語以盡之。協和萬邦，使百姓親睦，治平何難之有？《左·哀二十八年·傳》：

吳公子札來聘，請觀周樂，工爲之歌〈周南、召南〉，曰美哉！始基之矣。爲之歌〈鄭〉，曰美哉？其細已（太）甚，民弗堪也，是其先亡乎！爲之歌〈齊〉，曰美哉！泱泱乎！大風也哉，國未可量也……爲之歌〈唐〉，曰：思深哉！其有陶唐氏之遺民乎！非令德之後，誰能若是？……爲之歌〈頌〉，曰至矣哉！……觀止矣，若有他樂，吾不敢請已。

子貢曰「見其禮而知其政，聞其樂而知其德。」（註一七八）聞樂知德，並知興亡，樂之功用，可謂至大矣！

3、刑。

儒學尚德而次刑，輔之以禮義而已。《左·昭六年·傳》：

叔向使詒子產《書》曰：……昔先王議事以制，不爲刑辟。民之有爭心也，猶不可禁禦，是故閑之以義，行之以禮……夏有亂政，而作禹〈刑〉；商有亂政，而作湯〈刑〉……《詩》曰儀式刑文王之德，日靖四方（〈周頌·我將〉，言法文王之德以安定四方。詩「德」作「典」異）……如是，何辟之有（善唯以德不以刑也）？

自來尙德而輕刑，必不得已而用之，則宜存哀矜之心，故呂刑曰：

哀敬折獄，咸庶中正……朕敬于刑，永畏惟罰。

斷獄宜愼，有哀矜之心，如得其情，則哀矜而勿喜（註一七九），惻怛忠厚之至。《左·昭十八年·傳》：

鄭子產有疾，謂子太叔曰：惟有德者，能以寬服民，其次莫如猛。夫火烈，民望而畏之，故鮮死焉；水懦弱，民狎而翫之，則多死焉，故寬難。……仲尼曰：善哉！政寬則民慢；慢則糾之以猛，猛則民殘；殘則施之以寬。寬以濟猛，猛以濟寬，政是以和。子產卒，仲尼聞之出涕曰：古之遺愛也。

右言寬猛相濟，政是以和。嚴刑則猛，民易流入殘刻也。

《書·康誥》曰：

嗚呼封！敬明乃罰，人有小罪非眚，乃惟終，自作不典，式爾，有厥罪小，乃不可不殺；乃有大罪，非終，乃惟眚災，適爾，既道極厥辜，時乃不可殺。

右言雖小罪，非無心之過失，且永怙惡不悛者，其罪雖小，不可不殺；而有犯大罪，非永怙惡不悛者，又係無心之過，偶而干法，既已懲治，則不可殺。要在無心爲過，可恕，有意怙惡必殺，所謂原情以定罪也，又曰：

凡民自得罪，寇攘姦宄，殺越人于貨，暋不畏死，罔弗憝（民自動犯罪，搶劫偷竊，或作亂殺人而劫奪其貨，竭力爲非作奸而不畏死，此等必殺無赦。憝，孟子作譈，殺也）

不畏死罪，而搶劫作亂者必殺，蓋以鋤強梗也。

4、政。

〈祭義〉第二十四言治道曰：

先王之所以治天下者五：貴有德、貴貴、貴老、敬長、慈幼。此五者，先王之所以定天下也。

明言治天下之道有五，而貴德爲首。儒學向主德治，孔子曰：

爲政以德，譬如北辰，居其所而衆星共之。（註一八〇）

言德治可以懷衆服遠，無思不服也。故主平時敎之以孝弟，孔子曰：

立愛自親始，立敬自長始，敎民順也。敎以慈睦，而民貴有親，敎以敬長，而民貴用命。孝以事親，順以聽命，錯諸天下，無所不行。（註一八一）

孔子言孝弟之教，爲治平之本，故曰「錯（措）諸天下無所不行」也。〈孔子閒居〉又言德行之深入民心，匪言可喻，孔子曰：

無聲之樂，氣志不違，無體之禮，威儀遲遲，無服之喪，內恕孔悲。無聲之樂，氣志既得。無體之禮，威儀翼翼，無服之喪，施及中國。無聲之樂，氣志既從，無體之禮，上下和同，無服之喪，以畜萬邦。邦無聲之樂，日聞四方，無體之禮，日就月將，無服之喪，純德孔明。無聲之樂，氣志既起，無體之體，施及四海，無服之喪，施於孫子。（註一八二）

上文舉三無，曰無聲之樂，無體之禮，無服之喪，無訓，惟引《詩》以明其義，子貢問何詩近此義？孔子曰：

夙夜其命宥密（夙、早。基、始。宥、寬。密、寧。《周頌·昊天有成命》篇，言文武夙夜憂勤以肇基天命，惟務行寬靜之政以安民。夫子以喻無聲之樂者，言人君政善，則民心自然喜悅，不在於鐘鼓管弦之聲也），無聲之樂也。威儀逮逮不可選也（逮逮、《詩》作棣棣，盛也。選、擇也。此〈邶風·柏舟之什〉，言仁人威儀之盛，自有常度，不容選擇，不待因物行禮而後可見，故以喻無體之禮）無體之禮也。凡民有喪，匍匐救之（匍匐、手足投地而行。此《邶風·谷風》之什言凡人有死喪之戚，必汲汲往救助之，此非爲有服屬之親，特周救其急耳，故以喻無服之喪也）無服之喪也。（註一八三）

孔子極美德行之深入人心，捷於影響，非任何政治力量所能比擬也。〈緇衣〉第三十三又言德化之優於政刑。孔子曰：

夫民，教之以德，齊之以禮，則民有格心；教之以政，齊之以刑，則民有遯心（逃避）。故君民者，子以愛之，則民親之。信以結之，則民不倍（背）。恭以涖之，則民有孫心。《甫刑》曰：苗民匪用命，制以刑，是以民有惡德，而遂絕其世也。

此與《論語·爲政》篇同，彼處孔子曰：

道之以政，齊之以刑，民免而無恥；道之以德，齊之以禮，有恥且格。

爲政者當知所抉擇也。故古者以禮樂爲防而施教。《周禮·地官》司徒教官之職曰：

以五《禮》（吉、凶、軍、賓、嘉）防萬民之僞，而教之中（令其行得中）；以六《樂》（〈雲門〉、〈咸池〉、〈大韶〉、〈大夏〉、〈大濩〉、〈大武〉）防萬民之情，而教之和。

右言以禮樂爲防（不尚政刑），而教民以中和之德。子貢觀於〈蜡〉（祭名，見〈郊特牲〉），見一國之人皆若狂（狂歡），不以爲然，孔子正之曰：

百日之蜡，一日之澤（言百姓終歲勞苦，有一日之歡，乃人君之惠澤），非爾所知也。張而不弛，文武弗能也；弛而不張，文武弗爲也。一張一弛，文武之道也。

孔子言治道當知所調節，偏張偏弛，皆非中道也。孟子曰「堯舜之道，不以仁政，不能平治天下」（見前）又曰：「輔世長民莫如德。」（註一八四）善爲政者，其知之矣。

丁、政治秩序

人類不能離政治而生活，國家有元首，以爲一國領導之中心。人民有高度之向心力，上下一心，固若金湯，社會賴以安定、繁榮，此政治秩序之所以必須建立也。首須以倫紀爲治，自人道始。〈哀公問〉第二十七，孔子侍坐於哀公，哀公問人道誰爲大？孔子對曰：

政者，正也。君爲正，則百姓從之矣。君之所爲，百姓之所從也。君所不爲，百姓何從？公曰：敢問爲政如之何？孔子對曰：夫婦別、父子親、君臣嚴。三者正，則庶物從之矣。

三者皆倫紀之大端。爲政當自倫紀始，此一國之綱常也。〈大傳〉第十六：

人道：親親也。親親，故尊祖，尊祖故敬宗，敬宗故收族，收族故宗廟嚴，宗廟嚴，故重社稷，重社稷故愛百姓，愛百姓故刑罰中，刑罰中故庶民安，庶民安故財用足，財用足故百志成，百志成故禮俗刑（刑，猶成也。）

按禮俗成，則政治之秩序立矣。仍自親親始，其次爲彰善癉惡。《公羊・隱四年九月・經》「衛人殺州吁于濮。」〈傳〉：

其稱人何？討賊之辭也。

《注》曰：

討者，除也。明國中人人得討之，所以廣忠孝之路。書者，善之也。

何《注》善發春秋之義曰：所以廣忠孝之路。與人爲善。善人多，則政治秩序穩固如磐石矣。《左·襄二十五年·傳》：

辛巳，公與　夫及莒子盟，太史書曰「崔杼弑其君」。崔子殺之，其弟嗣書，而殺者，二人（嗣，續也，並前有三人）。其弟又書，乃舍之。南史氏聞太史盡死，執簡以往，聞既書矣，乃還。

太史、南史爲正義而書。正義支拄宇宙，乃《春秋》大義之所寄。孟子曰：「孔子成《春秋》而亂臣賊子懼」（註一八五）此《春秋》之歷史精神。善人勸焉，淫人懼焉，則政治秩序，凜然而不可犯矣。《公羊·隱十一年·經》「冬十有一月，壬辰，公薨。」《傳》：

此何以不書葬？《春秋》，弑君、賊不討，不書葬，以爲無臣子也。

是春秋重視討賊也。《公羊·隱十年·經》「夏翬帥師會齊人鄭人伐宋。」《傳》：

此公子翬也。何以不稱公子？貶，曷爲貶？隱之罪人也，故終隱之篇貶之也。

《注》曰：

明爲隱貶，所以起隱之罪人也。

1、明興亡之理。

爲政宜先明興亡之理。史冊亡國敗家相隨屬，皆不明此理之故，《禮運》第九曰：

故禮也者，人之大端也。所以講信修睦，而固人肌膚之會，筋骸之束也，所以養生送死，事鬼神之大端也，所以達天道、順人情之大竇也。故惟聖人爲知禮之不可以已也。故壞國、喪家、亡人，必先去其禮。

養生送死，爲王道之始，達天道、順人情，則天人和諧，此禮之大用。去禮，未有不自取滅亡也。

《經解》第二十六：

故昏姻之禮廢，則夫婦之道苦，而淫辟之罪多矣；鄉飲酒之禮廢，則長幼之序失，而爭鬥之獄繁矣；喪祭之禮廢，則君臣之位失，諸侯之行惡，而倍畔侵陵之敗起矣。故禮之教化也微，其止邪也於未形，使人日徙善遠罪而不自知也，是以先王隆之也。

《記》明禮之不可廢，能止邪於未形，使人日徙善遠罪而不自知。此禮有潛移默化之功，所以化民成俗，廢禮，則取亡之道也。《左·襄元年·傳》：

陳逢滑謂陳懷公曰：臣聞國之興也以福，其亡也以禍。今吳未有福，楚未有禍。楚未可棄，吳未可從……公曰國勝君亡，非禍而何？（楚爲吳所勝）……臣聞國之興也，視民如傷，是其福也；其亡也，以民爲土芥（草），是其禍也。楚雖無德，亦不艾殺其民。吳日敝於兵，暴骨如莽，而未見德焉。天其或者正訓楚也（使懼而改過）。

視民如傷，愛民也；以民爲土芥，暴骨如莽，是殘民也。愛民者福，殘民者禍，是一國之興亡，取決於愛民或殘民也。孟子曰：

暴其民甚，則身弒國亡，不甚，則身危國削，名之曰幽、厲，雖孝子慈孫，百世不能改也。

（註一八六）

孟子亦以愛民、暴民爲斷，是也。《左·昭十八年·傳》：

秋，葬曹平公，往者見周原魯焉（原伯魯，周大夫），與之語，不說學。歸以語閔子馬，閔子馬曰：周其亂乎！夫必多有是說，而後及其大人（國亂俗壞故）。大人患失而惑，又曰可以無學，無學不害，不害而不學，則苟而可（皆懷苟且）。於是乎下陵上替，能勿亂乎！夫學、殖也，不學將落，原氏其亡乎！

《傳》言學以進德，不學則日墮落，以至下陵上替，取亡之道，此以不學爲取亡之道也。孟子曰「上無禮，下無學，賊民興，喪無日矣」（註一八七）蓋有此意。《左·昭十八年·傳》：

二月乙卯，周毛得殺毛伯過而代之，萇弘曰：毛得必亡？是昆吾稔之日也。侈故之以（昆吾夏伯也，侈惡積熟以乙卯日誅），而毛得以繼於王都，不亡何待。

右言侈惡必亡。《左·昭元年·傳》：

叔向日彊以克弱而安之，彊不義也。不義而彊，其斃必速……令尹爲王，必求諸侯，若獲諸侯，其虐滋甚，將何以終？夫以彊取，不義而克，必以爲道，道由淫虐，弗可久也矣。

右言淫虐爲取亡之道。《公羊·僖十九年·經》「梁亡。」《傳》：

此未有伐者其言梁亡何？自亡也。其自亡奈何？魚爛而亡也。

《注》曰：

梁君隆刑峻法，一家犯罪，四家坐之，一國之中，無不被刑者。百姓一旦相率俱去，狀若魚爛，魚爛從內發，明百姓得去之君當絕也。

此濫用刑罰，殘民以逞，其亡固宜。《公羊·僖二年·經》「虞師晉師滅下陽。」《傳》：

虞微國也。曷爲序乎大國之上？虞首惡也，虞受賂，假滅國者道以取亡焉，虞公貪而好寶，見寶許諾，宮之奇諫，記曰：唇亡則齒寒。晉今日取郭，明日虞從而亡爾。君請勿許也！虞公不從其言，終假之道以取郭還，四年，反取虞。夏陽者何？郭之邑也。

此貪利倍鄰，自取滅亡也。《左·昭四年·傳》：

楚子示諸侯侈，椒舉曰：夫六王二公之事，皆所以示諸侯禮也。夏桀爲仍之會，有緡叛之，商紂爲黎之蒐，東夷叛之……皆所以示諸侯汰（過也奢也）也，諸侯所由棄命也。今君以汰，無乃不濟乎？王弗聽。子產見左師曰：吾不患楚矣，汰而愎諫，不過十年。

右言楚子汰而愎諫，故亡。《左·定十三年·傳》：

衛公叔文子朝而請享，退見史鰌而告之，史鰌曰：子必禍矣。子富而君貪，罪其及子乎？文子曰：若之何？史鰌曰無害，子臣可以免（言能執臣禮），富而能臣，必免於難。上下同之，戍也驕，其亡乎！（戍，文子之子）富而不驕者鮮。吾唯子之見，驕而不亡者，未之有也。

右言驕必亡。《左·襄十四年·傳》：

晉侯問衛故於中行獻子（荀偃），對曰：不如因而定之。衛有君矣（剽已立）。伐之未可以得志，而勤諸侯，仲虺有言曰：亡者侮之，亂者取之，推亡固存，國之道也。

此云立國之道，有敗亡之跡者，亡之；有可存之理者，存之，至滅亡之主因，《書·多士》曰：

在今後嗣王（紂），誕罔顯于天，矧曰其有聽念于先王勤家。誕淫厥泆，罔顧于天顯民祇（矧、況。聽、察。誕、厥，皆詞。天顯，猶言天道。民祇，猶言民病也）。惟時上帝不保，降若茲大喪（亡國）。

《書》言滅亡之主因，不顧天理、民隱也。天道，即天理。《詩·小雅·天保》之什曰：

天保定爾，以莫不興。

興亡之理，一言決之，曰仁與不仁而已矣。孟子曰：

三代之得天下也以仁；其失天下也以不仁。國之所以廢興存亡者亦然。天子不仁，不保四海，諸侯不仁，不保社稷，卿大夫不仁，不保宗廟，士庶人不仁，不保四體。今惡死亡，而樂不仁，是猶惡醉而強酒。

又曰：

順天者存，逆天者亡。（註一八九）

興亡之理，昭昭若此，長國家者，當知所務。

2、坊亂。

《禮記·經解》論禮之大用，明禮所以坊亂之理曰：

故朝覲之禮，所以明君臣之義也；聘問之禮，所以使諸侯相尊敬也；喪祭之禮，所以明臣子之恩也；鄉飲酒之禮，所以明長幼之序也；昏姻之禮，所以明男女之別也。夫禮禁亂之所生，猶坊止水之所自來也。故以舊坊爲無所用而壞之者必有水敗；以舊禮爲無所用而去之者，必有亂患。

禮之坊亂，猶坊之坊水。去坊則有水災，去禮必有亂患。《記》又引孔子曰：

小人貧斯約，富斯驕。約斯盜，驕斯亂，禮者，因人之情而爲之節文，以爲民坊者也。

右仍申禮之足以爲民之坊。《左·襄二十七年·傳》：

子罕曰：天生五材（金木水火土），民並用之，廢一不可，誰能去兵，兵之設久矣。所以威不軌，而昭文德也。聖人以興，亂人以廢。廢興、存亡、昏明之術，皆兵之由也。

右言兵不可廢，所以威不軌而昭文德，即謂亦可以止亂，在愼用之，不得已也。

戊、政治極致

政治之極致，期於萬物各得其所，萬事各得其序，至天地位焉，萬物育焉，人類之最高理想也。故有大順之境界。《禮運》第九曰：

四體既正，膚革充盈，人之肥也；父子篤、兄弟睦、夫婦和，家之肥也；天子以德爲車，以樂爲御；諸侯以禮相與，大夫以法相序，士以信相考，百姓以睦相守，天下之肥也，是謂大順，大順者，所以養生送死，事鬼神之常也。

禮之達於大順，成物之效著見，故以人之肥設譬，推而至於家國天下之肥，成己成物，合外內之道，即上文所指大同之境。人神安和，天人爲一，至德盛世，將何以加於此乎？〈堯典〉美帝堯曰：

克明俊德，以親九族，九族既睦，平章百姓（平、辨。章、明。百姓、百官），百姓昭明，協和萬邦，黎民於變時雍（時：是。雍，和）。

此極言德治之宏效。孔子自言己志曰：

老者安之，朋友信之，少者懷之。

老安少懷，人咸得所，即政治極致之境，其心嚮往之而已。

【附註】

（註一）體用一源，顯微無間。見《伊川易傳·序》。

（註二）見《史記·滑稽列傳》。

（註三）《論語·里仁》篇。

（註四）同上《衛靈公》篇。

（註五）答哀公問政二事皆見《禮記·中庸·傳》第二十章（朱子章句分）。

（註六）見《孟子·告子上》。

（註七）《孟子·盡心上》。
（註八）同上。
（註九）《告子上》篇。
（註一〇）見《昌黎全集·原道篇》。
（註一一）見《莊子·天下篇》。
（註一二）見《漢書·儒林傳》。
（註一三）見《後漢書·儒林傳》。
（註一四）見《後漢書·班彪傳》。
（註一五）《三國志·魏書·崔林傳注》。
（註一六）〈上繫〉第四章。
（註一七）見《史記·伯夷列傳》。
（註一八）見《莊子·內篇·齊物論》。
（註一九）《論語·里仁》篇。
（註二〇）《莊子·天下》篇。
（註二一）同上。
（註二二）見《漢書·藝文志·六藝略》。

（註二三）《資治通鑑·獻帝紀·》後溫公史論。又見《後漢書集解》引。

（註二四）《漢書》卷八十一列傳第五十一。

（註二五）見《禮記·禮運》篇。

（註二六）《禮記·中庸》篇。

（註二七）《孟子·告子下》篇。

（註二八）〈滕文公上〉篇。

（註二九）《莊子·天下》篇。

（註三〇）《荀子·勸學》篇。

（註三一）〈下繫〉第八曰：「易之爲書也，廣大悉備，有天道焉，有人道焉。」

（註三二）〈說卦傳〉立天之道曰陰與陽立人之道，曰仁與義。

（註三三）見《周易鄭氏學·第三章鄭易釋義例》。

（註三四）見李鼎祚《周易集解》。

（註三五）《孟子·盡心下》篇。

（註三六）《中庸》第二十六章。

（註三七）《孟子·滕文公上》篇。

（註三八）《中庸》第十三章。

（註三九）《孟子·盡心上》篇。
（註四〇）《論語·公冶長》篇。
（註四一）《孟子·離婁上》篇。
（註四二）《論語·子罕》篇。
（註四三）《荀子·天論》篇。
（註四四）《中庸》第三十一章。
（註四五）《孟子·萬章下》篇。
（註四六）《孟子·離婁上》篇。
（註四七）《荀子·儒效》篇。
（註四八）《論語·述而》篇。
（註四九）《論語·子張》篇。
（註五〇）〈下繫〉第八章。
（註五一）《孟子·告子下》篇。
（註五二）《論語·述而》篇。
（註五三）堯時〈擊壤歌〉，見《古詩源》。
（註五四）《論語·泰伯》篇。

（註五五）〈豐卦・彖傳〉。
（註五六）《詩・小雅・十月之交》。
（註五七）〈謙・初六・象〉曰。
（註五八）《書・僞大禹謨》。
（註五九）《論語・泰伯》篇。
（註六〇）《孟子・離婁上》篇。
（註六一）《禮記・孔子閒居》。
（註六二）《中庸》第二十四章。
（註六三）同上第二十章。
（註六四）《孟子・告子上》篇。
（註六五）《中庸》第三十二章。
（註六六）《孟子・離婁上》篇。
（註六七）《孟子・公孫丑上》篇。
（註六八）《詩・大雅・文王》。
（註六九）《左・襄三十一年・傳》魯穆叔引古〈泰誓〉語。
（註七〇）見《易・文言傳》。

（註七一）《孝經》卷六〈五刑章〉。
（註七二）《中庸》第十六章注。
（註七三）《中庸》第二十五章。
（註七四）《漢書·儒林傳》。
（註七五）《論語·憲問》篇。
（註七六）《中庸》第二十章。
（註七七）《荀子·天論》篇。
（註七八）《荀子·解蔽》篇。
（註七九）《孟子·盡心上》篇。
（註八〇）《孟子·告子上》篇。
（註八一）《孟子·離婁上》篇。
（註八二）《莊子·天下》篇。
（註八三）《孟子·公孫丑上》篇。
（註八四）《史記·太史公自序》。
（註八五）《孟子·告子上》篇。
（註八六）《中庸》第二十章。

（註八七）《孟子・滕文公下》篇。
（註八八）《論語・憲問》篇。
（註八九）《孟子・滕文公上》篇。
（註九〇）《禮記・孔子閒居》。
（註九一）《禮記・表記》。
（註九二）《孟子・梁惠王上》篇。
（註九三）《論語・季氏》篇。
（註九四）《孟子・梁惠王上》篇。
（註九五）同上。
（註九六）《孟子・盡心上》篇。
（註九七）《論語・述而》篇。
（註九八）同上〈憲問〉篇。
（註九九）《中庸》第十四章。
（註一〇〇）《孟子・盡心下》篇。
（註一〇一）皆見〈告子上〉篇。
（註一〇二）《孟子・公孫丑上》篇。

（註一〇三）同上〈離婁上〉篇。

（註一〇四）同上〈盡心下〉篇。

（註一〇五）同上〈告子上〉篇。

（註一〇六）同上〈盡心上〉篇。

（註一〇七）同上〈公孫丑上〉篇。

（註一〇八）《論語·陽貨》篇。

（註一〇九）〈曲禮上〉篇。

（註一一〇）《孟子·盡心上》篇。

（註一一一）《大學傳》第六章。

（註一一二）《論語·先進》篇。

（註一一三）〈上繫〉第十二章。

（註一一四）《孟子·告子下》篇。

（註一一五）《禮記·樂記》。

（註一一六）《禮記·表記》。

（註一一七）同上。

（註一一八）《中庸》第二十章。

（註一一九）《詩·大雅·烝民》。
（註一二〇）〈小雅·車〉末章。
（註一二一）《禮記·表記》。
（註一二二）《孟子·公孫丑上》篇。
（註一二三）《孟子·滕文公下》篇。
（註一二四）《孟子·告子上》篇。
（註一二五）〈學而〉「其爲仁之本與」句下註。
（註一二六）《孟子·梁惠王上》篇。
（註一二七）《論語·泰伯》篇。
（註一二八）《論語·顏淵》篇。
（註一二九）同上〈子路〉篇。
（註一三〇）同上〈學而〉篇。
（註一三一）論語里仁篇。
（註一三二）同上。
（註一三三）《論語·衛靈》篇。
（註一三四）《論語·述而》篇。

（註一三五）《論語・雍也》篇。

（註一三六）〈下繫〉第四章。

（註一三七）《論語・述而》篇。

（註一三八）《孟子・告子下》篇。

（註一三九）《孟子・萬章上》篇。

（註一四〇）《禮記・祭義》。

（註一四一）同上。

（註一四二）同上。

（註一四三）《詩・大雅・文王》。

（註一四四）《禮記・祭義》。

（註一四五）《論語・學而》篇。

（註一四六）同上〈泰伯〉篇。

（註一四七）同上〈里仁〉篇。

（註一四八）〈大雅・抑〉十五章。

（註一四九）《論語・泰伯》篇。

（註一五〇）同上〈公冶長〉篇。

（註一五一）〈小雅·桑扈〉。

（註一五二）〈滕文公上〉篇

（註一五三）《史記·自序》。

（註一五四）《孟子·離婁上》篇。

（註一五五）同上〈離婁下〉篇。

（註一五六）《論語·顏淵》篇。

（註一五七）《孟子·告子上》篇。

（註一五八）《大學傳》十章。

（註一五九）《孟子·盡心下》篇。

（註一六〇）《大學傳》第三章。

（註一六一）《孟子·滕文公上》篇。

（註一六二）同上。

（註一六三）《孟子·梁惠王上》篇。

（註一六四）《孟子·離婁上》篇。

（註一六九）《中庸》第十九章。

（註一六六）《中庸》第二十章。

（註一六七）《孟子·盡心上》篇。
（註一六八）《中庸》十二章。
（註一六九）《孟子·滕文公上》篇。
（註一七〇）《大學傳》第十章。
（註一七一）《孟子·離婁上》篇。
（註一七二）《孟子·盡心下》篇。
（註一七三）《孟子·公孫丑上》篇。
（註一七四）同上。
（註一七五）《論語·衛靈》篇。
（註一七六）同上。
（註一七七）《禮記·祭義》。
（註一七八）《孟子·公孫丑上》篇。
（註一七九）《論語·子張》篇載曾子語。
（註一八〇）《論語·爲政》篇。
（註一八一）《禮記·祭義》。
（註一八二）同上。

（註一八三）同上。
（註一八四）《孟子·公孫丑下》篇。
（註一八五）《孟子·滕文公下》篇。
（註一八六）《孟子·離婁上》篇。
（註一八七）同上。
（註一八八）《孟子·離婁上》篇。
（註一八九）同上。
（註一九〇）《論語·公冶長》篇。

八、結語。

一、本文重在分析經學之義理。立綱揭目，以觀經義之會通。明人文所以能化成天下，實有至理存焉。

二、本文以五經爲主體。而《禮》則兼及三《禮》，《春秋》綜合三《傳》，以《論》、《孟》爲思想之主導，蓋孔孟思想總會於二書也。

三、立論以經文爲主，直以經釋《經》，次以《傳》及群書通經，俾群經之大義，相與融貫，若網在綱然，所謂統之有宗，會之有元也。《周易略例》。

四、本文分八章：一曰道。由道以貫穿群經，群經皆載道之言。道爲義理之本原，中國傳統學術整全之代稱。莊子所謂天地之純，古人之大體也。是道爲思想之活水源頭也。二曰天人。則合天人之理，以求天人之和諧，終於人贊天地之化育，以人爲本位。人爲三才之中樞，中國人文思想植基益固，而人文精神，益能卓爾樹立於天地之間。三曰內外。重合內外之道，內聖外王，由修己以安人，以收成己成物之效。四曰性命。明性命之本原，合人天爲一理，理事不二。明天理自在吾心，不假他求也。五曰德行。由德性之內修至德性之實踐，合內外之道爲一。六曰倫紀。主倫紀原於自然之秩序，由自然法則延申而爲倫理之法則，以建立社會之秩序。以此爲社會安定之原動力也。七曰治平。探究我國政治哲學之原理，首揭民本之思想，一切以民爲主幹，發揚人文思想，申張正義，養浩然之正氣。以禮樂刑政爲爲治之具，以建立政治之秩序。明興亡之理，以仁與不仁，乃一國廢興存亡之最高原理，而總歸於德治。要之。究天人之微，達性命之原，立己立人，合內外之道，以明經學爲立人經世開示萬世不易之大法，期人類共生共存，協調和諧，相生相養，立生民之慧命，亦所以廣延宇宙之大生命於無窮，則人類永享無疆之休祐矣。

周易數象與義理

臺灣師範大學　黃慶萱

一、引言

《周易》一書，原有「推天道以明人事」的用意。所謂天道，就是從自然現象歸納而得的法則。而自然現象，它的本質，是某種律數組合的結果；它的演變，也受某些氣數運行所支配。《周易》三畫之卦和六畫之卦，最初都以數字卦形式出現（註一），也許是初民這種觀念的反映。《周易》（註二）〈繫辭傳上〉說明演算蓍策以成卦的方法云：

> 大衍之數五十，其用四十有九。分而爲二以象兩，掛一以象三，揲之以四以象四時，歸奇於扐以象閏，五歲再閏，故再扐而後掛。天數五，地數五，五位相得而各有合。天數二十有五，地數三十，凡天地之數五十有五，此所以成變化而行鬼神也。乾之策二百一十有六，坤之策百四十有四，凡三百六十，當期之日。二篇之策，萬有一千五百二十，當萬物之數也。

這就表示在易學家的觀念裡，天地萬物等空間存在，既是數的組合；四時年日等時間運行，也是數的演變。〈繫辭傳上〉又說：

參伍以變，錯綜其數。通其變，遂成天地之文；極其數，遂定天下之象。

以爲天地之文，天下之象，全是數的錯綜演變所形成，所決定的。洞察形成天下之文、決定天地之象的數據，就能了解天地運行的軌道，萬物化生的律則，推算出此後發展的趨向。所以〈繫辭傳上〉說：

極數知來之謂占。

這就是周易占筮的理論基礎。

但是，《周易》不會只是一本占筮的書。孔子在《論語》（註三）〈子路〉篇上，曾引《周易》恆九三〈爻辭〉「不恆其德，或承之羞」的話，接著說：「不占而已矣！」〈述而〉篇又說：「加我數年，五十以學《易》，可以無大過矣！」顯然已把這本占筮之書當作寡過之書，將重點落在人事上。所謂人事，就是人類社會的行事規律。人類社會，是自然現象中高度發展的一群，它仍屬於自然，而非獨立於自然之外，與自然相對存在。因此，自然現象對人類行事就可能有啓示的作用。《論語》〈子罕〉篇記載：「子在川上，曰：『逝者如斯夫，不舍晝夜。』」正是從自然現象中發現人事教訓的好例子。《周易》推天道以明人事，就是根據自然現象，推測其深層所蘊含的律則與數據，並以此說明作人應有的道理。象數是義理的根柢，捨象數而專說義理，義理易流爲無根的空談；義理是象數的花果，止於象數而不講義理，研究《周易》就不能開花結果，一無收穫。可惜後世易學家有「象數派」

和「義理派」之分，爭端遂起。《四庫全書總目》（註四）〈經部易類小序〉慨乎言之：

《易》之爲書，推天道以明人事者也。《左傳》所記諸占，蓋猶太卜之遺法。漢儒言象數，去古未遠也。一變而爲京、焦，入於禨祥；再變而爲陳、邵，務窮造化：《易》遂不切於民用。王弼盡黜象數，說以老、莊。一變而胡瑗、程子，始闡明儒理；而李光、楊萬里又參證史事：《易》遂日啓其論端。此兩派六宗已互相攻駁。又《易》道廣大，無所不包，旁及天文、地理、樂律、兵法、韻學、算術，以逮方外之爐火，皆可援《易》以爲說，而好異者又援以入《易》，故《易》說愈繁。夫六十四卦〈大象〉皆有「君子以」字，其〈爻象〉則多戒占者，「聖人之情見乎詞」矣。其餘皆《易》之一端，非其本也。

就已指出象數、義理兩派之互相攻駁，以及《易》說日繁，非其本也的現象；並以〈易大象〉皆有「君子以」字，〈爻象〉亦多戒占者，以證成〈繫辭傳下〉「聖人之情見乎辭」，歸本於《易》書「推天道以明人事」之意。這些，都是執中持平値得參考的意見。

〈繫辭傳上〉云：

是故《易》有太極，是生兩儀，兩儀生四象，四象生八卦。八卦定吉凶，吉凶生大業。

〈繫辭傳下〉云：

八卦成列，象在其中矣；因而重之，爻在其中矣。剛柔相推，變在其中矣；繫辭焉而命之，動在其中矣。

下面，我想就：太極、兩儀、四象、八卦、六十四重卦、三百八十四爻，凡六項，說明《周易》：數、象、義理的關聯。必須聲明的是：近年在出土的甲骨和青銅器上發現數字卦，大部分是由六個數字組成，其中一九七九年江蘇海安縣青墩遺址發掘出土的骨角柶和鹿角枝上，已有六個數字組成的數字卦，是新石器時代的遺物（註五）。因此，伏羲畫卦，文王重卦之說受到責疑。我個人的意見是：每卦六爻的六十四卦在歷史演進上固不必由太極、兩儀、四象、八卦倍進而成；但必定含有由太極、兩儀、四象、八卦倍進之理。而這個道理，〈繫辭傳〉的作者已經知道而且說出來了。

二、太極

太極，是原始，也是無窮。

從數方面來說，原始的數是一，所以《說文解字》（註六）於「一」篆下云：

惟初太極，道立於一，造分天地，化成萬物。

可見太極既爲初爲一；及其化成萬物，又可至於無窮。其公式如左：

$$2^0\text{（太極）} \rightarrow 2^1 \cdot \frac{1}{2^1}\text{（兩儀）} \rightarrow 2^2 \cdot \frac{1}{2^2}\text{（四象）} \rightarrow 2^3 \cdot \frac{1}{2^3}\text{（八卦）} \rightarrow 2^N \cdot \frac{1}{2^N}$$

2^0是1，說明了太極原是天地、乾坤、剛柔、陰陽、理氣等一切相對事物的一個混合體，可以不斷二分。六十四卦是1經六次二分的結果：每一卦爲$\frac{1}{2^6}$，六十四卦爲2^6乘以$\frac{1}{2^6}$。焦貢《易林》，六十四卦每一卦又可化爲六十四卦，計四〇九六卦。每一卦爲$\frac{1}{2^{12}}$，四〇九六卦爲2^{12}乘以$\frac{1}{2^{12}}$。

特別要說明的是：太極無論經過多少次的二分，其分子永遠是太極，也就是1。其公式如左：

$$1=\frac{1}{2^{1}}+\frac{1}{2^{2}}+\frac{1}{2^{3}}+\frac{1}{2^{4}}+\cdots\cdots+\frac{1}{2^{N}}$$

所以《朱子語類》（註七）卷一記載朱熹回答陳淳說：

在天地言，則天地中有太極；在萬物言，則萬物中各有太極。

從象方面來說，太極代表一種根源，它是渾沌而又能包含一切的。

《朱子語類》卷七十五有葉賀孫所記朱熹語云：

太極如一木生。上分而爲枝榦，又分而生花生葉，生生不窮。到得成果子，裏面又有生生不窮之理，生將出去，又是無限箇太極，更無停息。

說明太極就像自然界樹木的生長，根固然是一太極；結成果子，又是無限個太極。

同卷又有周謨所記朱熹的答問：

太極只是一個渾淪底道理，裏面包含陰陽、剛柔、奇耦，無所不有及。

說明了太極既是渾淪的道理，而又無所不包的。

從理方面來說，太極只是天地萬物之理。此理落在天上，是天理；落在地上，是地理；落在萬物，是物理；落在人上，是人理。同樣是人，又如《禮記》（註八）〈大學〉篇所說：

為人君，止於仁；為人臣，止於敬；為人子，止於孝；為人父，止於慈；與國人交，止於信。

每一倫有每一倫之理。作為一個人，一方面要遵從《周易》乾卦〈彖傳〉所說：

乾道變化，各正性命。

使自己免為物欲所蔽，氣稟所拘，在人人一太極的理念下，盡為人之理；另一方面還要像《周易》〈文言傳〉所說：

與天地合其德；與日月合其明，與四時合其序；與鬼神合其吉凶。

這就是《周易》〈說卦傳〉所說的：

窮理盡性以至於命。

上達於天命而復歸於宇宙一太極。

三、兩儀

兩儀，指天地，引申代表一切可以二分的，相對的事物。

上文曾引〈繫辭傳上〉：「是故《易》有太極，是生兩儀。」又引其說大衍之數，中有「分而為二以象兩」，這裡的「兩儀」「二」「兩」，孔穎達《周易正義》都以為是天地。這是太極的初分。關於天地之數，《繫辭傳上》有：

天一，地二；天三，地四；天五，地六；天七，地八；天九，地十。

天數五，地數五，五位相得而各有合。天數二十有五，地數三十。凡天地之數五十有五，此所以成變化而行鬼神也。

說明了天爲奇數，包括一、三、五、七、九；地爲耦數，包括二、四、六、八、十。所以天共有五個奇數；地共有五個耦數。五個奇數和五個耦數相得益彰，各有配合的對象。據揚雄《太玄》(註九)〈太玄圖〉所說：

一與六共宗，二與七爲朋，三與八成友，四與九同道，五與五相守。

〈太玄數〉亦說：

三、八爲木，爲東方，爲春……。

四、九爲金，爲西方，爲秋……。

二、七爲火，爲南方，爲夏……。

一、六爲水，爲北方，爲冬……。

五、五爲土，爲中央，爲四維……。

這種排列至宋被劉牧採用爲〈洛書〉；朱熹卻以爲是〈河圖〉。天數一、三、五、七、九相加是二十五；地數二、四、六、八、十相加是三十。天地之數總和是五十五。

〈太玄數〉又說：

木生火，勝土；性仁，情喜；帝太昊，神句芒。

金生水，勝木；性誼，情怒；帝少昊，神蓐收。

火生土，勝金；性禮，情樂；帝炎帝，神祝融。

水生木，勝火；性智，情悲；帝顓頊，神玄冥。

土生金，勝水；性信，情恐懼；帝黃帝，神后土。

天地之數組合爲五行，五行產生自然界生剋的現象，影響人事上性情的變化，象徵著鬼神吉凶禍福的運行。

《周易》〈說卦傳〉說：

昔者聖人之作易也，幽贊於神明而生蓍；參天兩地而倚數。

孔穎達《周易正義》引「先儒馬融、王肅等解此」以爲：「天得三合，謂一、三與五也；地得兩合，謂二與四也。」宋張栻《南軒易說》（註一〇）更詳細地闡釋：

一、三、五、七、九，皆陽數也，獨以一、三、五參之而用九，此倚其陽數也。二、四、六、八、十，皆陰數也，獨以二、四兩之而用六者，此倚其陰數也。特取九、六，而不用夫七、八者，乃參天兩地而倚其數也。

因此參天而立數曰「九」；兩地而立數曰「六」。

以上所說天地之數，是太極的初分。其實天地三才等等，還可以再分。〈繫辭傳下〉：

易之爲書也，廣大悉備，有天道焉，有人道焉，有地道焉。兼三才而兩之，故六。六者非它也，三才之道也。

〈說卦傳〉更指實而言之：

昔者聖人之作易也，將以順性命之理。是以立天之道，曰陰與陽；立地之道，曰柔與剛；立人之道，曰仁與義。兼三才而兩之，故《易》六畫而成卦。

兩儀之數，就說到此。

兩儀之象，基本上是天地。〈繫辭傳上〉：

天尊地卑，乾坤定矣；卑高以陳，貴賤位矣；動靜有常，剛柔斷矣。

由天地引申，而有尊卑、乾坤、貴賤、動靜、剛柔。又：

乾道成男，坤道成女；乾知大始，坤作成物；乾以易知，坤以簡能；易則易知，簡則易從；易知則有親，易從則有功；有親則可久，有功則可大；可久則賢人之德，可大則賢人之業。

〈繫辭傳下〉：

黃帝堯舜垂衣裳，而天下治，蓋取諸乾坤。

乾坤其易之門矣！乾，陽物也；坤，陰物也。

夫乾，天下之至健也，德行恆易以知險；夫坤，天下之至順也，德行恆簡以知阻。

由乾坤引申，又有男女、始成、易簡、知能、久大、德業、闔闢、衣裳、陽陰、健順等象徵的意義。

兩儀之象，眞不勝徧舉。

由兩儀之象推向兩儀之義理，〈大象傳〉是最佳的橋樑：

天行健，君子以自強不息。

地勢坤，君子以厚德載物。

輕而易舉地由自然世界進入了道德世界。〈彖傳〉更創造「乾元」「坤元」兩個詞彙，對其性質作深入的闡發：

大哉乾元，萬物資始，乃統天。

至哉坤元，萬物資生，乃順承天。

對乾元原始性、主宰性的偉大性質，與坤元順承乾元，實際生化的圓滿功能，有正確的描述。但是傳統的解釋也有易滋誤會的地方：如〈說卦傳〉：

乾為天，為君，為父。

屯☳☵震下坎上，初九以陽居六二、六三兩陰爻之下，〈象傳〉說：

以貴下賤，大得民也。

可見陽貴為君，陰賤為民。程頤《伊川易傳》（註一一）在坤〈卦辭〉「先迷後得主利」下云：

陰，從陽者也，待唱而和。陰之先陽，則為迷錯；居後，乃得其常也。……臣道亦然，君令臣行，勞於事者，臣之職也。

這豈非把兩儀之義看作一主一奴的關係嗎？朱熹《周易本義》（註一二）於此卻斷然說：

陽主義，陰主利。

把兩儀從主奴之道，一改而為義利之辨。王夫之《船山易內傳》（註一三）因云：

坤者，攸行之道也。君子之有所往，以陰柔為先，則欲勝理，物喪志而迷；以陰柔為後，得陽剛為主而從之，則合義而利。

於義利之外，更拈出理與欲、志與物，對陽陰兩儀的道德意義有進一步的發揮。熊十力《讀經示要》（註一四）卷三：

形不可以役心。心、乾也、陽也。形、坤也、陰也。心不能主乎形、而為形所役。則是坤不順從乾。陰侵陽。此佛氏所呵為顛倒也。故君子存心養心之功、必時時提醒、不使心為形役。如顏子之非禮勿視、非禮勿聽、非禮勿言、非禮勿動、即使形不得役心。坤守順以從乾也。欲不可以違理。違理之欲、邪欲也。邪欲、陰也。屬坤。理、陽德也、乾也。邪欲不守順而違理。人道絕矣。私不可以背公。如帝制與獨裁之治、以獨夫專政柄、而違天下之公道。此惡德也。惡德即陰也。屬坤。少數人剝削群眾利益、與強國兼併弱小、皆以私害公。並是惡德、屬坤可知。凡事之出於公道者、皆陽德、屬乾。以私背公、則陰犯陽。大逆大亂之道也。故知坤道守順、而不可侵乾。則無敢以私背公者。明坤道在順以從陽而得貞、故以牝馬象之也。君子知此、當不迷於所行矣。

熊十力以心、理、公屬乾；形、欲、私屬坤。形不得役心，欲不得違理，私不得背公：所以坤以從乾而得貞。義本於船山，而說明尤較船山詳盡。

補充說明一點：兩儀只是相對待的關係。雖然說：就個人方面，意志爲陽，軀體爲陰；理智爲陽，欲望爲陰。就社會方面，大衆爲陽，小我爲陰；公益爲陽，私利爲陰。但是，無軀體，意志無法實現；無小我，大衆無法形成。理智與欲望，公益與私利，雖有主從之別，仍以平衡爲則。這樣才能達到高度和諧的境界。

四、四象

關於四象，歷來的注解表面看來似乎相當分歧，事實上卻是可以互通互補的。

李鼎祚《周易集解》（註一五）引虞翻曰：

> 四象，四時也。兩儀，謂乾坤也。乾二五之坤，成坎、離、震、兌。震春、兌秋、坎冬、離夏，故兩儀生四象。

認爲四象就是四時——春、夏、秋、冬。

孔穎達《周易正義》：

> 兩儀生四象者，謂金木水火稟天地而有，故云兩儀生四象。土則分王四季，又地中之別，故唯云四象也。

認爲四象就是五行中的金、木、水、火。值得注意的是：「土則分王四季」一句，暗示金、木、水、火各當四季中的一季。所以《周易正義》疏解「四象生八卦」，直說：

震木、離火、兌金、坎水、各主一時。

這就是說：震木爲春，離火爲夏，兌金爲秋，坎水爲冬。與虞翻四時說是相通的。皆偏就「象」上說。

朱熹《周易本義》：

一每生二，自然之理也。易者，陰陽之變。太極者，其理也。兩儀者，始爲一畫，以分陰陽。四象者，次爲二畫，以分太少。八卦者，次爲三畫，而三才之象始備。此數言者，實聖人作易自然之次第，有不假絲毫智力而成者。

《易學啓蒙》（註一六）更詳乎言之：

太極之判，始生一奇一耦，而爲一畫者二，是爲兩儀，其數則陽一而陰二。兩儀之上，各生一奇一耦，而爲二畫者四，是謂四象。其位則太陽一、少陰二、少陽三、太陰四。其數則太陽九、少陰八、少陽七、太陰六。

認爲四象爲太陽、少陰、少陽、太陰，其數爲九、八、七、六，則偏就「數」上說。

如果參考《易緯》（註一七）〈乾鑿度〉卷上：

孔子曰：「易始於太極。太極分而爲二，故生天地。天地有春秋冬夏之節，故生四時。四時各有陰陽剛柔之分，故生八卦。八卦成列，天地之道立，雷、風、水、火、山、澤之象定矣。其布散用事也；震生物於東方，位在二月；巽散之於東南，位在四月；離長之於南方，位在五月；坤養之於西南方，位在六月；兌收於西方，位在八月；乾制之於西北方，位在十月；坎藏之於北方，位在十一月；艮終始之於東北方，位在十二月。八卦之氣終，則四正四維之分明，生長收藏之道備，陰陽之體定，神明之德通，而萬物各以其類成矣。」

又卷下「易變而爲一，一變而爲七，七變而爲九。九者，氣變之究也。……」下，鄭玄注云：

一變而爲七，是今陽爻之象；七變而爲九，是今陽爻之變。二變而爲六，是今陰爻之變；六變而爲八，是今陰爻之象。七在南方，象火；九在西方，象金；六在北方，象水；八在東方，象木。

鄭注下面幾句，雖有揚雄《太玄》作依據，但如改成：「七在東方，象木；九在南方，象火；八月西方，象金；六在北方，象水。」似乎更合理些。已把春、夏、秋、冬、東、南、西、北、木、火、金、水、七、九、八、六，全配合在一起了。只是

由《易緯》回到《周易》經傳原典，在《繫辭傳上》下文可以發現另有一處提到四象：

是故天生神物，聖人則之；天地變化，聖人效之；天垂象，見吉凶，聖人象之，河出圖，洛出書，聖人則之。易有四象，所以示也；繫辭焉，所以告也；定之以吉凶，所以斷也。

孔穎達《周易正義》疏云：

何氏以爲：「四象，謂『天生神物，聖人則之』，一也；『天地變化，聖人效之』，二也；『天

垂象，見吉凶，聖人象之』，三也；『河出圖，洛出書，聖人則之』，四也。」今謂上等四事乃是聖人易外別有其功，非專易內之物，何得稱易有四象？且又云：「易有四象，所以示也；繫辭焉，所以告也。」然則象之與辭，相對之物。辭既爻卦之下辭，則象爲爻卦之象也。則上「兩儀生四象」，七、八、九、六之謂也。故諸儒有爲七、八、九、六，今則從以爲義。

原來孔穎達疏解四象，不但以木、火、金、水，和春、夏、秋、冬之象來解說，也曾以七、八、九、六之數來解說，而且「諸儒」早有以七、八、九、六來解說四象的。孔穎達所說「何氏」，是隋朝人何妥，著有《周易講疏》。何妥以爲此處四象是承上文「聖人」四則而言，其實是值得考慮的意見。

李鼎祚《周易集解》引侯果曰：

四象，謂上「神物」也，「變化」也，「垂象」也，「圖書」也。四者治人之洪範，《易》有此象，所以示人也。

侯果，疑即唐國子博士侯行果。此釋四象與何妥同。四象既爲「聖人」所則、所象、所效，其對人事義理的啓示是十分明顯的。

四象之外，《周易》多處提到四時。如〈文言傳〉釋乾九五之「大人」，曰：

與天地合其德，與日月合其明，與四時合其序，與鬼神合其吉凶。

〈彖傳〉釋豫卦䷏：

天地以順動，故日月不過，而四時不忒。

又釋觀卦☴☷：

觀天之神道，而四時不忒。

又釋恆卦☳☴：

日月得天而能久照，四時變化而能久成，聖人久於其道，而天下化成。

又釋革卦☱☲：

天地革而四時成，湯武革命，順乎天而應乎人。革之時大矣哉！

又釋節卦☵☱：

天地節而四時成。節以制度，不傷財，不害民。

《繫辭傳上》也曾三次提到四時：

廣大配天地，變通配四時，陰陽之義配日月，易簡之善配至德。

揲之以四以象四時。

是故法象莫大乎天地，變通莫大乎四時，縣象著明莫大乎日月。

《周易》提到四方或四國有三次：〈大象傳〉解釋離卦☲☲，說：

明兩作，離。大人以繼明照於四方。

又解釋姤卦☰☴，說：

天下有風，姤。后以施命誥四方。

〈小象傳〉解釋明夷䷣上六，說：

初登于天，照四國也。

參考「四象」的注釋和《易緯》，以上所引的四時、四方、四國、與「四象」自有相當密切的關係。〈文言傳〉〈彖傳〉〈繫辭傳〉之言四時，每與天地、日月相提並論，並且與神道、聖人之道、制度、易簡之善、甚至湯武革命合在一起說。〈象傳〉之言四方、四國，也全與政治有關。充分顯示四象在義理上的涵意。

〈文言傳〉說「大人」要「與四時合其序」，四時之序是什麼？上引《易緯》說是「生長收藏」；《周易》則言「元亨利貞」。乾䷀、屯䷂、隨䷐、臨䷒、無妄䷘、革䷰，六卦的〈卦辭〉都提到「元亨利貞」。這四個字有種種不同的標點法和詮釋，其中一種是「四德說」，見於〈文言傳〉：

> 元者，善之長也；亨者，嘉之會也；利者，義之和也；貞者，事之幹也。君子體仁足以長人；嘉會足以合禮；利物足以和義；貞固足以幹事。君子行此四德者，故曰：「乾：元亨利貞。」

南朝陳代周弘正《周易講疏》（註一八）：

> 元，始也，於時配春，言萬物始生，得其元始之序，發育長養；亨，通也，於時配夏，夏以通暢，合其嘉美之道；利者，義也，於時配秋，秋以成實，得其利物之宜；貞者，正也，於時配冬，冬以物之終，納幹正之道。若以五行言之：元，木也；亨，火也；利，金也；貞，水也；

士則資運四事，故不言之。若以人事：則元爲仁；亨爲禮；利爲義；貞爲信；不言智者，謂此四事，因智而用。故《乾鑿度》云：「水土二行，兼智兼信。」是也。

把元亨利貞四德，和春夏秋冬四時，木火金水四物，配合起來，顯然受《易緯》的影響，下啓孔穎達《周易正義》對「四象」的疏解。而周弘正結穴於仁禮義信，於是四象的義理就更彰顯了。

五、八卦

八卦，代表構成各種事物的八種元素。近取諸身，它代表身體八個部位，親屬八種關係，社會八種身分；遠取諸物，它代天地間八種現象，八種方位，八種動物……。尤其重要的，它代表自然界和人類共通的八種德性。

從數方面來看，自太極而兩儀、而四象、而八卦，都是倍進而成。算式已見「太極」目下，茲再圖之如下：

八卦	四象	兩儀	太極
乾☰	太陽⚌	陽⚋	太極
兌☱			
離☲	少陰⚍		
震☳			
巽☴	少陽⚎	陰⚊	
坎☵			
艮☶	太陰⚏		
坤☷			

《易學啓蒙》：

四象之上，各生一奇一耦，而爲三畫者八，於是三才略具，而有八卦之名矣。其位則乾一、兌二、離三、震四、巽五、坎六、艮七、坤八。《周禮》所謂《三易》「經卦皆八」；〈大傳〉所謂「八卦成列」；邵子所謂「四分爲八」者，皆指此而言也。

這是就四象生八卦的過程與次第而說的。由於《周禮》（註一九）在〈春官·大卜〉篇說：「大卜掌《三易》之法，一曰《連山》，二曰《歸藏》，三曰《周易》。其經卦皆八，其別皆六十有四。」所以八卦又稱經卦。〈大傳〉即〈繫辭傳〉，邵子即邵雍邵康節。

〈繫辭傳上〉：

是故四營而成易，十有八變而成卦，八卦而小成。

這是就揲蓍求卦的演算方法而說的。四營指「分而爲二以象兩」、「掛一以象三」、「揲之以四以象四時」、「歸奇於扐以象閏」。成易之易指變易，是說經四營而成一變。十八變得到六爻，凡六十四，爲大成卦；九變得到三爻，凡八，爲小成卦。

從象方面來看：〈文言傳〉只說乾、坤；〈彖傳〉、〈象傳〉、〈繫辭傳〉、〈序卦傳〉、〈雜卦傳〉，對八卦之象，分別有簡略的敘述；講得最詳細而具系統的是〈說卦傳〉。

〈說卦傳〉第三章說到八卦的基本象徵和相對關係：

天地定位，山澤通氣，雷風相薄，水火不相射。

天象乾，地象坤，山象艮，澤象兌，雷象震，風象巽，水象坎，火象離，〈彖傳〉、〈象傳〉已這麼說了，可說是八卦的基本象徵。而天地定位而化育，山澤異體而通氣，雷風互動而相搏，水火相助而不相犯，便是八卦相重，以成六十四卦，來象徵萬事萬物的理論基礎了。

又第五章說到八卦的方位：

萬物出乎震，震，東方也。……巽，東南也。……離也者，……南方之卦也。……坤也者，地也。……兌，正秋也。……乾，西北之卦也。……坎者，水也，正北方之卦也。……艮，東北之卦也。

又第八章講到八卦所代表的動物：

乾爲馬，坤爲牛，震爲龍，巽爲雞，坎爲豕，離爲雉，艮爲狗，兌爲羊。

以上都是「遠取諸物」。

又第九章：

乾爲首，坤爲腹，震爲足，巽爲股，坎爲耳，離爲目，艮爲手，兌爲口。

這是取象於人身。

又第十章：

乾，天也，故稱乎父；坤，地也，故稱乎母。震一索而得男，故謂之長男；巽一索而得女，故謂之長女；坎再索而得男，故謂之中男；離再索而得女，故謂之中女；艮三索而得男，故謂之少男；兌三索而得女，故謂之少女。

這是取象於父母子女的親屬關係。

又第十一章：

乾爲君……。坤爲衆……。震爲長子……。巽爲長女……。坎爲盜……。離爲戈兵……。艮爲閽寺……。兌爲巫……。

其取象擴及社會上各種身分了。

以上都是「近取諸身」。

由八卦的取象，又可見八卦的道德涵義。〈說卦傳〉第四章：

雷以動之，風以散之，雨以潤之，日以烜之，艮以止之，兌以說之，乾以君之，坤以藏之。

可明八卦養物之功。又第七章：

乾，健也；坤，順也；震，動也；巽，入也；坎，陷也；離，麗也；艮，止也；兌，說也。

更直接指出八卦的德性，這就是八卦的義理了。

六、六十四卦

從太極生兩儀，兩儀生四象，四象生八卦，在數學上是加一倍法；但從八卦重疊成六十四卦，卻是自乘法。朱熹《易學啓蒙》：

八卦之上，各生一奇一耦，而爲四畫者十六。於經無見，邵子所謂「八分爲十六」者是也。又爲兩儀之上各加八卦，又爲八卦之上各加兩儀也。四畫之上，各生一奇一耦，而爲五畫者三十二。邵子所謂「十六分爲三十二」者是也。又爲四象之上各加八卦，又爲八卦之上各加四象也。五畫之上，各生一奇一耦，而爲六畫者六十四，則兼三才而兩之，而八卦之乘八卦亦周。於是六十四卦之名立而易道大成矣。《周禮》所謂「《三易》之別皆六十有四」，〈大傳〉所謂「因而重之，爻在其中矣」，邵子所謂「三十二分爲六十四」者是也。

以爲八卦分爲十六，再分爲三十二，再再分爲六十四，得別卦六十四，爲大成卦，依然是加一倍法。在理論可以說得通，但朱熹自己也知道「於經無見」。茲附八卦相重爲六十四卦圖於下：

	八坤	七艮	六坎	五巽	四震	三離	二兌	一乾
一乾	否	遯	訟	姤	无妄	同人	履	乾
二兌	萃	咸	困	大過	隨	革	兌	夬
三離	晉	旅	未濟	鼎	噬嗑	離	睽	大有
四震	豫	小過	解	恆	震	豐	歸妹	大壯
五巽	觀	漸	渙	巽	益	家人	中孚	小畜
六坎	比	蹇	坎	井	屯	既濟	節	需
七艮	剝	艮	蒙	蠱	頤	賁	損	大畜
八坤	坤	謙	師	升	復	明夷	臨	泰

六十四卦不是《易》最後的結局，而是繼續演進的起點。《易學啓蒙》：

若於其上各卦，又各生一奇一耦，則爲七畫者百二十八矣。七畫之上，又各生一奇一耦，則爲八畫者二百五十六矣。八畫之上，又各生一奇一耦，則爲九畫者五百十二矣。九畫之上，又各生一奇一耦，則爲十畫者千二十四矣。十畫之上，又各生一奇一耦，則爲十一畫者二千四十八矣。十一畫之上，又各生一奇一耦，則爲十二畫者四千九十六矣。此焦贛《易林》變卦之數，蓋亦六十四乘六十四也。今不復爲圖於此，而略見第四篇中。若自十二畫上，又各生一奇一耦，累至二十四畫，則成千六百七十七萬七千二百一十六變，以四千九十六自相乘，其數亦與此合。引而伸之，蓋未知其所終極也。雖未見其同處，然亦足以見《易》道之無窮矣。

就已指出《易》卦可以經由加一倍法或自乘法而至於無窮，這種數的觀念，正暗示這個宇宙之無窮。

說到六十四卦所代表的現象。〈大象傳〉所言最爲簡明。茲歸納其例如左：

一、同卦相重之例，包括：

乾☰☰：天行健。

坤☷☷：地勢坤。

坎☵☵：水洊至，習坎。

乾爲純陽之卦，坤爲純陰之卦，爲組成其他六十二卦之元素，故綜合爲整體而言之。

離☲☲：明兩作，離。

震䷲：洊雷，震。

艮䷳：兼山，艮。

巽䷸：隨風，巽。

兌䷹：麗澤，兌。

所謂「洊」「兩」「兼」「隨」「麗」，是相仍、相重、相並、相隨、相連的意思，雖上下同 而分爲二體言之。

二、異卦相重之例，包括：

屯䷂：雲雷，屯。

恆䷟：雷風，恆。

益䷩：風雷，益。

以上三卦直舉上下二體之象，接述卦名。

否䷋：天地不交，否。

解䷧：雷雨作，解。

豐䷶：雷電皆至，豐。

以上三卦直舉上下二體之象，言其動作，再接述卦名。

訟䷅：天與水違行，訟。

同人☰☲：天與火，同人。

履☰☱：上天下澤，履。

睽☲☱：上火下澤，睽。

困☱☵：澤无水，困。

以上五卦直舉上下二體之象，言其相對，再接述卦名。

需☵☰：雲上於天，需。

小畜☴☰：風行天上，小畜。

大有☲☰：火出天上，大有。

豫☳☷：雷出地奮，豫。

觀☴☷：風行地上，觀。

剝☶☷：山附於地，剝。

大過☱☴：澤滅木，大過。

大壯☳☰：雷在天上，大壯。

晉☲☷：明出地上，晉。

家人☴☲：風自火出，家人。

夬☱☰：澤上於天，夬。

萃䷬：澤上於地，萃。

渙䷺：風行地上，渙。

既濟䷾：水在火上，既濟。

未濟䷿：火在水上，未濟。

以上十五卦先舉上象，強調其在下象之上，再接述卦名。

蒙䷃：山下出泉，蒙。

師䷆：地中有水，師。

謙䷎：地中有山，謙。

隨䷐：澤中有雷，隨。

蠱䷑：山下有風，蠱。

賁䷕：山下有火，賁。

无妄䷘：天下雷行，无妄。

頤䷚：山下有雷，頤。

遯䷠：天下有山，遯。

損䷨：山下有澤，損。

姤䷫：天下有風，姤。

升☷☴：地中生木，升。

革☱☲：澤中有火，革。

以上十三卦雖先舉上象，卻強調下象，再接述卦名。

噬嗑☲☳：雷電，噬嗑。

此卦直舉下上二體，接述卦名。「雷電」疑爲誤乙，似乎當言「電雷噬嗑」。

泰☷☰：天地交，泰。

此卦直舉下上二體，言其相交，再接述卦名。

比☵☷：地上有水，比。

臨☷☱：澤上有地，臨。

咸☱☶：山上有澤，咸。

旅☲☶：山上有火，旅。

井☵☴：木上有水，井。

鼎☲☴：木上有火，鼎。

漸☴☶：山上有木，漸。

歸妹☳☱：澤上有雷，歸妹。

蹇☵☶：山上有水，蹇。

節☱☵：澤上有水，節。

中孚☴☱：澤上有風，中孚。

小過☳☶：山上有雷，小過。

以上十二卦先舉下象，但強調上象，再接述卦名。

復☷☳：雷在地中，復。

大畜☶☰：天在山中，大畜。

明夷☷☲：明入地中，明夷。

以上三卦先舉下象，並強調下象，再接述卦名。

〈大象傳〉以爲六十四卦卦名及其取象就是這樣的。至於〈卦辭〉〈彖傳〉〈繫辭傳〉〈序卦傳〉〈雜卦傳〉對六十四卦的卦名與取象，亦有所闡發。尤其〈彖傳〉，每兼採上下兩體的卦象、卦德以立說。如屯卦☵☳，震下坎上，〈彖傳〉一則曰「動乎險中」，是就震動坎險卦德說的；再則曰「雷雨之動滿盈」，是就震雷坎雨卦象說的。十分値得全面硏討，篇幅所限，此不贅述。

六十四卦的義理，亦依象而立，玆析論如下：

一、總綱：包括乾、坤兩卦。

乾〈大象傳〉：天行健；君子以自強不息。

坤〈大象傳〉：地勢坤；君子以厚德載物。

儒家之道，忠恕而已矣。忠以修己；恕以安人。乾道自強不息，正是修己；坤道厚德載物，正是安人。

二、修己：包括進德、退省，分述於左。

1. 進德：

小畜〈大象傳〉：風行天上，小畜；君子以懿文德。

晉〈大象傳〉：明出地上，晉；君子以自昭明德。

升〈大象傳〉：地中生木，升；君子以順德，積小以高大。

以上是德性之培養。

同人〈大象傳〉：天與火，同人；君子以類族辨物。

大畜〈大象傳〉：天在山中，大畜；君子以多識前言往行，以畜其德。

兌〈大象傳〉：麗澤，兌；君子以朋友講習。

未濟〈大象傳〉：火在水上，未濟；君子以愼辨物居方。

以上是知識的增進。

頤〈大象傳〉：山下有雷，頤；君子以愼言語，節飲食。

大壯〈大象傳〉：雷在天上，大壯；君子以非禮勿履。

損〈大象傳〉：山下有澤，損；君子以懲忿窒欲。

益〈大象傳〉：風雷益；君子以見善則遷，有過則改。

以上爲生活的準則。

2.退省：

震〈大象傳〉：洊雷，震；君子以恐懼脩省。

遯〈大象傳〉：天下有山，遯；君子以遠小人，不惡而嚴。

大過〈大象傳〉：澤滅木，大過；君子以獨立无懼，遯世无悶。

小過〈大象傳〉：山上有雷，小過；君子以行過乎恭，喪過乎哀，用過乎儉。

需〈大象傳〉：雲上於天，需；君子以飲食宴樂。

蹇〈大象傳〉：山上有水，蹇；君子以反身修德。

坎〈大象傳〉：水洊至，習坎；君子以常德行，習教事。

困〈大象傳〉：澤无水，困；君子以致命遂志。

面對危險的困境，要恐懼修省，遠離小人，遯世獨立。過恭、過哀、過儉、都是小的過失。必須照常生活，等待時機。如能反身修德，在德行教育上下工夫，必能完成天命，實現願望。

三、安人：包括齊家、治國、平天下。分述於左。

1.齊家：

家人〈卦辭〉：家人，利女貞。

咸〈卦辭〉：咸，利貞，取女吉。

漸〈卦辭〉：漸，女歸吉，利貞。

姤〈卦辭〉：姤，勿用取女。

歸妹〈卦辭〉：歸妹，征凶，无攸利。

關於家庭，主婦的責任很重要，必須篤守正道，所以家人、咸、漸三卦都把「利貞」和「女」合在一起說。姤卦一陰而遇五陽，這不是正常現象，所以說「勿用取女」。歸妹是和親政策下的政治婚姻，缺乏愛情的基礎，所以「征凶，无攸利」。

2.治國：

巽〈大象傳〉：隨風，巽；君子以申命行事。

艮〈大象傳〉：兼山，艮；君子以思不出其位。

所謂「國」，古代指諸侯之國，上受天子的領導。「申命行事」和「思不出其位」是諸侯施政的兩大原則。

蒙〈大象傳〉：山下出泉，蒙；君子以果行育德。

蒙〈卦辭〉：蒙，亨。匪我求童蒙，童蒙求我。

臨〈大象傳〉：澤上有地，臨；君子以教思无窮，容保民无疆。

以上三卦言教育之道。

訟〈大象傳〉：天與水違行，訟；君子以作事謀始。

解〈大象傳〉：雷雨作，解；君子以赦過宥罪。

旅〈大象傳〉：山上有火，旅；君子以明愼用刑，而不留獄。

以上三卦言司法之道。

井〈大象傳〉：木上有水，井；君子以勞民勸相。

使人民勤勞，鼓勵人民互助合作是財經之道。

3.平天下：

否〈大象傳〉：天地不交，否；君子以儉德避難，不可榮以祿。

上九〈小象傳〉：否終則傾，何可長也！

明夷〈大象傳〉：明入地中，明夷；君子以蒞衆，用晦而明。

〈彖傳〉：內文明而外柔順，以蒙大難，文王以之。利艱貞，晦其明也。內難而能正其志，箕子以之。

革〈彖傳〉：天地革而四時成；湯武革命，順乎天而應乎人。

在天地不交，暗無天日的時代，正是聖人順天應人，發動革命的時代。

夬〈卦辭〉：夬，揚于王庭，孚號有厲，告自邑，不利即戎，利有攸往。

師〈彖傳〉：師，衆也；貞，正也；能以衆正，可以王矣。

首先，可以在朝廷公布昏君之罪，誠懇地向全天下呼號其危險，不必立即動武，宜於奔走宣告。然後運用群衆的力量，匡正時局。

屯〈彖傳〉：雷雨之動滿盈，天造草昧，宜建侯而不寧。

比〈大象傳〉：地上有水，比；先王以建萬國，親諸侯。

節〈大象傳〉：澤上有水，節；君子以制數度，議德行。

睽〈大象傳〉：上火下澤，睽；君子以同而異。

〈彖傳〉：天地睽而其事同也；男女睽而其志通也；萬物睽而其事類也。

得天下之後，最急切的是分封諸侯，建立制度，講求德行，並且要同中存異，尊重不同的意見，互補共榮。

剝〈大象傳〉：山附於地，剝；上以厚下安宅。

泰〈大象傳〉：天地交，泰；后以財成天地之道，輔相天地之宜，以左右民。

謙〈大象傳〉：地中有山，謙；君子以裒多益寡，稱物平施。

〈彖傳〉：謙，亨。天道下濟而光明，地道卑而上行。天道虧盈而益謙；地道變盈而流謙；鬼神害盈而福謙；人道惡盈而好謙。

蠱〈大象傳〉：山下有風，蠱；君子以振民育德。

〈彖傳〉：蠱元亨而天下治也。

噬嗑〈大象傳〉：雷電，噬嗑；先王以明罰勑法。

豐〈大象傳〉：雷電皆至，豐；君子以折獄致刑。

〈卦辭〉：王假之，勿憂，宜日中。

中孚〈大象傳〉：澤上有風，中孚；君子以議獄緩死。

〈彖傳〉：說而巽，孚乃化邦也；中孚以利貞，乃應乎天地。

然後厚植民力，佐之佑之，經濟上作公平之分配；富之之後，於是教之；偶有禮義不能約束者，就只有明罰勑法，但仍須於折獄致刑之外，作緩死之考慮。

大有〈大象傳〉：火在天上，大有；君子以遏惡揚善，順天休命。

離〈大象傳〉：明兩作，離；大人以繼明照于四方。

无妄〈大象傳〉：天下雷行，物與无妄；先王以茂對時育萬物。

隨〈大象傳〉：澤中有雷，隨；君子以嚮晦入宴息。

〈彖傳〉：動而說，隨；大亨貞，无咎，而天下隨時。

觀〈大象傳〉：風行地上，觀；先王以省方觀民設教。

復〈大象傳〉：雷在地中，復；先王以至日閉關，商旅不行，后不省方。

賁〈彖傳〉：觀乎天文，以察時變；觀乎人文，以化成天下。

恆〈彖傳〉：日月得天而能久照；四時變化而能久成；聖人久於其道，而天下化成。觀其所恆，而天地萬物之情可見矣。

履〈大象傳〉：上天下澤，履；君子以辨上下，定民志。

〈彖傳〉：剛中正，履帝位而不疚，光明也。

「天下」與「天」，是相對應的。所以「平天下」必須「順天」，不斷地以光明照耀四方。非但隨時化育與作息，還要按時到各地巡視或不巡視。使天道與人文打成一片，化成天下，永垂不朽。確定了如此領導人民的方針，才不愧作爲人民的領導者。

渙〈大象傳〉：風行水上，渙；先王以享于帝立廟。

萃〈彖傳〉：王假有廟，致孝享也。

豫〈大象傳〉：雷出地奮，豫；先王以作樂崇德，殷薦之上帝，以配祖考。

鼎〈大象傳〉：木上有火，鼎；君子以正位凝命。

〈彖傳〉：以木巽火，亨飪也；聖人亨以享上帝；而大亨以養聖賢。

立廟祭祀上帝，配以祖先，兼養聖賢，這不可專以神道設教來解釋，背後應有一分對上帝、祖先、聖賢虔誠尊敬的心在。

既濟〈大象傳〉：水在火上，既濟；君子以思患而豫防之。

既濟是已經完成。既然完成，常容易鬆懈；所以既濟之後是未濟，必須注意預防。《周易》六十四卦，終於未濟，顯示這個世界永無圓滿之日，需要時時惕厲努力。正如「革命尚未成功」的意義，在留給後人「仍須努力」的機會。元亨利貞的「貞」，也不是結束；而是「貞下起元」。

七、三百八十四爻

爻者，效也，是呈現、效法的意思。三百八十四爻，象徵著天下各種錯綜複雜的現象，以及不同的因應之道。

仍舊由數說起。三百八十四爻基本上只是陽爻和陰爻，也就是剛爻與柔爻。〈說卦傳〉所謂：

發揮於剛柔而生爻。

於是剛爻稱「九」，柔爻稱「六」。又由於剛柔相推而生變化，於是九有初九、九二、九三、九四、九五、上九；六有初六、六二、六三、六四、六五、上六。〈繫辭傳上〉所謂：

變化者，進退之象也；剛柔者，晝夜之象也；六爻之動，三極之道也。

在〈筮儀〉中，九是「過揲三十六策而爲老陽」，六個陽爻九，是六乘三十六凡二百十六策；六是「過揲二十四策而爲老陰」，六個陰爻六，是六乘二十四凡一百四十四策。兩者相加是三百六十策，這個數目代表一年的日子。六十四卦三百八十四爻，陽爻佔一百九十二，乘以三十六，得六千九百十二；陰爻也佔一百九十二，乘以二十四，得四千六百零八。兩者相加是一萬一千五百二十，相當於萬物之數。〈繫辭傳上〉：

《易》與天地準，故能彌綸天地之道。

《繫辭傳下》：

道有變動，故曰爻；爻有等，故曰物。

所謂「等」，是等別、等差的意思。由於每一爻所處的六十四卦卦別的不同，和六爻爻別的不同，於是所代表的物象也不同，《周易》就用這些所處有別的三百八十四爻來概括觀照天地之道，相當等同於萬物之數。

爻數九爲老陽，又稱太陽；六爲老陰，又稱太陰。此外，還有八爲少陰，七爲少陽。八、七爲陰陽之少，少者成長而質不變，陰仍爲陰，陽仍爲陽；六、九爲陰陽之老，老而生變，陰變爲陽，陽變爲陰。因而《周易》筮法上有「本卦」，有「之卦」，視其變化情形而作占斷。試以《左傳》所載《周易》筮法爲例，《昭公二十九年傳》：

《周易》有之：在乾䷀之姤䷫，曰：「潛龍勿用。」其同人䷌，曰：「見龍在田。」其大有䷍，曰：「飛龍在天。」其夬䷪，曰：「亢龍有悔。」其坤䷁，曰：「見群龍，无首，吉。」坤䷁之剝䷖，曰：「龍戰于野。」若不朝夕見，誰能物之？

筮得七七七七七九，本卦六爻皆陽，是乾卦；之卦初爻由陽變爲陰，所以是姤卦，這叫作「乾之姤」，便以本卦乾初九爻辭「潛龍勿用」來占斷。依此類推，乾之同人，是乾第二爻變了，就以乾九二爻辭「見龍在田」來占斷。乾之大有，是乾第五爻變了，就以乾九五爻辭「飛龍在天」來占斷。乾之夬，是乾上爻變了，就以乾上九爻辭「亢龍有悔」來占斷。乾之坤，六爻全部變了，就以乾用九爻辭「見群龍無首吉」來占斷。朱熹《易學啓蒙》曾從《左傳》、《國語》所說，歸納出《周易》筮法如左：

凡卦六爻皆不變，則占本卦〈彖辭〉；而以內卦爲貞，外卦爲悔。一爻變，則以本卦變〈爻辭〉占。二爻變，則以本卦二變〈爻辭〉占；仍以上爻爲主；三爻變，則占本卦及之卦之〈彖辭〉；而以本卦爲貞，之卦爲悔；前十卦主貞，後十卦主悔。四爻變，則以之卦二不變爻占，仍以下爻爲主。五爻變，則以之卦不變爻占。六爻變，則乾坤占二用；餘卦占之卦〈彖辭〉。

於是一卦可變爲六十四卦。《易學啓蒙》以六十四卦之變列爲三十二圖，茲錄其第一圖於左。由右至左是乾卦之變；由左至右是坤卦之變。

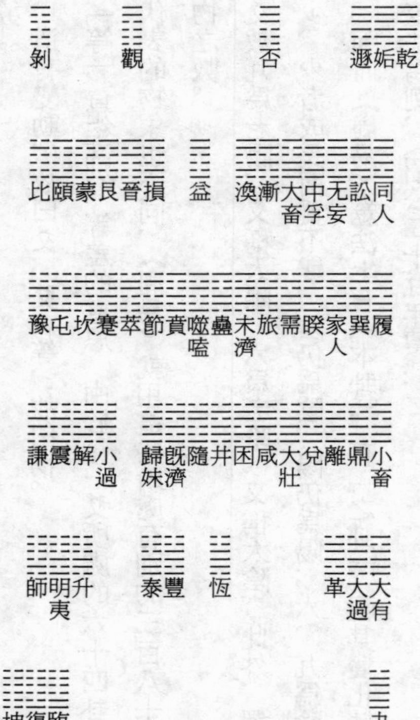

再說爻象。包括爻位之象，爻際之象，和爻變之象。

爻位之象，是指六爻初、二、三、四、五、上，六個位置所象徵的現象，以及其剛柔、陰陽的性質。

清儒成蓉鏡《周易釋爻例》（註二〇）曾自《周易》原典歸納出一些爻例，以爲「凡二、五爻稱中」，如：

乾〈文言〉：九二，子曰：「龍德而正中者也。」九三，重剛而不中；九四，重剛而不中。

坤六五〈象傳〉：文在中也。〈文言〉：君子黃中通理，美在其中。

蒙〈象傳〉：以剛中也。（謂九二）

需〈彖傳〉：位乎天位，以正中也。（謂九五）

等等。並引申之，以爲：「亦稱中正」、「亦稱正中」、「亦稱正」、「亦稱中直」、「亦稱直」、「亦稱中道」、「亦稱中行」、「亦稱黃」。例多，不贅。又云：「凡三、四爻稱內。」如：

中孚〈彖傳〉：柔在內而剛得中。

並且：「亦稱際」、「亦稱或」、「亦稱疑」、「亦稱啇」、「亦稱進退」、「亦稱來往」、「亦稱次且」。又云：「凡初爻稱始。」如：

坤初六〈象傳〉：陰始凝也。

恆初六〈象傳〉：始求深也。

並且：「亦稱下」、「亦稱卑」、「亦稱足」、「亦稱趾」、「亦稱履」、「亦稱屨」、「亦稱藉」、「亦稱尾」、「亦稱窮」。又云：「凡上爻稱終。」如：

需上六：敬之終吉。

比上六〈象傳〉：無所終也。

等。並且：「亦稱末」、「亦稱上」、「亦稱尙」、「亦稱高」、「亦稱亢」、「亦稱窮」、「亦稱極」、「亦稱天」、「亦稱首」、「亦稱頂」、「亦稱角」、「亦稱何」。這些，都是六爻位置所顯示的現象。

六爻又有剛柔、陰陽之分。初、三、五是剛位，也是陽位；二、四、上是柔位，也就是陰位。凡陽爻居初、三、五，陰爻居二、四、上，就叫「當位」、「得位」、「正位」、「位當」、「位正當」。如：

賁䷕六四〈象傳〉：當位疑也。

小畜䷈〈彖傳〉：柔得位而上下應之。

渙䷺九五〈象傳〉：王居无咎，正位也。

既濟䷾〈象傳〉：剛柔正而位當也。

履䷉九五〈象傳〉：夬履貞厲，位正當也。

否則，如陽爻居二、四、上。陰爻居初、三、五，就叫「不當位」、「位不當」、「非其位」、「未得位」、「失位」。如：

未濟䷿〈彖傳〉：雖不當位，剛柔應也。

豫䷏〈象傳〉：位不當也。

恆䷟九四〈象傳〉：久非其位。

旅䷷九四〈象傳〉：未得位也。

小過䷽〈彖傳〉：剛失位而不中。

這些，都是六爻剛柔之位所顯示的現象。

爻際之象，指爻與爻間各種關係所產生的現象。主要的有應敵之象、比鄰之象等。

一卦之內，初與四，二與五，三與上，陰陽互異的，叫做「應」，或稱「相與」、「有與」。如：

師䷆〈彖傳〉：剛中而應。

比䷇〈彖傳〉：上下應也。

咸䷞〈彖傳〉：柔上而剛下，二氣感應以相與。

困䷮九四〈象傳〉：雖不當位，有與也。

否則，叫作「敵」、「无與」、「未有與」、「不相與」、「无輔」。如：

同人䷌九三〈象傳〉：伏戎于莽，敵剛也。

井䷯九二〈象傳〉：井谷射鮒，无與也。

剝䷖六二〈象傳〉：剝牀以辨，未有與也。

艮䷳〈彖傳〉：上下敵應，不相與也。

乾䷀上九〈文言傳〉：賢人在下位而無輔。

以上都屬應敵之象。

比鄰之象是由比連相鄰的兩爻構成的現象。凡爻之在下，於上爻爲「承」，如：

蠱䷑六五〈象傳〉：乾父之蠱，承以德也。

歸妹䷵初九〈象傳〉：跛能履吉，相承也。

節䷻六四〈象傳〉：安節之亨，承上道也。

亦稱：「順」、「從上」、「遇剛」、「剛柔際」。如：

蒙䷃六五〈象傳〉：童蒙之吉，順以巽也。

頤䷚六五〈象傳〉：居貞之吉，順以從上也。

比䷇六四〈象傳〉：外比於賢，以從上也。

睽䷥六三〈象傳〉：無初有終，遇剛也。

姤䷫〈彖傳〉：姤，遇也，柔遇剛也。

坎䷜六四〈象傳〉：樽酒簋貳，剛柔際也。

解䷧初六〈象傳〉：剛柔之際，義无咎也。

凡爻之在上，於下爻爲「乘」，如：

夬䷪〈彖傳〉：揚于王庭，柔乘五剛也。

歸妹䷵〈彖傳〉：无攸利，柔乘剛也。

屯䷂〈象傳〉：六二之難，乘剛也。

豫☳☷六五《象傳》：六五貞疾，乘剛也。

「乘」幾乎都是陰爻居陽爻之上；若陽爻居陰爻之上，每稱：「剛柔接」或「剛柔節」：

蒙☶☵九二《象傳》：子克家，剛柔接也。

鼎☲☴上九《象傳》：玉鉉在上，剛柔節也。

以上都屬比鄰之象。

爻變之象，主要有「來」「往」。

關於「來」「往」，有許多不同的詮釋，較被普遍認同的也有兩種。

一種是以爻位的陰陽消長，推卦之所由來。如三國吳人虞翻，作《周易注》（註二一），便以一陽五陰之卦，來自剝、復；一陰五陽之卦，來自姤、夬；二陽四陰之卦，來自臨、觀；二陰四陽之卦，來自遯、大壯；三陰三陽之卦，來自泰、否。朱熹《周易本義》所附〈卦變圖〉，謂：

凡一陰一陽之卦各六，皆自復、姤而來。

凡二陰二陽之卦各十有五，皆自臨、遯而來。

凡三陰三陽之卦各二十，皆自泰、否而來。

凡四陰四陽之卦各十有五，皆自大壯、觀而來。

凡五陰五陽之卦各六，皆自夬、剝而來。

綱目雖異，內容實同。

另一種則以卦之反轉，來說明來往。今本《周易》六十四卦次序，一是陰陽相變，如乾䷀變爲坤䷁；一是上下反轉，如屯䷂反轉爲蒙䷃。《雜卦傳》之論六十四卦卦名之義，專據此發揮。虞翻《周易注》偶亦以此作注，如：注「泰」，曰：「反否也。」注「否」，曰：「反泰也。」注「觀」，曰：「反臨也。」注「明夷」，曰：「反晉也。」注「漸」，曰：「反成歸妹。」注《繫辭傳下》「男女媾精，萬物化生」，曰：「損反成益。」注《序卦傳》「有男女然後有夫婦」，曰：「咸反成恆。」注《雜卦傳》「否泰反其類也」，曰：「否反成泰，泰反成否，故反其類。」但未以反轉說來往。宋代學者，如朱震，作《漢上易傳》（註二二），注兌䷹六三《爻辭》「來兌」，云：

兌，巽之反，初二三皆自外來。

以爲巽反成兌，兌初二三皆由巽四五上反轉而來。元儒胡一桂《周易啓蒙翼傳》（註二三）下篇說「泰卦䷊小往大來，否卦䷋大往小來之類」，自注云：

泰本自否卦變成，否三陰上往，換得三陽下來，便成泰卦；否本自泰卦變來，泰三陽上往，換得三陰下來，便成否卦。

亦嘗以「上下无常，剛柔相易」說「來往」。及至明代，來知德作《周易集注》（註二四），專以「錯綜」論《易》象。「錯」即陰陽相變，如乾坤之類；「綜」即上下反轉，如屯蒙之類。並全用反轉說來往，如注訟䷅《彖傳》「剛來而得中也」：

需訟相綜，需上卦之坎，來居訟之下卦，九二得中也。

又注蹇䷦〈彖傳〉「往得中也」：

蹇綜解，二卦同體，文王綜爲一卦。故〈雜卦〉曰：「解，緩也；蹇，難也。」言解下卦之坎，往而爲蹇上卦之坎，所以九五得其中也。

大抵「來」指上下反轉兩卦的卦爻，由上來下。如：

隨䷐〈彖傳〉：剛來而不柔。

賁䷕〈彖傳〉：柔來而而文剛。

无妄䷘〈彖傳〉：剛自外來，而爲主於內。

解䷧〈彖傳〉：其來復吉，乃得中也。

渙䷺〈彖傳〉：剛來而不窮。

意指蠱上九來爲隨初九，噬嗑六五來爲賁六二，大畜上九來爲无妄初九，蹇九五來爲解九二，節九五來爲渙九二。又稱：「反」、「下下」。如：

復䷗〈彖傳〉：剛反。

益䷩〈彖傳〉：自上下下。

意指剝上九返回成爲復初九，損上九自上下來爲益初九。

「往」指上下反轉兩卦的卦爻，由下往上。如：

泰䷊〈卦辭〉：小往大來。

否䷋〈卦辭〉：大往小來。

蹇䷦〈彖傳〉：往得中也。

又稱：「進」、「上」、「上行」。如：

漸䷴〈彖傳〉：進得位。

賁䷕〈彖傳〉：剛上而文柔。

晉䷢〈彖傳〉：柔進而上行。

睽䷥〈彖傳〉：柔進而上行。

鼎䷱〈彖傳〉：柔進而上行。

損䷨〈彖傳〉：損下益上，其道上行。

爻變之象，就說到此；而爻象到此，也告一段落。

最後要說到三百八十四爻所顯示的義理。

先以乾卦六爻爲例來說明。乾卦六爻及〈爻辭〉是：

初九：潛龍，勿用。

九二：見龍在田，利見大人。

九三：君子終日乾乾，夕惕若，厲无咎。

九四：或躍在淵，无咎。

九五：飛龍在天，利見大人。

上九：亢龍，有悔。

此外，當六爻全是老陽時，就有：

用九：見群龍，无首，吉。

「用」，帛書本作「迵」，就是「通」字，是通通，全部的意思。初、二、三、四、五、上、用，都是爻位之數。初、二，代表地道；三、四，代表人道；五、上代表天道；用，代表全數。九、六，是爻德之數。九代表陽之德；六代表陰之德。初、上、用，爻位的重要性高於爻德，所以先說爻位再說爻德；二、三、四、五，爻德的重要性超過爻位，所以先說爻德再說爻位。

在地道裡，「初」是地下，其象爲「潛」；「九」是陽德，其象爲「龍」。所以「潛龍」之象，是由「初九」之數推出來的。而「潛龍」對人生的啓示——「勿用」，就是義理了。

「二」是地面，在農業社會，地面上最耀眼的是田。當象徵「九」陽的「龍」，由地下鑽出地面，那就是「見龍在田」。區域性的領導人物在地方上出現了，大家樂於見到這位偉大人物，而這位偉大人物也應該見見全國性的偉大人物，爲地方爭取福利。這正是「利見大人」的義理。

在人道裡，「三」是人生的前期。生龍活虎般的君子要努力，要警惕，即使面對阻撓、妒嫉，也不致出差錯。

「四」是人生的後半輩子。這時特別要注意的是出處進退。或向九五躍進，一飛衝天？或者告老還鄉，安享晚年？三思而行，也無差錯。

在天道裡，「五」是大氣層，九五以陽處於大氣層中，所以取「飛龍在天」爲象。全國性的領導人物在全民擁護聲中出現了。這時，全國性的偉大人物也應該見見各地方的偉大人物，了解民間利病疾苦，作爲訂定政策的依據。所以論道理仍然是「利見大人。」

「上」是外太空，上九以陽處於外太空，知上不知下，能去不能回，所以取「亢龍」爲象。亢，正是高亢不下的意思。《周易》戒「窮」而重「悔」，悔而能改，也就无咎了。〈爻辭〉「有悔」指出了這種道理。

當六爻全是「九」，這就是「用九」。象徵著人人都是「龍」，這就是「見群龍」。這時，人人平等，彼此尊重，互助合作。沒有任何人可以宣稱自己高人一等，爲人中之首，沒有任何民族可以宣稱自己是上帝的選民，可主宰世界；也沒有任何階級可以專政，壓迫其他階級。這就是「无首，吉」的道理。

以上據數明象，依象說理，來探求乾六爻的道理，也不可能是乾六爻唯一的解釋。〈象傳〉和〈文言傳〉對乾六爻的闡釋都相當精彩。《易緯》〈乾鑿度〉：

天地之氣必有終始，六位之設皆由上下，故《易》始於一，分於二，通於三，□於四，盛於五，終於上。初爲元士，二爲大夫，三爲三公，四爲諸侯，五爲天子，上爲宗廟。凡此六者，陰陽所以進退，君臣所以升降，萬人所以爲象則也。

則又有一番解說。《易》道周普，無所不備；各說並行而不相悖；《周易》不主張「唯一的眞理」。

回頭再由前述三百八十四爻爻象，說明爻理。

關於爻位之理，〈繫辭傳下〉有一段重要的話：

易之爲書也，原始要終，以爲質也。六爻相雜，唯其時物也。其初難知，其上易知，本末也。初辭擬之，卒成之終。若夫雜物撰德，辨是與非，則非中爻不備。噫！亦要存亡吉凶，則居可知矣！知者觀其彖辭，則思過半矣！二與四同功而異位，其善不同。二多譽；四多懼，近也。柔之爲道，不利遠者，其要无咎，其用柔中也。三與五同功而異位，三多凶，五多功，貴賤之等也。其柔危，其剛勝邪！

對六爻之位，提出了：「初難知」「二多譽」「三多凶」「四多懼」「五多功」「上易知」的結論來。「初」是事物發展的開始，究竟利弊如何，不易知道。泰、否兩卦，初爻〈爻辭〉都是「拔茅茹，以其彙」，就是最好的例證。「二」居下卦之中，「五」居上卦之中，《周易》講中道，凡事要作得恰到好處，不可過分，也不可不及。所以六十四卦中，「二」爻〈爻辭〉言「吉」的約三十三卦，言「无咎」的約十四卦；「五」爻〈爻辭〉言吉的約四十二卦，言「无咎」的約十四卦。顯示出「二」「五」居「中」的可貴。「三」居下卦的頂點，易引起上卦的猜忌；「四」太靠近「五」了，「五」是天子之位，「伴君如伴虎」。所以「三」會「多凶」；「四」會「多懼」。至於「上」，居一卦之終，形勢明顯，結果自然「易知」了。

至於「當位」，表示地位相當，立場正確，多吉；「不當位」，表示地位不相當，立場不正確，多凶。

關於爻際之理，大致上「有應」「承陽」爲吉；「无應」「乘剛」爲凶。「有應」是陰陽相應，志同道合來支援。《象傳》每用「有與」、「志行正」、「志未變」、「尙合志」、「正志」、「固志」、「中以爲志」、「志在下」、「大得志」來說明其吉利。「无應」是缺乏同志，無人支援。《象傳》每用「无與」、「未有與」、「志疑」來說明其困境。「承陽」是服從理智的指導，所以多吉；「乘剛」是把理智採在脚下，所以多凶。

關於爻變之理，錯綜複雜，變數太多，不能簡單言之；但仍以知幾存義，行正合群爲要旨。《文言傳》釋乾九三、九四：

知至至之，可與幾也；知終終之，可與存義也。上下无常，非爲邪也；進退无恆，非離群也。

是相當合理的原則。

八、結　語

由象數推明義理也應有所限制，就是要以《卦爻辭》和《十翼》是否言及爲斷。茲舉二例來說明。

坤☷☷《卦辭》：「西南得朋，東北喪朋。」，朱震《漢上易叢說》引王肅《周易注》曰：

西南陰類，故得朋；東北陽類，故喪朋。

案：〈說卦傳〉論方位，以爲震東，兌西，離南，坎北，巽東南，乾西北，坤西南，艮東北。〈說卦傳〉論陰陽，以爲乾爲父，震長男，坎中男，艮少男，都是陽類；坤爲母，巽長女，離中女，兌少女，都是陰類。所以西南兩方爲坤、巽、離、兌，皆陰；東北兩方爲乾、震、坎、艮，皆陽。因此坤往西南，就得到陰性的朋類；坤往東北，就失去陰性的朋類。這種合乎〈十翼〉〈說卦傳〉的推論，可以採信。而李鼎祚《周易集解》引馬融云：

> 孟秋之月，陰氣始著，而坤之位同類相得，故西南得朋；孟春之月，陽氣始著，陰始從陽，失其黨類，故東北喪朋。

以八卦分值十二月的「卦氣說」來說明。又引荀爽云：

> 陰起於午，至申三陰，得坤一體，故曰西南得朋；陽起於子，至寅三陽，喪坤一體，故曰東北喪朋。

以陰起於午月姤䷫，歷未月遯䷠，至申月否䷋，得坤一體，而申位於西南，故曰西南得朋；陽起於子月復䷗，歷丑月臨䷒，至寅月泰䷊，喪坤一體，而寅位於東北，故曰東北喪朋。這是用十二消息卦來說明。又引虞翻云：

> 此指說易道陰陽消息之大要也。謂陽月三日，變而成震出庚；至月八日，成兌見丁。庚西丁南，故西南得朋。謂二陽爲朋，故兌「君子以朋友講習」，〈文言〉曰：「敬義立而德不孤。」〈彖〉曰：「乃與類行。」二十九日消乙入坤，滅藏於癸，乙東癸北，故東北喪朋，謂之以坤滅

乾，坤為喪故也。

這是以八卦配甲乙丙丁等十干的「納甲說」來說明。三說均穿鑿附會，於《周易》經傳無據，就不必採信了。

屯䷂《彖傳》：「剛柔始交而難生。」朱熹《周易本義》：

以二體釋卦名義。始交，謂震；難生，謂坎。

屯卦下體震初爻為陽剛，二三爻為陰柔。《說卦傳》所謂「震一索而得男」，所以為剛柔始交。上體坎代表險難，《彖卦傳》所謂「習坎，重險也」，所以為難生。這是合乎經傳的。但《周易集解》引虞翻曰：

乾剛坤柔，坎二交初，故始交；確乎難拔，故難生也。

認為屯卦䷂由坎卦䷜變來。坎卦九二來為屯卦初九，故言始交。這種繞圈子的解釋，也遠不如朱熹就本卦二體作解說之直接了當。

總之，依據《周易》經傳，追究象數來推明義理是應該的；但於經傳之外，牽強附會，執著象數，扭曲義理，那就不必了。

一九九〇年二月十六日，台北

【附註】

（註一）關於數字卦，請參閱一九五七年第二期《考古學報》上唐蘭〈在甲骨金文中所見的一種已經遺失的中國古代文字〉，又一九八〇年第四期《考古學報》上張政烺〈試釋周初青銅器銘文中的易卦〉，和一九八八年二月《國文天地》戴璉璋〈出土文物對易學研究的貢獻〉。

（註二）本文凡引《周易》，皆據台北藝文印書館影印南昌府學重刊注疏本。

（註三）本文凡引《論語》，亦據台北藝文印書館影印南昌府學重刊注疏本。

（註四）台北藝文印書館影印《欽定四庫全書總目》卷一頁二—三。

（註五）見張政烺〈試釋周初青銅器銘文中的易卦〉補記。參閱附註（註一）。

（註六）台北蘭臺書局影印經韻樓藏版《說文解字注》。

（註七）本文凡引《朱子語類》，皆據台北漢京文化事業有限公司四部善本新刊百衲本。

（註八）本文凡引《禮記》，皆據台北藝文印書館影印南昌府學重刊注疏本。

（註九）據鄭萬耕《太玄校釋》本。一九八九年北京師範大學出版社出版。

（註一〇）台北商務印書館景印文淵閣四庫全書本。案：南軒此說實本其父張浚紫巖。《紫巖易傳》卷十〈論九六〉云：「一、三、五合之為九，陽之生數也；二、四合之為六陰之生數也。」

（註一一）台北世界書局影印元至正己丑孟春積德書堂新刊本。

（註一二）台北世界書局《中國學術名著》本。

（註一三）台北河洛圖書出版社影印上海太平洋書店重校刊本。

（註一四）台北廣文書局影印重慶南方印書館排印本。

（註一五）台北學生書局影印《古經解彙函》本。

（註一六）台北眞善美出版社影印《周易折中》本。又參考台北大通書局影印《通志堂經解》本《周易啓蒙翼傳》。

（註一七）台北新興書局影印武英殿聚珍本。

（註一八）周弘正《周易講疏》已佚，所引文字自唐史徵《周易口訣義》轉引。拙著《魏晉南北朝易學書考佚》嘗輯此書佚文而論證之。

（註一九）台北藝文印書館影印南昌府學重刊注疏本。

（註二〇）台北藝文印書館影印《皇清經解續編》本。

（註二一）虞翻《周易注》已佚。然李鼎祚《周易集解》引用頗多。本文所引，多自《周易集解》轉引。

（註二二）台北大通書局影印《通志堂經解》本。

（註二三）亦台北大通書局影印《通志堂經解》本。

（註二四）台北中國孔學會影印敦仁堂刊本。

易經河圖洛書之淵源

中央大學　徐芹庭

夫《易》之有《河圖》《洛書》與先後天八卦之圖，猶人之有精神與靈魂也。《易》之經文〈十翼〉爲體，《河圖》《洛書》先後天八卦、六十四卦爲用。有體有用，易道彰矣。存體去用，斯易道之所以日晦，內聖外王之所以日衰，而中華民族王霸之業，所以久不復見者也。吾師林景伊夫子，學宗水心建功立業之術，於斯學亦嘗再三致意。爲慶夫子八十冥誕，爰撰斯篇。

方今地下物之挖掘，考古學之震撼宇宙，益足以相信中華文物之古，先賢所傳述之學，遠有所承。吾人由考古資料中看石器時代之陶器、石器所出現之刻劃與黑白圓圈之圖案，衆多之旋雲紋、結繩紋、雲雷紋、鳥獸紋、車紋，再看夏、商、周之青銅器，輔之以秦、漢、魏、晉、南北朝、隋、唐之磚瓦、幣帛、銅鏡與夫自古相傳之太乙行九宮之祕術、大衍與五行生成之數，卦氣卦候之圖表，占筮神栻盤之發現，天盤地盤奇門八陣圖之有四象、七星、八卦、九宮、廿八星宿、六十甲子、七十二候之圖案，則可以確定，指南針、先後天八卦方位、河圖洛書，自古已固存，爲探內聖外王、王霸之業者所探研，非一般學者所能學，明清掃去圖象之儒者，特學究之見耳，不足以語於大道也。

太古以來，內修丹道，以立仙基；外佐賢君，以圖王霸之功業者，爲一般隱者仙道之流所樂爲，廣成子、許由、伊尹、太公表之於前，張良、孔明、李靖、徐勣、耶律楚材、邱處機、劉基繼之於後。至於不得賢君而輔之，世衰道微，美志不遂，則守先生之道，以待後之來者，繼往聖之絕學，以開萬世之太平，如陳希夷（摶）、邵康節（雍）傳下圖書，先後天之絕學，斯亦振古之豪傑易學之功臣也。茲篇所述，爲其遺緒也，茲略述之於此，其詳可參國立編譯館所出版之拙作《易圖源流》與《易學源流》二書。

一、河圖之淵源

古之道術之在於占栻盤，太乙行九宮，及卦氣禨祥大衍之數者，與五行合流，則《河圖》之所本也；與奇門遁甲、八陣、太乙、六壬同宗，實洛書之所依歸也。《河圖》《洛書》爲先王致太平之書，術家占驗吉凶之源，實有至理存焉。伏羲、黃帝、堯、舜、禹、湯、文武、成康，得古昔《河圖》《洛書》之瑞兆，以致太平。《尚書·洪範》、《禮記·月令》、《呂氏春秋》、《淮南子》及《漢書》，諸典籍所載甚詳。鄭康成虞仲翔之《易注》，詳明其圖案。則知陳希夷、邵康節所傳《河圖》《洛書》，自古已固存。且累世以來，皆有占驗禨祥奇門天文堪輿之術家，應用其說，唯自陳邵始光揚斯學於天下，故自宋乃有《河圖》《洛書》之圖案，傳誦於學術界。今詳著其源於斯，今所見《河圖》《洛書》雖兩派互易其名。皆傳授於宋代，然皆源於古籍。其淵源所見，實有至理存焉。故能行於元明清以迄於今日，乃爲堪輿、陽宅、占象家所沿用，且屢有占驗。則其理存於天地之間，固有不能泯滅者矣。故述其淵源所自。

今朱子所定《河圖》即劉牧之《洛書》也。其源先見於《易·繫辭》二章，先儒合此二者，考之於載籍，畫成今所見之《河圖》。《繫辭》云：

（源一）天一地二、天三地四、天五地六、天七地八、天九地十，天數五、地數五，五位相得而各有合。天數二十有五，地數三十，凡天地之數五十有五，此所以成變化而行鬼神也。

（源二）河出圖、洛出書，聖人則之。

（源三）書顧命：《河圖》在東序。傳：「《河圖，伏羲氏王天下，龍馬出河，遂則之以畫八卦謂之《河圖》。」

《繫辭》之二節「本各有所指，前者指天地陰陽奇偶一至十之數，後者指《河圖》《洛書》，乃聖人之瑞兆。古代《河圖》《洛書》既已亡佚，而漢代後與纖緯合流之《河圖》《洛書》，亦已未見，至宋陳摶，或得道家與術數之秘傳，而又考孔傳與下列各節，以造《河圖》。而另據太乙行九宮法，與《大戴禮》等書，構成《洛書》。由是成吾等今所見之《河圖》《洛書》矣。

今所見《河圖》其數五十五，亦欲以窮造化而探宇宙也。其白圈爲陽，天之象也；其數奇，一三五七九是也。其黑圈爲陰，地之象也；其數爲耦，二四六八十是也。先儒以此演無窮之理，術家用此爭鬼神之奧。

河圖

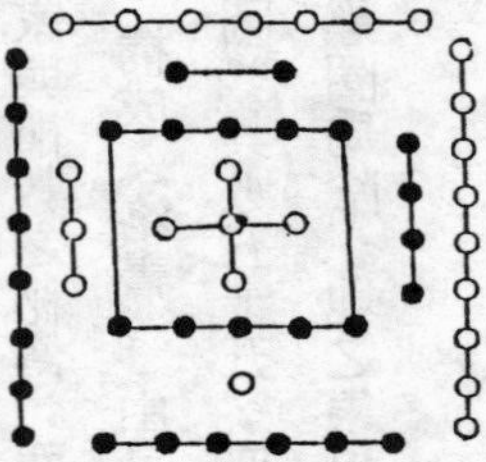

二七居上、一六居下，三八在右、四九在左，五十在中，上南下北、左東右西，與八卦方位同。與今地圖方位異者，易以立體坐標論，故有座山有方向，在北者謂座北朝南也；在南者謂座南朝北也；在東者謂座東朝西也；在西者謂座西朝東也；以其以立體論，故不與今地圖「上北下南左東右西」之平面圖相同，而恰相反。惟吾人皆知地球是圓形者也，大戴禮記曾子天圓篇亦以爲如此。如將另圖之方位倒反過來，即與今地圖之方向同。易之所以有正有變在此，而其圓轉周通，變動不居者亦在此。河圖可畫成方形，亦可圓而圖之，邵子以爲河圖是圓形者，故可圓而圖之也。今觀《禮記·月令》亦有今所見《河圖》之模型。唯僅有東屬木、其數八、爲春；南屬火、其數七、爲夏；西屬金、其數九、爲秋；北屬水、其數六、爲冬。此亦今《河圖》所本。其言曰：

（源四）孟春之月，其日甲乙，其數八。立春盛德在木，迎春于東郊。孟夏之月，其日丙丁，其數七，立夏盛德在火，迎夏于南郊。季夏之月，中央土，其日戊己，其數五。孟秋之月，其日庚辛，其數九，立秋盛德在金，迎秋於西郊。孟冬之月，其日壬癸，其數六，立冬盛德在水，迎冬於北郊。

五行生成之數，金木水火以成數言，而土則以生數言，是互明之也。茲據其全文，分別列之，可知八在東，七在南，五居中，九在西，六在北，《河圖》之生成位置已定，其天子所居青陽明堂等室，亦即《洛書》明堂九室。可見《河圖》《洛書》，古代在學術及應用上，很有地位。

地支	月別		日在	中星	日干	方位	五帝	主神	動物	主音	中律	圖數	天子居室	主色
寅	一	孟春	營室	昏參 旦尾	甲乙	東	木星太昊（伏羲氏）	句芒（重）	鱗（龍蛇）	角	大簇	八	青陽左个	青
卯	二	仲春	奎	昏弧 旦建星	甲乙	東	同右	同右	同右	角	夾鍾	八	青陽太廟	青
辰	三	季春	胃	昏七星 旦牽牛	甲乙	東	同右	同右	同右	角	姑洗	八	青陽右个	青
巳	四	孟夏	畢	昏翼 旦婺女	丙丁	南	火星炎帝（神農氏）	祝融（黎）	羽（飛鳥）	徵	中呂	七	明堂左个	赤
午	五	仲夏	東井	昏亢 旦危	丙丁	南	同右	同右	同右	徵	蕤賓	七	明堂太廟	赤
未	六	季夏	柳	昏火 旦奎	丙丁	南	同右	同右	同右	徵	林鍾	七	明堂右个	赤
					戊己	中央	土星黃帝（軒轅氏）	后土（黎）	倮（人之祖）	宮	黃鍾	五	太廟太室	黃

申	七	孟秋	翼	昏建星 旦畢	庚辛	西	金星少昊（金天氏）	蓐收（該）	毛（虎豹）	商	夷則	九	總章左个	白
酉	八	仲秋	角	昏牽牛 旦觜觽	庚辛	西	同右	同右	同右	商	南呂	九	總章太廟	白
戌	九	季秋	房	昏虛 旦柳	庚辛	西	同右	同右	同右	商	無射	九	總章右个	白
亥	十	孟冬	尾	昏危 旦七星	壬癸	北	水星顓頊（高陽氏）	玄冥（修）	介（龜鼈）	羽	應鍾	六	玄堂左个	黑
子	十一	仲冬	斗	昏壁 旦軫	壬癸	北	同右	同右	同右	羽	黃鍾	六	玄堂太廟	黑
丑	十二	季冬	婺女	昏婁 旦氐	壬癸	北	同右	同右	同右	羽	大呂	六	玄堂右个	黑

而五行之說，先見於《尙書·洪範》，〈洪範〉曰：

（源五）五行，一曰水，二曰火，三曰木，四曰金，五曰土。

此已有一二三四五數，與水火土金木五行。五行之方位，水居北屬冬，火居南屬夏，木居東屬春，金居西屬秋，土爲季夏其位在中，二者配合之，於是有一水在北、二火在南、三木在東、四金在西、五木在中，於是《河圖》之「一二三四五」模型已立。而與《禮記·月令》配合，則構成一完整之《河圖》矣。由此《河圖》既可解說「天地陰陽奇偶一至十之數」，又可解說尙書五行，又可解說四時，又可解說東西南北中之方位。又能與星辰、日月、音律、帝座、居室配合。又可解《禮記·月令》篇，其用不亦大矣哉。是故後儒鑽研，窮其精深，而以爲有至理存焉者此也。復次《春秋》昭公九年「夏四月陳災。」《左氏傳》曰：

（源六）夏四月陳災，鄭裨竈曰：「五年，陳將復封，封五十二年而遂亡。」子產問其故，對曰：「陳，水屬也，火，水妃也，而楚所相也，今火出而火陳，逐楚而建陳也，妃以五成故曰五年，歲五及鶉火，而後陳卒亡，楚克有之，天之道也，故曰五十二年。」

而杜預之注解曰：

（源七）妃，合也，五行各相妃合，得五而成。

西漢末揚雄《太玄·元圖》篇云：是五行一生一成，「一六共宗水，二七同道火，三八爲朋木，四九爲友金，五十同途土。」古代明哲皆能用之。

（源八）一六爲水，二七爲火，三八爲木，四九爲金，五十爲土，一與六共宗，（范望解云在北方也）四與九同道。（在西方也）五與五相守（在中央也），按此已具河圖與五行生成之數矣。

此嚴然爲宋儒《河圖》之全部模型矣。唯欠地十耳。然其曰：「五與五相守」，五與五非十而何？相守則依然以五十相守，以與「一六共宗（水）、二七爲朋（火）、三八成友（木）、四九同道（金）」相當矣。茲附其圖於此，以見今所見《河圖》之源，亦遠有端緒也。如依其文畫圖，非今所見之《河圖》而何？

胡朏明（渭）所畫圖，唯中五白圈耳，而注明曰：「五與五相守」夫相守必有對象，如僅有五白圈，果與何者相守耶？且順前文「一六、二七、三八、四九」不難推知五十相守也，然則楊子雲《元圖篇》即今「《河圖》」之模型也。而東漢初年班固所撰《漢書》，其《律曆志》云：

（源九）天之中數五、地之中數十。

楊子元圖

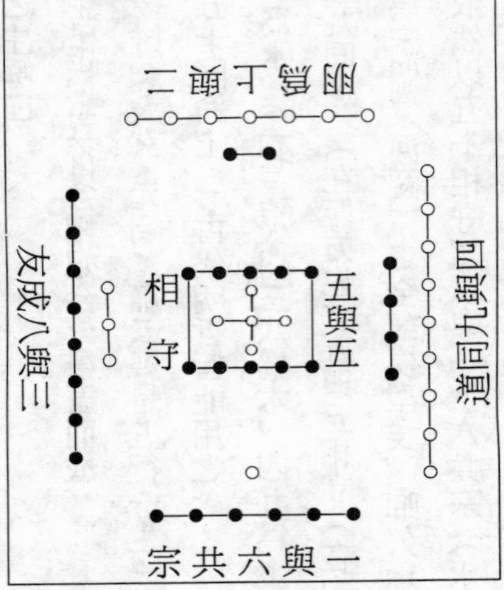

而《漢書·五行志》亦云：

（源十）左氏傳鄭裨竈曰：火，水妃也，妃以五成。天以一生水，地以二生火，天以三生木，地以四生金，天以五生土，五位皆以五而合，而陰陽易位，故曰妃以五成，然則水之大數六，火七，木八，金九，土十，故水以天一爲火二牡，木以天三爲土十牡，土以天五爲水六牡，火以天七爲金四牡，金以天九爲木八牡，陽奇爲牡，陰耦爲妃，故曰水，火之牡也。

如是，五行之數有生數，有成數，一二三四五者生數也；六七八九十者成數也。其曰「大數」即成數也。「五位皆以五而合」，則水一火二木三金四土五，各加五則爲五行之大數，亦即其成數水六火七木八金九土十也。再配合《繫辭》「五位相得而各有合」，亦即《河圖》之全部圖型也。於是合《易·繫辭》、《洪範》之五行之次、《禮記·月令》之成數、《左傳》及杜《注》、楊子《太玄·元圖》篇與《漢書·五行志》，於是《河圖》五行一生一成之圖於以完成矣。吾人可以肯定，此五行十干生成之學說，即自古以來，論占陰陽吉凶災異之根據，爲古代天文學家神秘學家鑽研傳授之學理。特其生剋制化失傳耳。

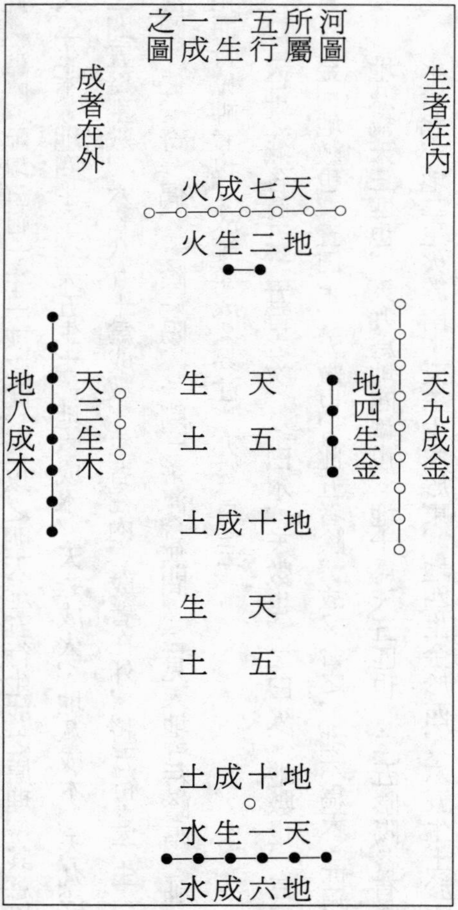

此《河圖》配以五行一生一成之圖，蓋以之明天地五行生成之原理，其意以天一生水，地二生火，天三生木，地四生金，天五生土，地六成水，天七成火，地八成木，天九成金，地十成土者也，一二三四五爲生數，六七八九十爲成數，生者在內，成者在外，將五行之一生一成配以《河圖》，恰與《河圖》之一奇一偶、一陰一陽、一剛一柔渾合無間，益見天地五行陰陽之神，此先儒鑽研以爲能成變化而行鬼神者也。故鄭康成《易注》亦嘗言之云：

（源十一）天地之氣各有五，五行之次，一曰水，天數也，二曰火，地數也，三曰木，天數也，四曰金，地數也，五曰土，天數也，此五者陰，故又合之，地六爲天一匹也，天七爲地二耦也，地八爲天三匹也，天九爲地四耦也，地十爲天五匹也，二五陰陽各有合也，又曰，天一生水於北，地二生火於南，天三生木於東，地四生金於西，六五生土於中，又曰，布六于北方以象水，布八於東方以象木，布九於西方以象金，布七於南方以象火。

按《河圖》《洛書》之理數至此已粲然大備矣，可見古必有以此傳授之圖案，陳摶既得道術之秘傳，復考以上諸文，與天地之數而畫成圖，是其言皆本之於聖賢之文也。故確然而有當，經邵子朱子蔡元定之推演。其理數愈密，清儒雖盡攻之，然其理數則已確然而不拔，至今雖婦人小子皆知有《河圖》《洛書》矣。故畫圖者上考諸群籍之藪，遂於此極深研精，潛神凝慮，述理數之原流，窮極細微亦有足稱讚者也，復有馬融、虞翻、王肅《易注》皆有《河圖》之略影，今觀《周易正義》引先儒馬融、王肅等云：

（源十二）五位相合以陰從陽，天得三合謂一三與五也，地得兩合謂二與四也。

惟虞翻注《繫辭》與今《河圖》之模型亦類似焉。

（源十三）或以一六合水，二七合火，三八合木，四九合金，五十合土也，天一水甲、地二火乙、天三木丙、地四金丁、天五土戊、地六水己、天七火庚、地八木辛、天九金壬、地十土癸。

此則大衍之數，五十有五，蓍龜所從生，聖人以通神明之德，以類萬物之情。

其曰甲乙丙丁戊己庚辛壬癸，即一二三四五六七八九十也，然則其注嚴然已是河圖之縮影也。惟其比爲用於筮數，以通神明者也，殆爲古代占筮神栻天盤之規模。《易緯乾坤鑿度》云：

（源十四）生天數：天本一，而立一爲數源，地配生六，成天地之數，合而成（注：水）性。天三、地八；（注：木），天七，地二（注：火）；天五地十（注：土）；天九、地四（注：金）。運五行先水，次木生火，次土及金木、仁；火、禮；土、信；水、智；金、義。又萬名經曰：「水土兼智信，木火兼仁惠，五事天性，訓成人倫。」

此亦已指出《河圖》天一地六合水，配智，居北。地二天七合火配禮，居南。天三地八合木，居東配仁。天五地十合土，配信居中。地四天九合金，配義居西。此《河圖》方安而又以仁義禮智信五常人倫之德配焉。似亦爲占筮神盤所用之秘術。《易繫》晉韓康伯注云：

（源十五）天地之數各五，五數相配以合成金木水火土，五奇合爲二十五，五耦合爲三十。

唐孔穎達之《疏》則云：

（源十六）此言天地陰陽奇耦之數也，若天一與地六相得合爲水，地二與天七相得合爲火，天三與地八相得合爲木，地四與天九相得合爲金，天五與地十相得合爲土也。是天地之數相合爲五十五，此乃陰陽奇耦之數，非是上文演天地之策也，言此陽奇陰耦之數，成就其變化，言變化以此陰陽而成，故云成變化也，而宣行鬼神之用，言鬼神以此陰陽而後宣行。

具此十六項證據，加上陳氏《易龍圖》，則邵子《河圖》之淵源也。然則《河圖》之淵源亦遠有所承，而有端緒者也。是故其圖縱非《河圖》之本來面目，然合於天地陰陽五行生成之數，合於古代占筮神杖之法則，亦遠有所法者也，其規模所自，亦良有至理存焉，由是北宋之儒者傳授《河圖》《洛書》之圖案，以入《易經》，此後諸儒注《易》，言及《河圖》者即以是爲言。茲統納群言，作河圖數理表解。

河圖數	方位	五星	五行	五行之性	五行之位	五時
一六	北	辰星	水	潤下	作鹹（入腎）	冬
二七	南	熒惑	火	炎上	作苦（入心）	夏
三八	東	歲星	木	曲直	作酸（入肝）	春
四九	西	太白	金	從革	作辛（入肺）	秋
五十	中	鎭星	土	稼穡	作甘（入脾）	長夏、中央土
月令漢書等	禮月令	禮月令	書洪範	書洪範	書洪範	禮月令

五氣	寒	熱	風	燥	濕	禮月令等
日干	壬癸	丙丁	甲乙	庚辛	戊己	
時	藏	養	生	殺	該	太玄經
五事	貌	言	視	聽	思	書洪範
五用	恭	從	明	聰	睿	書洪範
	肅	×	哲	謀	聖	書洪範
庶徵	雨	暘	燠	寒	風	書洪範
休徵	時雨	時暘	時燠	時寒	時風	蔡氏考定
咎	狂	僭	豫	急	蒙	書洪範
咎徵	恆雨	恆暘	恆燠	恆寒	恆風	
五性	智	禮	仁	義	信	孔子
四端	是非	辭讓	惻隱	羞惡		孟子
五倫	夫婦有別	兄弟有序	父子有親	君臣有義	朋友有信	
五藏	賢	心	肝	肺	脾	素問、書注
五竅	耳	舌	目	鼻	口	素問
五養	聲	味	色	臭	飲食	
五欲	欲聲	欲味	欲色	欲臭	欲安佚	

五音	羽	徵	角	商	宮	禮月令
五聲	呻	笑	呼	哭	歌	本素問
五色	黑	赤	青	白	黃	禮月令
五臭	朽	焦	羶	腥	香	本月令
五體	骨（華在髮）	脈（華在面）	筋（華在爪）	皮（華在毛）	肉（華在唇）	本素問
五藏	志	神	魂	魄	意	以下皆素問
五液	唾	汗	激	涕	涎	
五惡	腎惡燥	心惡熱	肝惡風	肺惡寒	脾惡溼	
五志	恐	喜	怒	憂	思	
志傷	恐傷腎	喜傷心	怒傷肝	憂傷肺	思傷脾	
志勝	思勝恐	恐勝喜	悲勝怒	喜勝憂	怒勝思	
氣傷	寒傷血	熱傷氣	風傷筋	熱傷皮毛	溼傷肉	
氣勝	燥勝寒	寒傷熱	燥勝風	寒勝熱	風勝溼	？
味傷	鹹傷血	苦寒氣	酸傷筋	辛傷皮毛	甘傷肉	
味勝	甘勝鹹	鹹勝苦	辛勝酸	苦勝辛	酸勝甘	
變動	慄	嘔	握	欬	噦	
藥養	鹹養脈	苦養氣	酸養骨	辛養筋	甘養肉、滑養竅	見月令

五蟲	介	羽	鱗	毛	果	見月令
五穀	菽	黍	麥	麻	稷	月令注
五牲	豕	羊	雞	犬	牛	
五器	準	繩	規	矩	度量	太玄

二、洛書之淵源

今朱子蔡元定所定之《洛書》，即劉牧之《河圖》是也。其源亦遠有端緒，《易·繫辭》云：

（源一）天一地二、天三地四、天五地六、天七地八、天九地十。

（源二）河出圖，洛出書，聖人則之。

其淵源所見，亦從《易·繫辭》出發，過後與《易緯·乾鑿度》、大戴《禮記·明堂》篇、《書經·洪範》、《尙書·孔傳》等合流而成，東晉梅賾所上《尙書·孔傳》云：

（源三）洛出書，神龜負文而出，列於背，有數自一至九。

《大戴禮·明堂》篇云：

（源四）明堂者古有之也，凡九室，二九四、七五三、六一八。注曰：「記用九室，謂法龜文，故取此數以爲制也。」

《後漢書》劉瑜上書曰：

（源五）古者天子一娶九女，《河圖》受嗣正在九房。

其曰九房《河圖》，劉牧以九爲《河圖》，而不曰《洛書》者殆本於此乎，其亦言之成理也，北周甄鸞注《數術記遺·九宮算》云：

（源六）九宮者即二四爲肩。六八爲足，左三右七，戴九履一，五居中央。

《後漢書·張衡傳》云：自中興後，儒者爭學圖緯兼附妖言，衡上疏曰：

（源七）聖人明審律曆以定吉兇。重之以卜筮，雜之以九宮，律曆卦侯大宮風角數有徵效。

明堂位

四	九	二
三	五	七
八	一	六

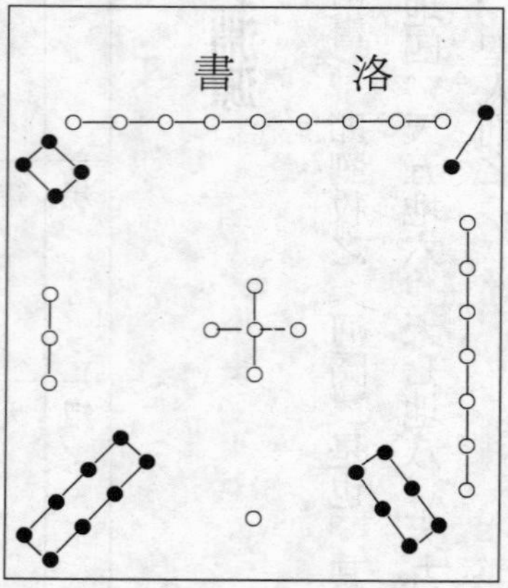

九宮即《洛書》也，亦即奇門遁曰：自古用之有徵效，具見其傳授之遙遠。蓋八卦八陣九宮奇門九星河圖十二紀固圓融無礙，乃先賢之秘傳。

子華子亦有二九四、六八一、七五三之數，其言曰：

（源八）天地之大數莫過乎五，莫中乎五，五居中宮以制萬宮，謂之實也。沖氣之守也，中所以起也。中所以止也，龜筮之所以靈也，神鸞之所以豐融也，通此則條達而無礙者矣，是以二與四九而上躋也。六與八蹈一而下沈也，戴九而履一，據三而持七，五居中宮，數之所由生，一從一橫，數之所由成，故曰天地之大數莫過乎五，莫中乎五，通此則條達而無礙者矣。

然則陳摶本道術之秘傳，考九宮九室、明堂九位以傳授《洛書》，其二九四即今《洛書》戴九，與二四爲肩也，其七五三即今《洛書》之左三右七。與中五也，其六一八即今《洛書》之履一，與六八爲足也，其縱橫左右傾斜，加之皆十五數，乃極精密細巧者也，宋儒洛書本此而定，而加之以白黑圈以表其數目，以一三五七九爲陽，用白圈示之，以二四六八十爲陰，用黑圈示之，即成今所見之《洛書》矣，其位置亦上南下北、左東右西，所以與今地圖方位相反者，蓋《易》以立作座標有座山有方向論，且倒之即成平面圖。位一白圈於下者，其位座南而朝北也，即後天八卦坎位，屬北方於時爲冬，九白圈於上者即座北朝南也，於後天八卦屬於離卦，南方之卦也，於五行爲火，於四時爲夏，左三白圈爲座西朝東即震卦之位，東方木也，於時爲春，右七白圈爲兌卦，西方金也，於時爲秋，座東朝西也，四黑圈在東南方，巽木也，二黑圈在西南方，坤土也，六黑圈爲西北方，乾金也，八黑圈爲東北方，艮土也，且地球爲圓形，《洛書》倒反之即與今地圖上北下南、左東右西之方位相同，如是則《洛書》可表明堂之位，與八方之位、四時五行，有合於後天八卦之位也，故術家常以《洛書》

配八卦八陣奇門九宮九星爲用，良有以也，其源蓋在《易緯·乾鑿度》與鄭玄注解，《易緯·乾鑿度》云：

（源九）易一陰一陽，合于十五之道。故太乙取其數，以行九宮，四正四維，皆合于十五。

此即《洛書》之圖案，縱橫左右相加皆十五者也。鄭注云：

（源十）太一者北辰神名也，下行八卦之宮，每四乃四遠於中央，中央者北辰之所居，故因謂之九宮。天數大分，以陽出，以陰入。陽起于子，陰起于午。是以太乙行九宮從坎宮始，自此而從于坤宮，自此而從于震宮，自此而從于巽宮，所行半矣。還息於中央之宮。既自比又從于乾宮，又自此而從於兌宮，又自此從于艮宮，又自此從于離宮，則周矣。上游息于太乙之宮，而反于紫宮。行起從于坎宮始，終于離宮也。此數皆合于十五，言有法也。

按太一北辰神名，下九宮從坎宮始者，明坎爲一居北也，自此而坤二震三巽四，還息於中央之五宮，又自五宮入乾六而兌七艮八，而終于離九，是爲九宮。即今《洛書》之配卦，與其數也。至于九宮之色，則一白二黑三碧四綠五黃六白七赤八白九紫。一白爲北方，九紫爲南方，三碧于東，七赤以西，配以五行，亦自然而然。

又東漢魏伯陽之《參同契》亦以坎爲一，其言曰：

（源十一）坎戊月精，離己日光，日月爲易，剛柔相當，土王四季，羅洛始終，青赤白黑，各居一方，皆秉中宮，戊己之宮。又云：上觀河圖文，下察地形流。又曰白者金精，黑者水基，水者道樞，其數名一。

其言青赤白黑，即東南西北也，以水爲道樞，其數名一蓋天一生水也。坎爲水故爲一，合上節則坎一坤二震三巽四中五乾六兌七艮八離九，後天八卦配《洛書》之圖成矣，茲附太乙下行九宮圖於此：

太乙下行九宮圖

巽四	離九（陰根於午 行周上反紫宮）	坤二
震三	中五（行半還息中央）	兌七
艮八	坎一（陽根於子）	乾六

由是太乙下行九宮圖以下九宮之數字，盡以一三五七九之白圈，二四六八之黑圈，即今《洛書》之圖也，然則宋儒之傳授《洛書》，亦遠有所本，太乙或作太一，《南齊書·高帝紀》史臣曰：（源十二）案太乙九宮占推漢高五年，太乙在四宮，主人與客俱得吉，計先舉事者勝，是歲高祖破楚。晉元興二年太乙在七宮，太一爲帝，天目爲輔佐，迫脅太一，是年安帝爲桓玄所逼出宮，

大將在一宮，參相在三宮，元興三年太乙在七宮，宋武破桓玄，元嘉元年，太乙在六宮，七年太乙在八宮，十八年太乙在二宮，客主俱不利，泰始元年，太一在二宮，三年在三宮，不利先起，元徽二年在六宮，先起敗，四年在七宮，先起者客，昇明元年太一在七宮，太一在杜門，臨八宮，宋帝禪位。

然則太乙行九宮，亦用乎占算吉兇者也，而與天上星座相應，占者用以占驗，以天文而下應地理，則明堂制九宮壇之所起乎，唐玄宗紀天寶三載十月癸丑，祠九宮貴神於東郊，《唐會要》載天寶三載十月術士蘇嘉慶上言：

（源十三）請於京城置九宮壇，壇一成其上置小壇，東南曰招搖，正東曰軒轅，東北曰太陰，正南曰天一，中央曰天符，正北曰太一，西南曰攝提，正西曰咸池，西北曰青龍，王數爲中，戴九履一，左三右七，二四爲上，六八爲下，符於遁甲。

此與《大戴禮記·明堂》篇所載同，與今《洛書》之圖案完全相同，是古代道之有存於世者。武宗會昌二年正起等奏按黃帝《九宮經》及《蕭吉五行大義》。

（源十四）一宮其神太一，星天逢，卦坎，行水，方白，二宮其神攝提，星天內，卦坤，行土，方黑，三宮其神軒轅，星天衝，卦震，行木，方碧，四宮其神招搖，星天輔，卦巽，行木，方綠，五宮其神天符，星天禽，卦坤，行土，方黃，六宮其神青龍，星天心，卦乾，行金，方白，七宮其神咸池，星天柱，卦兌，行金，方赤，八宮其神太陰，星天任，卦艮，行土，方白，九宮其神天一，星天英，卦離，行火，方紫。統八卦、運五行，飛於中數，數於極。

此九宮蓋合神、天星、五行、八卦、九色以作神壇，較今《洛書》白黑點所描述之圖案，複雜多矣。蓋亦古道術之有傳於心者。今考《小戴禮記·月令》篇云：

（源十五）孟春天子居青陽左个，仲春居青陽太廟，季春居青陽右个，孟夏居明堂左个，仲夏居明堂太室，季夏居明堂右个，中央土居太廟太室，孟秋居總章左个，仲秋居總章太廟，季秋居總章右个，孟冬居元堂左个，仲冬居元堂太廟，季冬居元堂右个。

朱子以爲青陽左个即元堂右个，青陽右个即明堂左个，明堂右个即總章左个，總章右个乃元堂左个。隨時之方位而開門，明堂之制當有九室，如井田之制。蓋青陽則東方木也，於時爲春，而有左右中之別，總章則西方金也，於時爲秋，明堂則南方火也，於時爲夏，元堂則北方水也，於時爲冬，皆有左中右之別，合之爲十二，古者天子九室而闢十二門以應十二月，蓋明堂之制也，班固兩都賦曰：「立十二之通門。」是也。今以後天八卦表八方之方位，震爲木屬東方於時爲春，巽在東南，離爲火屬南於時爲夏，坤爲土在西南，兌爲金在西方於時爲秋，乾在西北，坎爲水主北方於時爲冬，配以大小戴明堂說，則制成明堂九室圖如下：

明堂九室圖

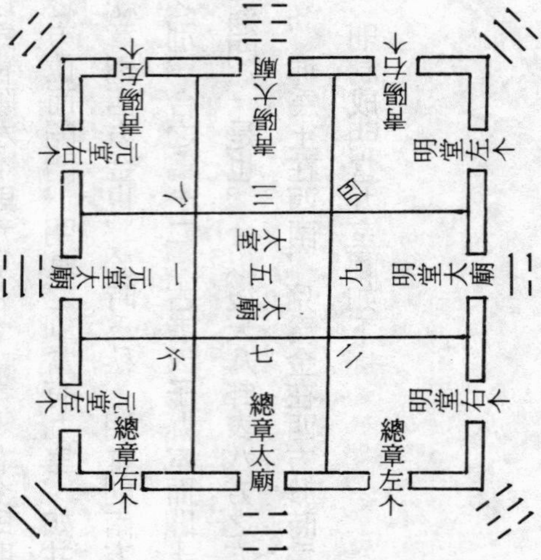

由上十四項可知《洛書》之源尚矣，而其圖案所自雖則至簡，至其含意上至天文星相，下至神壇明堂宮室，乃至占歷入卦術數方位皆靡所不包，是宋儒所傳授《洛書》之圖案，亦非閉門造車而杜撰者也，究其淵源所自，亦有與《尚書·洪範》九疇合流者，劉歆以爲《尚書·洪範》篇自「初一曰五行」至「威用六極」乃《尚書》本文，《漢書·五行志》云：

（源十六）易曰天垂象，見吉凶，聖人象之，河出圖，洛出書，聖人則之，劉歆以爲宓羲氏繼天而王，受《河圖》則而畫之，八卦是也，禹治洪水，賜《雒書》法而陳之，洪範是也，聖人行其道而貴其眞，降及于殷，箕子在父師位而典之，周既克殷，以箕子歸，武王親虛己而問焉，故經曰惟十有三祀，王訪于箕子，王廼言曰烏嘑箕子，惟天陰騭下民，相協厥居，我不知其彝倫攸敘，箕子廼言曰我聞在昔，鯀陻洪水，汩陳其五行。帝乃震怒，弗畀洪範九疇彝倫攸敘，此武王問《雒書》於箕子，箕子對禹得《雒書》之意也，初一曰五行，次二曰羞用五事，次三曰農用八政，次四曰叶用五紀，次五曰建用皇極，次六曰艾用三德，次七曰明用稽疑，次八曰念用庶徵，次九曰嚮用五福，畏用六極。凡此六十五字皆《雒書》本文，所謂天道錫禹大法九章，常事所次者也，以爲《河圖》《雒書》相爲經緯，八卦九章相爲表裏。

班固《漢書·五行志》贊亦云：

（源十七）《河圖》命唐，《洛書》賜禹，八卦成列，九疇攸敘。

信斯言也，則九疇即《洛書》也，劉歆班固以爲《洪範》「初一曰王行」下六十五字爲《洛書》本文，蓋漢儒以《河圖》《洛書》爲書名，上則以此六十五字爲《書經》本文。宋儒用太乙行九宮與明堂位之圖案以爲《洛書》，其後遂有合今所見之《洛書》於《洪範》九疇者矣。凡此十七點，乃宋儒《洛書》之所由成，與後人演《洛書》圖案以合《洪範》九疇者也，總之，宋儒所撰《洛書》之圖案，亦遠有端緒，含意深遠，占歷、風角、堪輿、陽宅，術家於此皆極深研精，鉤深致遠，然則《洛書》圖案之效用與影響可謂大矣。

詩蓼莪缾罄罍恥喻義辨

臺灣師範大學 王關仕

《詩‧小雅‧蓼莪》：「缾之罄矣，維罍之恥。」

《傳》：「缾小而罍大。罄，盡也。」

《箋》：「缾小而盡，罍大而盈，言爲罍恥者。刺王不使富分貧，衆恤寡。」

《疏》：「《正義》曰：罍器大，缾器小。酌酒者當多酌罍，少酌缾，不使小缾先竭。今缾之既盡矣，而罍尚盈滿，是爲酌罍者之恥也。以興民有富而多丁，貧而寡弱，治民者當多役富，少役貧；不使貧者先困。今貧者既困矣，而富者尚饒裕，是王之恥也。」

馬瑞辰證《毛傳》曰：「瑞辰按：《爾雅‧釋器》：小罍謂之坎。郭《注》：罍形似壺，大者受一斛。一斛者，十斗也。……《說文》：缾，甕也。《儀禮‧既夕禮》：甕三。鄭《注》：甕、瓦器，其容盡一觳；一觳者，斗二升也。《三禮圖》云：罍大一斛，其所容甚多，瀉酒于缾，以供斟酌。此罍大缾小之證。」（註一）其證確鑿。

《毛詩．李黃集解》：「（鄭《箋》）其說不類。王氏皆以缾喻民，罍喻王；缾罄則爲罍之恥，」（註二）

胡承珙《毛詩後箋》駁《箋》、《疏》云：「《正義》中《箋》云：言爲罍恥者，是爲主罍者之恥，即酌者也。承珙案，此實事外添設，經但言罍恥，不言酌罍者之恥。」（註三）言《箋》、《疏》增字解經之非是。

朱熹《集傳》：「言缾資於罍，而罍資缾，猶父母與子相依爲命也。故缾罄矣，乃罍之恥；猶父母不得其所，乃子之責。」

胡承珙評之曰：「《集傳》以缾比父母，罍比子，語意倒置。劉氏謹謂，但取相資之義，而不取義於缾、罍之大小，究有未安。嚴《緝》則據《易》羸其缾，《儀禮》罍水在洗東，謂缾以汲水，罍以盛水，缾罄竭，則罍無所資，爲罍之恥；猶子窮困，則貽親之羞。此說雖勝《集傳》，然〈序〉言刺王，仍當以《箋》《疏》爲正。但大旨云民勞失養，乃國家之恥，猶所謂四郊多壘，卿大夫之恥者，不必以罍喻富衆，缾喻貧寡。後漢陳忠曰：蓼莪之人，作詩自傷曰：『缾之罄矣，惟罍之恥。』言己不得終竟子道者，亦上之恥也。』忠於安帝建光中上書，在鄭《箋》之前，其釋《詩》最合經旨。」（註四）胡氏所評及舉證頗當，唯以罍喻王，仍囿於〈詩序〉之言。

陳奐《詩毛傳疏》：「昭二十四年《左傳》，鄭子大叔對范獻子曰：今王室實蠢蠢焉，吾小國懼矣，然大國之憂也。吾儕何知焉？吾子其早圖之。詩曰：『缾之罄矣，惟罍之恥。』王室之不寧，晉之恥也。此引《詩》缾喻己小國，罍喻晉大國，雖是斷章，亦取缾小罍大之義。《傳》云缾小罍大、正本范氏說也。缾小而盡，以喻己不得養父母；罍大而恥，以喻其不能養之之故，實由於上之人征役不息爲可恥也，所以刺幽王也。」（註五）與胡氏之意同。

歐陽修《詩本義》卷八：「（鄭氏）以缾罍比貧富之民，非詩人之本意。……缾罍，物之同類也，此述勞苦之民自相哀之辭也。」（註六）所匡鄭甚是，惟未明言缾罍所喻。

嚴粲《詩緝》：「罍之用不一，《周禮·鬯人》：社壝用大罍。則盛鬯也；《司尊彝》：祠禴嘗烝皆有罍，及《詩·卷耳》酌彼金罍，皆盛酒也。《儀禮》罍水在洗東，則盛水也。此以缾罍並言，則指罍之盛水者。」（註七）

《說文》：「櫑，龜目酒尊，刻木作雷象，象施不窮也。從木從畾，畾亦聲。」重文作罍、𦉪，𦉜。「象施不窮也。」是罍之蘊義有二：一爲器大，所容多。二爲累積液體（酒，水）以待施出。

《儀禮·燕禮》：「罍水在東，」《少牢》：「司宮設罍水于洗東，有枓。」鄭《注》：「枓，㪺水器也。凡設水用罍，沃盥用枓。」是罍爲容水器，所存水用枓取出，用以沃盥，此罍必爲大器，而所容待施出之證。

《詩周南·卷耳》：「我姑酌彼金罍，維以不永懷。」《傳》：「人君黃金罍，」是用銅罍以盛酒，酌其所儲酒入于觶爵等以飲，亦爲大器，而有施出之意。

《儀禮》所用者爲大夫及國君，依鄭《注》則士亦用罍，爲非平民之用器；《詩》云：「酌彼金罍，」當爲士大夫以上之用器。缾以喻小民，罍以喻大人，即有爵士者，其財物賦之於民。民窮行役，不得養其父母，而在上位者未施以恤其家，致令父母死亡，故云：「缾之罄矣，惟罍之恥。」喻平民之家窮乏，無以爲生，乃有土有財之大人之恥。即以小之缾喻小民，以大之罍喻大人；未必以罍喻幽王一人。

〔附　註〕

（註一）《毛詩傳箋通釋》，《皇清經解續編》，頁四八八二。
（註二）《通志堂經解》，頁九七〇三。
（註三）《皇清經解續編》，頁五五〇八。
（註四）同上。
（註五）《皇清經解續編》，頁九二四三。
（註六）《通志堂經解》，頁九二五四至九二五五。
（註七）《廣文書局》影《味俘堂》本《詩緝》卷二十二，頁之。

述舊德

高雄醫學院　李雲光

每誦《西都賦》：「士食舊德之名氏，農服先疇之畎畝」的句子，便會念起老家來。幼年時，常聽先父細說家族的故事，使我悠然神往。如今，離開老家已四十年，先父去世也三十多年了。先父積數年心力重修的《李氏族譜》，化爲劫灰，只能在與舍弟的通信中，得到一些零碎的資料，使我有幸重溫一下老家的舊夢。

河南省社旗縣（註一）李店鄉的半坡村，住有姓李的幾十戶人家。那個村莊被同族的六千餘人稱爲「老家」。有幾所瓦房，牆特別厚，棟樑特別粗大，據說有幾百年的歷史。這個村莊坐落在唐河（註二）岸上一條黃土岡的半坡上，是它得名的原因。這個村的人有蒙古族的血統，爲別於同姓不同族的李家，被呼爲「半坡李家」。

半坡李家，世代以耕讀爲業，有擁有數百頃地的「主家」，也出了擁有數種宋版書的進士。族人傳習著一種特有的拳術，稱爲「老家兒拳」，出了幾位以功夫享名的人物。

這個家族的史料，現已殘缺不全，只賸下社旗縣田莊鄉小楊莊李葆信家藏的清同治辛未年重修的

《李氏族譜》，陌陂鄉萬莊村李清芳家藏的清光緒十一年孟春月中旬重修的《李氏族譜》。可惜民國二十五年重修的資料完整又附有圖版的鉛印線裝本《李氏族譜》，已遍尋不獲了（註三）。

和半坡李家有同族之誼的尚有世居河南省洛陽市的一支。那一支的史料也不豐富，只有居住於洛陽市孟津縣麻屯鄉軍帳村李學仁和常袋鎮李應祿家藏的民國二十一年重修的《李氏族譜》。那一支走得快些，已恢復了蒙古族的族別，作家李准便是那一支的有名人物。半坡李家這一支，走得較慢。有些族人以爲已經漢化數百年了，何必復古；有些族人常出席當地的民族會議，發動了會族祭祖等活動，並且籌畫修譜立碑的大計，主張更改和恢復族名。又有人在《中州今古》期刊上發表了有關河南省家族史的文章，（註四）使氏族尋根的意識，鼓動起很多人的熱情。筆者在此簡述一下族史和特有習俗，爲尋根事累積少許素材。

一、族史簡述

本族姓氏原爲札剌爾，十二世紀時，住在斡難河的東面，在今蒙古肯特省境內。始祖伯顏因住在名爲帖列格禿的地區，被稱爲帖列格禿伯顏。他有三個兒子，長子名叫孔溫窟哇，是元史中可考的人物，宋英宗時被追封爲魯國王，所以有的族譜中稱他爲始祖，本文中稱爲二世祖。孔溫窟哇有五子，第三子名叫木華黎，是元初四傑之一，有開國之功。也是本族最顯赫的祖宗，所以有的族譜以他爲始祖，本文稱他爲三世祖。宋寧宗慶元二年（一一九六），伯頻帶領子孫謁見在部落爭戰中崛起的帖木眞，把孔溫窟哇和木華黎交給他，作爲不許脫逃的忠實臣僕。孔溫窟哇在帖木眞被敵人追擊陷於絕境時，捨身救主，名垂青史。木華黎身長八尺，虬鬚黑面，猿臂善射，沈毅多智略。他率領了帖木眞屬下最精銳的部隊，屢建殊勳；又曾以天神所顯示的讖兆告訴帖木眞。所以當宋寧宗開禧二年（一二〇六），蒙古諸部落大會於斡難河源，推帖木眞爲大汗，上尊號爲成吉思汗時，木華黎被封爲百官之首位的國王，許他子孫傳國，世世不絕。卒後封魯國王，謚忠武。賜廟祀於東平（今山東省東平縣）。四世祖索魯襲父爵。五世祖霸都魯封東平王，六世祖和童襲封。七世祖帖思任松江（今上海市松江縣）萬戶府，八世祖咬兒襲父職，舉家自東平遷松江。元順帝至正丙午（一三六六），明師取松江，九世祖可用因「款附意緩，謫洛陽戍」，「遂居洛陽南關，是爲河南祖。此後遷至洛陽西北鄉二十五里李家營村。」（註五）

可用遷洛陽後，由前朝勳裔，淪爲亡國遺民。爲了避禍，改爲李姓。李字可拆作木子，暗寓木華黎子孫之意。他有二子，長子名英，次子名茂。英字文秀，於明洪武八年（一三七五），遷到「唐縣北四十里半坡」（註六）。唐縣因與河北省唐縣同名，後改爲唐河縣。今半坡畫歸新成立的社旗縣李店鄉。因李英南遷，所以現今洛陽市的李姓蒙族都是李茂的後裔。他們除聚居李家營外，附近的西陡溝、水泉、柏樹溝、下屯、常袋、軍帳、狂口、韓莊、麻屯、單寨等村，都有同族的人居住。現在的人口總數約兩千人。著名作家李准便是孟津縣麻屯村人。

李英是半坡李家常說的「一挑兩擔」自洛陽南下的「始祖文秀公」。從他開始，子孫繁衍已有二十一世。可是在半坡李家所修的《李氏族譜》裏，是從七世祖增光以後纔開始了世系的紀錄。據說從二世到六世的祖先們因中原地帶長期戰亂，族衆逃散，不知下落。所以半坡李家都是七世祖的後代。據最近的統計，僅以住在唐河和社旗兩縣的族人爲限，共有一千零六十四戶，五千七百一十八人。

二、特有習俗

1.拜扁擔　本族和當地人民一樣，都有拜月的習俗。所不同者，本族人在供桌前還陳設了一條挑物用的扁擔，與月神共享祭祀。傳說文秀公在洛陽時，聽說當地漢人約齊「八月十五殺韃子」，便用扁擔挑了衣物，南下避禍。扁擔是他唯一的創業工具，後人因此定下了拜扁擔的習俗。至今半坡李家的長門還保存了文秀公當年用過的扁擔，用紅綢子包著，放在樓上。每逢農曆新年，族人到長門拜年，都要登樓瞻仰這一件傳家之寶。

2.送路　本族的人當親屬亡故之後，用兩根長槓子檯著一把大圈椅，椅上放了死者的衣物，由兩人檯著出門，家屬跟在後面，向北送到十字路口，叫做「送路」。象徵爲死者送行，回到北方的蒙古。這個習俗相當於當地漢人的「報廟」。「報廟」的禮節是：人死之後，家屬要到當地的土地廟前焚香叩頭，燒一張寫有死者姓名和生卒年月時辰的黃表紙，表示向主管本地戶籍的神靈有所報告的意思。而「送路」卻是要死者魂歸北方故土，不在本地落戶。有強烈的民族意識。

3.拜北斗　這一個習俗是：族人在每年農曆正月初五、十四、二十三這三天晚上，每家都要在院子裏擺設香案。首先由家中長者向北斗星焚香叩頭，口念祝詞：「拜北斗，燒夜香，二十四拜拜上方。腳踏本地土，手指青天上。」後面三句也有不同的口傳，其詞是：「腳登花蓮石，手扒青龍山，一家老少保平安。」但是「花蓮石」指甚麼，「青龍山」在那裏？原來的意義已經失傳了。長者拜過後，全家人按照長幼順序一一參拜。筆者查過蒙古族信奉的薩滿教的教義，有對自然崇拜、圖騰崇拜、鬼魂與祖先崇拜等。在自然現象方面，對日月星辰、雷鳴閃電、山川土地等，都可作爲崇拜的對象。在星辰崇拜中，最特別的是「七老」，就是北斗星。要用酸馬奶或其他動物爲祭品，來祈禱家人的幸福和平安。族人這個習俗，很可能有一點宗教上的淵源的。

4.敬大仙　在中共建立政權前，半坡李家的族人，都敬奉大仙。每逢蓂曆初一和十五的晚上，人靜之後，在堂屋的閣樓上或倉房的暗處，祭拜大仙，一般都是由家中主婦致祭。又每逢農曆新年，族人回半坡老家拜年，路程遙遠的要留在老家過夜，多半住在長門的一座古老的客房裏。臨睡之前，主人都要向大仙禱告一番，大意是某村的某人回來了。如有驚動，大仙不要怪罪。所謂「大仙」，據說就是狐仙，也有說是本家的祖先。不知與薩滿教的圖騰或祖先崇拜有沒有關係。另據河南省淅川縣九重院王姓蒙裔人士說，他們也有這樣的習俗，相傳「大仙」就是「韃仙」，也就是蒙族的祖先。

〔附　註〕

（註一）是中共建政後，從唐河、南陽等鄰近的縣份中劃分出來的一個新縣。

(註二)在河南省西南部，發源於方城縣，流經社旗、唐河兩縣。入湖北省後與白河匯合，入於漢水。

(註三)重修這個族譜時，族中的代表開過多次會議，公推先父坦安公主理其事，也是執筆的人。譜中的世系一直續到一九三六年定稿之時。由先父作序，送往北平刊印。時在北平居住的蔚如大哥看過，又加了一篇序。印成之後，因抗日戰爭爆發，運到河南老家的只有數十本，其餘存在北平李蔚如家中。中共建政後，李蔚如的後人家敗人亡。據舍弟說，這次刊印的族譜，可能全部散失了。他自己保存的那一本，在一九六八年七月時，也化爲烏有。

(註四)《中州今古》一九八五年第二期載有任崇岳、匡裕徹《河南蒙古族探源》，一九八六年第二期載有李葆中《南陽地區的另一支蒙族》

(註五)(註六)引號中的字句，都是舊抄本族譜的原文。

試論老子首章的句讀問題

中興大學　胡楚生

一、引言

《老子》首章，是全書八十一章中最爲重要的一章，（註一）只是，此章的句讀，向來卻存在著一些頗具爭論的問題，歷代注釋《老子》的學者們，對於《老子》首章的句讀，大致有著兩種明顯不同的文字點斷，第一種是：

道可道，非常道，名可名，非常名，無名，天地之始，有名，萬物之母，故常無欲，以觀其妙，常有欲，以觀其徼，此兩者，同出而異名，同謂之玄，玄之又玄，衆妙之門。

這種句讀的方式，重點在上文以「無名」「有名」點斷，下文以「無欲」「有欲」點斷，這種句讀的方式，可以王弼之注爲代表，歷來不少的學者，像呂吉甫、王道、吳澄、魏源等，在他們的著述中，都採取這種句讀的方式，（註二）另外一種文字點斷的方式是：

道可道，非常道，名可名，非常名，無，名天地之始，有，名萬物之母，故常無，欲以觀其妙，常有，欲以觀其徼，此兩者，同出而異名，同謂之玄，玄之又玄，衆妙之門。

這種句讀的方式，重點在於上文以「無」「有」點斷，下文也以「無」「有」點斷，這種句讀的方式，可以王安石之注爲代表，歷來不少的學者，像俞樾、高亨、于省吾、嚴靈峰等，在他們的著述中，都採取這種句讀的方式，（註三）另外，像蘇轍在《老子注》中，上文以「無名」「有名」點斷，下文以「無」「有」點斷，後世從其說者，爲數較少，暫置不論，以下，主要討論前述兩種句讀的問題。

二、從文法上考察

討論《老子》首章的句讀問題，我們可以從《老子》首章的語義文法上、從《老子》書中的習慣用語上、從《老子》全書的思想義理上，分別去作考察，以下，先從《老子》首章的語義文法上，加以討論。

《老子》首章之中，有一「故」字，「故」字是承上起下之詞，意義與「是以」「所以」相當，是承接上文的原因，以推言其結果的轉接用語，因此，在《老子》的首章之中，「故」字必然應該發揮其「承上起下」的呼應功能，「故」字既然應該發揮它那「承上起下」的呼應功能，則《老子》首章的上文與下文之間，一定有著相當程度的彼此呼應，也必然有其上下文相互影響的「互動」關係，從這個角度去考察，如果上文的句讀作「無，名天地之始，有，名萬物之母」，下文的句讀作「常無，欲以觀其妙，常有，欲以觀其徼」，則上文的「無」「有」，正是以「故」字作樞紐，作「承上起下」之詞，而與下文的「無」「有」，適相呼應，不止在語氣上互相呼應，同時，在意義上也正相呼應。反之，如果上文的句讀作「無名，天地之始，有名，萬物之母」，下文的句讀作「常無欲，以觀其妙，常有欲，以觀其徼」，則上文的「無名」「有名」，與下文的「無欲」「有欲」相互之間，在語氣上、在意義上，兩種不同的事物，都無法作出彼此的呼應，而此章中的「故」字，也就失去了它在文章中「承上起下」的作用，失去了它存在的價值，《老子》行文，實不應疏忽至此。當然，如果上文以「無名」「有名」點斷，下文以「無」「有」點斷，像蘇轍所主張的，則同樣也有著上下文不相呼應的缺失。

另外，老子在首章之末，分明說是「此兩者，同出而異名，同謂之玄，玄之又玄，衆妙之門」，如果此章上文以「無」「有」斷句，下文也以「無」「有」斷句，則此章文末的「結語」，正好總結前述各句的意義，而指明了「無」與「有」便是「同謂之玄」的「此兩者」，反之，不論此章上文以「無名」「有名」斷句，下文以「無欲」「有欲」斷句，或是上文以「無名」「有名」斷句，下文以「無」「有」斷句，則總束前言的「結語」，都只能說是「此四者」，而不能再是「此兩者」了，古人行文，豈能疏忽至此？同時，老子曾說：「有無相生。」（註四）又說：「天下萬物生於有，有生於無。」（註五）因此，只有「此兩者」的「無」與「有」，才可以說是「同出而異名」，才可以說是「同謂之玄」，否則，如果提出「無名」「有名」，「無欲」「有欲」，或是提出「無名」「有名」「無」與「有」，則此「四」者，又有什麼「玄妙」可言，又豈能「同謂之玄」呢？此「四」者，雖然是「異名」，又豈能稱之爲「同出」呢？

三、從用語上考察

以下，我們從《老子》書中，用語的習慣方面，再作考察，由於王弼注本，首章以「無名」「有名」，「無欲」「有欲」斷句，此節的討論，就從這四則語詞，作一考察，《老子》書，確實多言「無欲」，除第一章中，暫不計算之外，例如：

「常使民無知無欲。」（三章）

「常無欲，可名於小。」（三十四章）

「夫亦將無欲。」（三十七章）

「我無欲而民自樸。」（五十七章）

以上的文句中，都提到了「無欲」，另外，《老子》書中，雖然不說「無欲」，而意義與此相同相近的，也有不少，例如：

「少私寡欲。」（十九章）

「不欲以靜。」（三十七章）

「是以聖人欲不欲。」（六十四章）

「不見可欲。」（三章）

「咎莫大於欲得。」（四十六章）

以上的這些「寡欲」、「不欲」、「不見可欲」、「咎莫大於欲得」，意義也都與「無欲」相同或是相近，因此，「無欲」「寡欲」，確實與老子清靜自然、恬淡無爲的思想，適相符合，但是，《老子》書中，卻絕不見有任何主張「有欲」的地方。（只除了第一章中疑似之處，尚待考察之外）

同時，《老子》首章曾說「故常無欲以觀其妙，常有以觀其徼」，因此，「觀妙」「觀徼」，應該也是此章的重點之一，其實，「觀」字在老子心目中，是一件極爲重要的修養工夫，《老子》十六章說：「致虛極，守靜篤，萬物並作，吾以觀其復，夫物芸芸，各復歸其根。」老子以爲，天地萬物的生長運行，都有一個共同的規律，那就是「返復」，如果人們能夠把握住此一規律，那麼，就能夠「執古之道，以御今之有」（註六），也就能夠「沒身不殆」（註七），因此，人們需要去從事修養的工夫，去致其清虛之心，而達於至極之境，去守其寧靜之意，而達於深篤之域，才能夠培養出虛壹清靜的能「觀」之心，才能夠從紛繁錯雜變化莫測的事物表面現象之中，而「觀察」出它們背後至簡至要不變不易的原理規律，然後加以秉執控御，以達到「能知古始，是謂道紀」（註八）的目的。

實則，老子所謂的「觀」，不僅向外觀理，也同時返照內觀，自內心以觀衆理，像老子所說的「希言自然，故飄風不終朝，驟雨不終日，孰爲此者天地，天地尚不能久，而況於人乎」（註九），是向外觀理的例子，像老子所說的「不出戶，知天下，不窺牖，見天道，其出彌遠，其知彌少」（註一

○)，就是默思冥會，返照內觀，向內心求觀衆理的例子，所以老子要說，「爲學日益，爲道日損，損之又損，以至於無爲」(註一一)，爲學爲道，正是分別向外向內觀理的兩種不同的方式，只有向內「損之又損」才能將內心中的雜念物欲，掃除殆盡，才能讓內心本具的明覺呈露，以達到「無爲」的境地，才能返照內觀，使衆理顯現，因此，「觀」在老子思想中，是一件極其重要的修養工夫。

《老子》首章，以闡釋形上之「道」爲主，道的奧妙，不可言說，道的體相，不易明瞭，因此，老子提出了「觀其妙」與「觀其徼」的方法，以協助人們去了悟「道」的特性，人們以「無欲」之心，淸虛靜謐，固然可以觀「妙」，但是，如果以「有欲」之心爲念，則私欲已經蒙蔽了自己可觀能觀的心靈，又如何可以去從事「觀」的工夫，以求能得到其「徼」呢？

另外，《老子》書中，雖然曾說到「無名」，像三十五章的「道常無名」，三十七章的「無名之樸」，四十一章的「道隱無名」，但卻罕見「有名」之詞，只有三十二章之中，偶一提到「始制有名」而已，因此，在《老子》首章之中，既然是以闡釋「天地之始」與「萬物之母」的「道」爲主旨，則以「無名」爲說，也還可通，若以「有名」爲說，則極不相宜了。

總之，在《老子》首章之中，「有欲」既然絕對不能作爲「觀」的條件，則從「故」字承上起下的作用而言，其上文的「無名」「有名」，也將同時不能成立，何況，「有名」之說，也絕對不符合老子天道的用意呢！(當詳下節)

四、從義理上考察

《老子》首章，主要在於闡明形上的道體，老子以爲，「道」是創生宇宙的根源，所以他說：「有物混成，先天地生，寂兮寥兮，獨立而不改，周行而不殆，可以爲天下母，吾不知其名，字之曰道。」（註一二）又說：「道生一，一生二，二生三，三生萬物。」（註一三）因此，老子以爲，天地萬物，都是由「道」而產生的，但是，「道」並不是一個實體，他說：「道之爲物，惟恍惟惚，惚兮恍兮，其中有象，恍兮惚兮，其中有物，窈兮冥兮，其中有精，其精甚眞，其中有信。」（註一五），是「視之不見」、「聽之不聞」、「搏之不得」（註一六）的，但是，「道」卻不是絕對的零，因此，「道」之爲物，「欲言無邪，而物由以成，欲言有邪，而不見其形」（註一七），因此，道的「體」可以說是「無」，而道的「用」卻可以說是「有」，老子說：「天下萬物生於有，有生於無。」（註一八）又說：「故有無相生。」（註一九）所以，「無」與「有」，在老子書中，其實也都是「道」的代稱，只是，一代表道的「體」，一代表道的「用」而已。

「無」與「有」既然是「道」的代稱，那麼，在《老子》首章之中，如果我們上文以「無，名天地之始，有，名萬物之毋」斷句，下文以「故常無，欲以觀其妙，常有，欲以觀其徼」斷句，那麼，此章的要義，就不難得到適當的解釋，因爲，「道」既然是先天地而生，①自然可以名之爲「天地之始」，②「道」既然是產生宇宙萬物的根源，自然可以名之爲「萬物之母」，同樣地，從「體」上說，

「無」可以名之爲「天地之始」，從「用」上說，「有」可以名之爲「萬物之母」，「無」和「有」的差異，只是「體」與「用」，「隱」與「顯」的關係而已。《老子》首章，前半章言「道體」，後半章言「體道」，前面說「天道」，後面說「人道」，所以，後半章接著說：「故常無，欲以觀其妙，常有，欲以觀其徼。」這是老子從「人」的立場，而叙說人們如何去體悟大道的方法，他以爲，人們常可以從大道的「無」的角度，去體會觀察大道的微妙，常可以從大道的「有」的角度，去體會觀察大道的究竟，《老子》十一章說：「故有之以爲利，無之以爲用。」正是去觀察體會大道而得到的結果。如此，則上文的「無」「有」，與下文的「無」「有」，正相呼應，而在中間擔當承上起下的「故」字，也可以適當地發揮了它的作用，而上下文的「無」「有」也正符合了「此兩者」的條件，「無」與「有」，更是同出於「道」而異其名，大道既然是「微妙玄通，深不可識」（註二〇），則「無」「有」二者，說它們是「同謂之玄，玄之又玄，衆妙之門」，又有何不可呢？

反之，《老子》首章，如果上文以「無名，天地之始，有名，萬物之母」斷句，下文以「故常無欲，以觀其妙，常有，以觀其徼」斷句，那麼，此章的解釋，就很難符合老子的思想了，因爲，從「無名」「有名」、「無欲」「有欲」而言，雖然，《老子》首章，也曾說到「名可名，非常名」，但是，重點卻在於彰明「道可道，非常道」，「名」在首章之中，只是幫助說明「道」的不可言說，「道」的難於明瞭，以爲凡有稱名，即非常名，以襯託凡有可道，即非常道，因此，只是在說「名」不可爲

「常名」，並不牽涉到「無名」「有名」的問題上去，同時，就意義上來看，「無名，天地之始」，天地始創之際，固然可視以爲是「無名」之時，但是，「有名，萬物之母」，能產生萬物的「母」，又怎能只以「有名」二字作爲代表呢？「有名」，又是有什麼名呢？「萬物之母」，自然是指本章的重心「道」了，「道」固然「可以爲天下母」（註二一）固然是「萬物之母」，但是，老子明白地說：「有物混成，先天地生」，「吾不知其名，字之曰道，強爲之名曰大」（註二二），「道」本無名，人強爲之名，「道」當「無名」之時，即已爲「萬物之母」，又何需等到「有名」之時，才能爲「萬物之母」呢？而且，一切世間之「名」，都是由人所命，有人而後有名，但是，老子以爲，「道」之產生，「先天地生」，「道」是產生宇宙天地萬物的根源，是「獨立而不改」的，是早於任何事物而存在的，那麼，「道」自然也應該遠在有「人」之前，就早已存在的了，因此，從先後的次序上說，有「道」而後有「人」，有「人」而後有「名」，名既爲人之所命，那麼，「無名」之前，「道」早已存在，已可以爲「天地之始」與「萬物之母」了，何必還要等到有人命名，等到「有名」之後，才能成爲「萬物之母」呢？因此，「無名，天地之始」，也許勉強還可以說得通，但是，「有名，萬物之母」，卻是絕對說不通的。

在《老子》首章之中，如果上文的「無名」「有名」已經不能解釋得妥當，則從「故」字作承上起下的「互動」關係上來看，下文的「無欲」「有欲」，自然也不能夠有其適當的呼應，而符合《老子》此章的意義了，何況，前節已經提到，既是「有欲」，又如何能去「觀徼」呢？「有欲」之說，也是絕對不符合老子的思想的。

五、結　語

《老子》首章的句讀，自從王安石提出了與王弼不同的點斷方式以後，歷來注釋《老子》的學者們，對於兩種不同的斷句方式，自然先要有所抉擇，然後才能根據自己所擇定的句讀方式，去對《老子》此章，作出詮釋，因此，每一位注釋《老子》的學者們，也都不免或多或少，對於《老子》首章句讀的點斷，表示了自己的看法，到了近代，更有一些學者撰著專文，對此問題，加以探討，像張揚明先生所撰的「關於老子第一章句讀的探討」，嚴靈峰先生所撰的「老子第一章的句讀問題」，（註三三）以及他們二位先生好幾篇相互論辯的文章，（註三四）都是針對《老子》首章的句讀，作出討論的例子。

本文的撰作，只是嘗試著想從另外的角度，提出一些粗淺的看法，希望對於前賢的討論，能有一些補充的意見，因此，此文的撰寫，儘量避開歷來諸家注釋的糾結，儘量直接以《老子》首章的正文作爲討論的基礎，去加以探究，所能得到的結論，雖然仍舊只能從王弼與王安石兩家的句讀方式中，選擇其中的一種，作爲歸趨，雖然並不能夠提出一種更加新穎的句讀方式，出於二王的兩種方式之外，但是，此文從文法上、用語上、義理上，加以考察，對於《老子》首章上下文都以「無」「有」斷句的方式，多少也增加了它一點益爲可信的證據，也許可以提供給研治老學的同好作爲斟酌取捨的資料。

【附註】

（註一）《老子》分章，此據王弼注本。

（註二）見呂著《老子注》、王著《老子億》、吳著《老子解》、魏著《老子本義》。

（註三）見俞著《老子平議》、高著《老子正詁》、于著《老子新證》、嚴著《老子達解》。王安石《老子注》，見嚴靈峰輯校之《老子崇寧五注》。

（註四）見《老子》第二章。

（註五）見《老子》四十章。

（註六）見《老子》十四章。

（註七）見《老子》十六章。

（註八）見《老子》十四章。

（註九）見《老子》二十三章。

（註一〇）見《老子》四十七章。

（註一一）見《老子》四十八章。

（註一二）見《老子》二十五章。

(註一三)見《老子》四十二章。

(註一四)見《老子》二十一章。

(註一五)見《老子》十四章。

(註一六)見《老子》十四章。

(註一七)見《老子》十四章王弼注。

(註一八)見《老子》四十章。

(註一九)見《老子》第二章。

(註二〇)見《老子》十五章。

(註二一)見《老子》二十五章。

(註二二)見《老子》二十五章。

(註二三)文並見《大陸雜誌》四十二卷十一、十二期合刊。

(註二四)張、嚴二位先生論辯之文，見《大陸雜誌》四十六卷四期及四十六卷六期。

莊子本體論之探究

臺灣師範大學　陳品卿

一、本體的意義

老子說：「有物混成，先天地生……可以爲天下母，吾不知其名，字之曰道，強爲之名曰大。」（註一）這意思是說：有一種混然一體的東西，它在有天地之前就已經存在了……可以作爲化育天上萬物的母體。我不知道它的名字，就叫它做「道」；勉強爲它取名叫做「大」。

在老子的思想中，「道」，是萬物化生之母，是萬物的最初根源，宇宙的一切無不爲「道」所包含。莊子對於宇宙萬物的本體所抱持的見解，與老子相同。他說：「夫道有情有信，无爲无形，可傳而不可受，可得而不可見。自本自根，未有天地，自古以固存；神鬼神帝，生天生地。在太極之先而不爲高，在六極之下而不爲深，先天地生而不爲久，長於上古而不爲老。」（註二）莊子認爲代表此本體的「道」是眞實存在（有情）並且有徵驗可信的（有信）。它既沒有具體的行爲表現在外，又沒有肉眼可見的形體。雖然可將它傳授給人，卻未必人人能接受它；雖然吾人可於心中領悟它，卻不能親眼見到它，「道」的本身便是自己的基礎和根源。早在天地形成之前，「道」就已存在。自古以來，它可使鬼有靈，可使帝有神，可化生天地萬物。「道」在無窮高處，而不算高邈；在無窮深處，而不算深邃；比天地先生，而不算長久；比上古時代還悠遠，而不算古老。因爲就空間而言，道是無所不在；就時間而言，道是無始無終。莊子所說的道，不是人格神，也絕無意志、感情和欲望。它既不是萬物的創造者，也不是主宰宇宙的上帝，而僅僅是萬物生滅、循環的過程，也是萬物化生所自然且必然遵循的規律、法則或原理。所謂「有情有信」，是因爲我們可以從萬物的種種現象之中，取得驗證和信實的依據，說明道的自然運行與化生萬物是亙古存在的。萬物皆因此「道」而生生不息。所以說「道」「生天生地」、「長於上古而不爲老」，其理在此。

莊子又說：「狶韋氏得之，以挈天地；伏羲氏得之，以襲氣母；維斗得之，終古不忒；日月得之，終古不息；堪坏得之，以襲崑崙；馮夷得之，以遊大川；肩吾得之，以處大山；黃帝得之，以登雲天；顓頊得之，以處玄宮；禺強得之，立乎北極；西王母得之，坐乎少廣，莫知其始，莫知其終；彭祖的之，上及有虞，下及五佰；傅說得之，以相武丁，奄有天下，乘東維，騎箕尾，而比於列星。」（註三）這段話的大意是：人類發明文字以前的上古帝王狶韋氏，由於得道而能整頓天地，提攜萬民；遠古帝王伏羲氏由於得道，而能用來調和元氣，畫成八卦，演繹六爻，調和陰陽；作爲衆星綱維的北斗星得道，就可永遠不會改變方位，免於差錯；日月得道，便能永遠運行不，亙古照耀；堪不得道，便當了崑崙山神；馮夷得道，便成了河神，得以遨遊於黃河；肩吾得道，就成了泰山山神；黃帝得道，便乘雲駕龍，升天仙化；顓頊得道，就住在玄宮，做了北方之帝；禺強得道，便當了北海之神；仙人西王母得道，就坐鎮西方的少廣山，沒有人知道她的生死與始末情形；彭祖得道，壽命從虞舜時代一直至春秋時代的五霸年間，總共活了八百餘歲；傳說得道，便當了殷代帝王武丁的宰相，助武丁統領天下，死後成爲天上的星宿，乘駕著東維星和箕尾星，與衆星比美。以上諸位人物，雖然成就各有不同，其關鍵都是因爲得「道」。這一段話充分說明了道生萬物的玄妙。

二、本體的真象

(一)、道無所不在

莊子說：「東郭子問於莊子曰：『所謂道，惡乎在？』莊子曰：『無所不在。』東郭子曰：『期而後可。』莊子曰：『在螻蟻。』曰：『何其下邪？』曰：『在稊稗。』曰：『何其愈下邪？』曰：『在瓦甓。』曰：『何其愈甚邪？』曰：『在屎溺。』東郭子不應。莊子曰：『夫子之問也，固不及質，正獲之問於監市履狶也，每下愈況。汝唯莫必，无乎逃物。至道若是，大言亦然。周、徧、咸三者，異名同實，其指一也。』」（註四）這段話的大意是：東郭子問莊子說：「你所說的道，究竟是在哪裏呢？」莊子答：「宇宙萬物的本體是道，所以道無所不在。」東郭子說：「請你再講具體一點，好讓我明白。」莊子說：「道在螻蟻的身上。」東郭子說：「怎麼在那樣卑賤的動物裏呢？」莊子說：「道在稊稗裏。」東郭子說：「道怎麼在愈來愈卑微的東西裏呢？」莊子說：「道在瓦甓裏。」東郭子說：

「道怎麼在更微不足道的東西裏呢？」莊子又說：「道在屎溺裏頭。」東郭子聽了很訝異，沒有回答。莊子說：「你所問的問題，沒有接觸到本質，想要求得一個較眞切的答案，就好比正官獲問屠卒如何買豬一樣。凡是屠卒都知道鑑別豬隻肥廋的辦法，就是用腳踩一踩豬難肥的部位，如果難肥的部位仍長了許多肉，那麼這隻豬一定很肥。同樣道理，如果知道像屎溺那樣最卑賤的地方也有道存在，那麼就可推斷道一定普遍存在的了。你不要以為大道必定不會存在於卑下的東西裏面。若是像你所認為的那樣，那麼道就不算周偏萬物。不算周編萬物，就不能稱爲道了。大道是如此，至要的言論也像大道一樣具有普遍性，可以作為四海的準則。它們的特性，都在於『周全、普偏、廣泛。』這三個名詞看起來各不目相同，事實上所指的，都是同一個特性。」大道周偏萬物，無所不在，而沒有高下貴賤的區別。由莊子所舉的螻蟻、稊稗、瓦甓、屎溺，我們可以知道本體的眞象。

㈡道與物無際

莊子說：「物物者與物無際，而物有際者，所謂物際者也；不際之際，際之不際者也。」（註五）這段話的大意是說：萬事萬物都有它一定的規律或循環的法則。有物就有道，「道」與「物」之間是沒有界限的；而仔細推究起來，物和物之間無論外型、性質、大小……都各有差異，這就是所謂的「物際」了。從「物際」的立場來看，萬物確實有其區分辨別的所在。但是從「大道」的立場來看，道本是無邊無際，無所不在的，道離不開物，也就是「無際」之道隱含在有「際」之物中，所以說「不際之際」。道雖然見於物際之中，而道的本身畢竟無邊無際，所以說「際之不際者也。」

莊子又說：「以道觀之，物无貴賤；以物觀之，自貴而相賤。」（註六）這句話的意思是說，從「大道」的立場來看，萬物本沒有高下貴賤的差別；但是，由於萬物本身有了虛妄不實的念頭，所以從「物」的立場來看，也就有了以自已爲高貴、視他物爲下賤的偏差觀念了。這實在不是物的本體（道的眞象）。

㈢道不得謂物

莊子又說：「有先天地生者物邪？物物者非物。物出不得先物也。」（註七）這話的意思是說：有先於天地而生的物嗎？化生萬物的道不是物。萬物由道而生，所以萬物不得先於道。道是生成萬物的本體，但是道的本身不是物，而是一種「非物」，因爲若這個本體是物，那麼產生這個物之前必定還有物存在。如此推論，則永無止境，那麼萬物最初的本體，就不可能探求到了。所以「道」的眞象，是一個「非物」，如此才能產生出宇宙萬物，而使萬物孳息不絕，無窮無盡。

三、結　語

宇宙的本體是道，所以道與物之間沒有界線。道是萬物化生之母，所以道無所不在。又因爲道是萬物所依據的共同終極原理，所以早在天地萬物未產生之前就已經存在了。莊子能體悟大道超越時空的永恆性、周偏性及無限性，所以特別強調「道無所不在」，把形而上、形而下打成一片，把道和物融成一體。

〔附　註〕

（註一）見《道德經》第二十五章
（註二）見《莊子．大宗師》篇
（註三）見《莊子．大宗師》篇
（註四）見《莊子．知北遊》篇
（註五）見《莊子．知北遊》篇
（註六）見《莊子．秋水》篇
（註七）見《莊子．知北遊》篇

參考書目：

老子道德經憨山解　憨山大師著　琉璃經房
南華眞經注　郭象注　商務印書館
南華眞經注疏　郭象注、成玄英疏　藝文印書館
莊子音義　陸德明著　藝文印書館
莊子口義　林希逸著　弘道文化事業公司
南華眞經義海纂微　褚伯秀著　藝文印書館

莊子翼　焦竑撰　廣文書局
莊子內篇憨山註　憨山大師著　琉璃經房
莊子解　王夫之著　河洛圖書出版社
校正莊子集釋　郭藩撰　世界書局
莊子集解　王先謙著　世界書局
莊子總論及分篇評注　李勉著　商務印書館
莊學研究　陳品卿著　中華書局
莊學新探　陳品卿著　文史哲出版社

漢魏六朝文學叢考

中國文化大學　洪順隆

一、「六朝」詞義考

「六朝」一詞最先見於唐·許嵩《建康實錄》，其序云：

「今質正傳，旁採遺文，始自吳，起漢興平元年（西元一九四年），終於陳末禎明三年（西元五八九年）……總四百年間，著東夏之事，勒成二十卷，名曰建康實錄，具六朝君臣行事。」

這是以「六朝」爲史地名詞，指稱建都於建康的吳、東晉、宋、齊、梁、陳六個朝代，且以空間（建康）爲主，包括東夏地帶，而實際所包括的時代與所涵蓋的時間，則起漢興平元年（西元一九四年），終於陳後主禎明三年（西元五八九年），也就是包括東漢末、三國、晉、宋、齊、梁、陳等七個朝代的時限，總四百年間，不能增減延縮。《建康實錄》（註一），著於唐、肅宗至德（西元七五六年—七五八年）年間，其後沿用這一概念和範疇的，有宋、張敦頤《六朝事跡編類》（註二），該書序文云：

「建康，禹貢揚州之域……漢建安十六年，孫權自京口徙治秣陵，明年城石頭，改秣陵爲建鄴……宋、齊以下，咸都於此焉。隋平陳，廢丹陽郡，乃於石城置蔣州，併秣陵、建康、同夏三縣入江寧縣。……余因覽《圖經》、《實錄》，疑所載六朝事跡……」

蓋沿用《實錄》所設「六朝」概念，而時限晚十八年。又宋、李燾《六朝通鑑博議》（註三），詳載六朝勝負攻守之跡，內容分「吳論」、「東晉論」、「宋論」、「齊論」、「梁論」、「陳論」等六部門，「吳論」，載三國勝負攻守之跡，是上限自建安前後開始，「陳論」，論隋取江南，是下限迄陳亡。六部門所論六朝，均以建康爲首都。故亦沿用《實錄》所設「六朝」概念。其序文云：

「自吳主孫權卜宅江南，以至東晉、宋、齊、梁、陳，祖相仍襲，以爲國都。」

自唐及宋，讀書人對「六朝」一詞沿用如此，乃有，宋、王應麟於《小學紺珠》、歷代類、釋「六朝」云：

吳、東晉、宋、齊、梁、陳。

然而，也有學者借用這一概念，因顧及歷史的實際形勢，或文學發展的完整實況（註四），不能盡以建都爲據，往往依原始「六朝」概念，而伸縮其時間上下限，或擴大其空間而含蓋南北領域。如唐、般剌密帝譯《楞嚴經》云：

「秦漢六朝唐文，有致理，不足稱也。宋文，有致理，不足稱也。秦漢六朝唐文，近雜而令人愛；宋文，近醇而令人不愛。秦漢六朝唐文，有瑕之玉；宋文，無瑕之玉。」

這本譯經使用「六朝」一詞，夾在「秦漢」和「唐」之間，我推知它所謂「六朝」，包括「三國」至「隋」的朝代，上承秦漢，下開有唐。再如明、薛應旂《六朝詩集》序：

「今天下論詩者謂不關理。論理者，多病詩一及六朝不遑究觀，而襲聞傳聽，已槩擬其侈靡矣……然則斯集（《王通續詩》）也，其殆續詩之散逸，固匪直兩漢之餘波，初唐之濫觴也……（註六）」

這裏作者用「六朝」一詞，代表「兩漢」之後，「初唐」以前的朝代。而書中所收詩集，包括「陳思王集」、「隋煬帝集」、「北朝詩人集」等。可知其所謂「六朝」概念，已打破《實錄》所設的時空限制。把時間上限降至「三國」時代，下限延至「隋」。即自黃初三年（西元二二二年），吳王孫權稱帝的黃武元年始，至隋恭帝皇秦二年四月，王世充廢帝爲止，時唐武帝二年，西元六一九年，凡三七九年。後來，章太炎《太炎文錄》卷一「五朝學」中所稱之「六朝」，今人廖蔚卿《六朝文論》所用的「六朝」，均屬此義。

可是，清、孫德謙《六朝麗指》（註七）一書，取宋、齊、梁、陳、北朝、隋等朝代的駢麗文章，編纂成冊。是孫氏所謂「六朝」，包括南朝四個朝代和北朝以及隋朝。則「六朝」概念，其時間上限已下降至宋武帝劉裕開國的永初元年，西元四二〇年，下限延至隋亡，即恭帝義寧二年，西元六一八年。總計才一百九十八年的時間。不過，空間觀念卻擴大了原始「六朝」的義界，統合南北中國而言之。

至如宋、胡仔《苕溪漁隱叢話》（註八）依時代分卷，卷一、卷二、爲「國風漢魏六朝」、「六朝」

在「漢魏」之下，則其時間上限，當自「晉」開始；其卷三、卷四，收有有關五柳先生詩的詩話，然後，卷五才接李謫仙，可知其時間下限迄於隋。又，明、張溥《漢魏六朝百三家集》（註九），漢魏列在「六朝」之上，其下收晉二十二人、宋八人、齊六人、梁十九人、陳五人、北魏二人、北齊二人、北周二人、隋五人。可見他所謂「六朝」，其時間範疇包括晉、宋、齊、梁、陳、隋等六個相連續的朝代；其空間範疇則統合南北中國，故那期間的北魏、北齊、北周的作家文集也收錄了。再者，明、梅鼎祚《六朝詩乘》（註一〇）序云：

「予小子銓選六朝，纂綴漢魏，取衡于馮氏而質成于府君，總之曰八代詩乘。」

是梅氏合漢、魏於此所謂「六朝」而稱「八代」。而其所謂《六朝詩乘》，實包括《晉詩乘》、《宋詩乘》、《齊詩乘》、《梁詩乘》、《陳詩乘》、《北朝詩乘》（包括魏、齊、周）、《隋詩乘》。則知梅氏所謂六朝，其時空含蓋領域與胡、張二氏同，亦以同時代界限內之北朝詩附麗於《六朝詩乘》內。另，明、張謙《六朝詩彙》（註一一）序：

「……六朝之什，散逸莫收。……摭其冠冕，可略而言，如彼康樂之高才……陶靖節之沖襟，古調而爲雅宗。張、陸、潘、左，蔚爾中興。王、杜、孫、許，號……步兵詠懷幽曠，中散之鑒裁玄邈，顏光祿之情喻淵深，鮑參軍之形寫奇矯，范、龍……沈休文……陰子鏗……薛道衡……至如貫休、寶月……其他……」

張謙在這本書裏所舉詩人，自魏正始年間代表詩人阮籍、嵇康，迄隋代詩人薛道衡、貫休、寶月。然而詳觀此書分卷：卷一至卷二十九，晉詩；卷三十至卷四十三，宋詩；卷四十四至卷五十一，齊詩；卷五十二至卷八十七，梁詩；卷八十八至卷九十七，陳詩；卷九十八，魏詩；卷九十九至卷一百，北齊詩；卷一百一至卷一百六，北周詩；卷一百七至一百一十四，隋詩。則是將正始詩人納入晉詩中，取「晉」、「隋」間南北雙方的作品，加以編纂的。到了清代，嚴可均《全上古秦漢三國六朝文》（註一三）。其書分卷：

全上古三代文十六卷	二百六人
全秦文一卷	十六人
全漢文六十三卷	三百三十四人
全後漢文一百六卷	四百七十人
全三國文七十五卷	二百九十四人
全晉文一百六十七卷	八百三十人
全宋文六十四卷	二百七十八人
全齊文二十六卷	一百三十一人
全梁文七十四卷	二百四人
全陳文十八卷	六十三人
全後魏文六十卷	三百二人

全北齊文十卷　八十四人
全後周文二十四卷　六十一人
全隋文三十六卷　一百六十八人
先唐文一卷　五十四人

觀上，《全三國文》以上不在《六朝文》之內，編者嚴可均「全上古三代秦漢三國六朝文總叙」云：

「起上古迄隋，鴻裁鉅製，片語單辭，罔弗綜錄。」

又其凡例又云：

分代編次，曰上古三代、曰秦、曰漢、曰後漢、曰三國、曰晉、曰宋、曰齊、曰梁、曰陳、曰後魏、曰北齊、曰周、曰隋。

因知其《先唐文》歸併《隋文》。綜言之，嚴可均所謂「六朝」，包括「晉」、「宋」、「齊」、「梁」、「陳」、「隋」，及同時期「北魏」、「北齊」、「北周」。還有許槤《六朝文絜》（註一三），收錄文章，自晉，歷宋、齊、梁、陳，以至隋。並收北朝文。則其所謂「六朝」，其時空觀念，自然屬於胡仔、張溥、梅鼎祚、張謙、嚴可均這一系統。這一系統的「六朝」一詞的使用者，和上述其他三系統的使用者，他們使用「六朝」一詞時，雖自有他們的義界，然從未爲它的定義作過說明。直到民國以後，陸侃如、馮沅君同編《中國詩史》（註一四）。其篇二「六朝詩」、章一「導論」云：

「『六朝』二字的解釋歧異很多，我們姑且用來指二六五至六一八年間。自二六五至三一七年的四十年，與自五八九至六一八年的三十年，勉強可算是南北統一的時候，自三一七至五八九的二百七十年，則完全是分裂的局面。……二六五年，司馬炎即帝位……到五五八年，陳後主及後梁帝琮均降於隋。」

這是在我的知識範圍內所認識的，對於自己使用「六朝」一詞的義界作這樣明確的說明的人。他是鑒於已往「解釋歧異很多」，才特地爲自己使用的「語言」下定義。他的定義和嚴可均等一致。我在開始研究六朝文學的時候，就是依這系統的「六朝」概念和範疇展開的，一直到現在，我的「六朝」文學仍屬於這個範疇。

語言的概念是變動不居的，同一個語言，往往因時間、地點，以及使用的人物不同，其義界就會產生歧異。「六朝」一詞自唐產生以來，光專有名詞一類就有上述四種不同系統的義界，然其紛歧並不是這樣而已。如就一般名詞的概念而言，同一朝代的六個君主之朝，也可稱爲「六朝」。如宋、王珪《六朝國朝會要》（註一五）云：

「在神宗朝，以《會要》止於慶曆，命王珪續之，起於建隆之元，迄於熙寧十年，通舊增損成是書，總二十一類，八百五十五門。其間禮樂政令之大，綱儀物事爲之細目。有關討論，顧無不載。文簡事詳，一代之典備矣。」

校云：

「按讀書附志卷上有李心傳《總類國朝會要》五百八十八卷，乃合太祖至孝宗乾道，凡十一朝爲一編，其中有王珪所撰之《六朝會要》，故趙希弁未摘錄此條入《後志》，然不見于存目，殆趙希弁偶疏而失載。《經籍考》卷二十八、故事類，收錄此條。」（註一六）

建隆是宋太祖趙匡胤年號，其元年即西元九六〇年。自太祖、歷太宗、眞宗、仁宗、英宗，至熙寧元年神宗繼英宗之後即帝位，前後凡歷經六位君主之朝，故亦稱六朝。

綜觀上面論考，自唐以來，古人所使用「六朝」的概念有五。第一個是史地名詞，《建康實錄》所用，以空間爲主。拿它作爲文學史的時間段落，實有未當。第二個般刺密帝、李燾、薛應旂等所用，雖以時間爲主，可應用於文學史上，唯三國文學自成階段，有其特色，與晉至隋一段時間合併，研究上諸多不便。第三個「六朝」，孫德謙所用，忽略了晉代，晉代文學與宋齊梁陳隋有不可分割的關係，顯然使用這概念研究六朝文學，於文體發展的闡述會有有身無首的缺陷，故不能用。至於第五個「六朝」，王珪所用，乃一般概念，不合文學史學術研究分段的原則，故也不能用。剩下的是第四個「六朝」概念，胡仔等所用，使用的人最多，又有陸侃如爲它下定義，規範界限，最適於文學史分段的研究，所以，我才採用這一類概念作爲「六朝文學史階段研究」的專有名稱。（以上摘錄自一九八八年七月編成的「六朝文學研究」講義第一編第一章）

〔附　註〕

（註一）《四庫提要》．史．別史類：「《建康實錄》二十卷，唐、許嵩撰．所記六朝史跡，起吳大帝，迄陳後主，而以後梁附之。以六朝皆都建康，故以爲名。大旨類叙興廢大端，而尤加意於古蹟，頗爲詳洽。且書作於唐、至德中，去梁陳未遠，多見舊文。故所綜述，往往爲唐以後書所不載。」

（註二）《四庫提要》·史·地理類：「《六朝事跡編類》二卷，宋、張敦頤撰。蓋補《金陵圖經》而作，凡十四門。引據詳核，其碑刻一門，尤資考證。」

（註三）《四庫提要》·史·史評類：「《六朝通鑑博議》十卷。宋、李燾撰。詳載三國六朝勝負攻守之跡，而系以論斷。蓋借史以論南渡時事也。」

（註四）如「三國文學」以魏爲主，因古代重要的文論著作，如《文心雕龍》、《宋書》卷六十七「謝靈運傳論」，皆未及吳、蜀。再如晉代文學，不能遺「三張、二陸、兩潘、一左。」而他們均是西晉文人。然，如《建康實錄》所設「六朝」概念，移之文學史範疇，則不都建康之魏文學和西晉文學，就容身無地了。

（註五）見《楞嚴經》中《圓覺壇經》·宗鏡。

（註六）明、嘉靖間刊本，有五十五卷，中央圖書館善本書室藏。

（註七）新興書局影本。

（註八）明、廣文書局本：前集六十卷，後集四十卷。

（註九）台北，新興書局影本。

（註一〇）明萬曆間刊本，中央圖書館善本書室藏。

（註一一）共四卷，明、嘉靖壬子金城蘇郡刊本，明、王宗聖增補。中央圖書館善本書室藏。

（註一二）香港、三聯書局。

（註一三）台北、學海出版社。

（註一四）香港、古文書局出版。

（註一五）該書有三百卷，中央圖書館善本書室藏。

（註一六）晁公武《郡齋讀書志校證》，孫猛校證，上海古籍出版社、一九九〇、十。

二、王粲病歿考

王粲字仲宣，山陽高平人。生於漢靈帝熹平六年，卒於漢獻帝建安二十二年，年四十一歲。少時才思敏捷，初到長安，蔡邕見而奇之，且說道：「此王公孫也，有奇才，吾不如也。吾家書籍文章，盡當與之。」時年十七，除黃門侍郎。以西京擾亂，與蔡睦同往荆州依劉表，表以他貌寢體弱通侻而不甚重。粲居客中，時作鄉思，《登樓賦》即作於此時，成爲後代戲劇家哀感的題材。（註一）

案王粲病卒於建安二十二年，歷來學者均無異議，繆鉞曰：

「建安二十二年丁酉（二一七年），王粲四十一歲。正月二十四日，王粲道病卒（《王粲傳》、曹植《王仲宣誄》）。曹植誄之（《文選》）（註二）」

吳雲、唐紹忠曰：

「二一七年（漢獻帝，建安二十二年丁酉）粲四十一歲，正月，粲于征途中病卒。曹植作《王仲宣誄》。徐幹、陳琳、應瑒、劉楨，同年皆病卒。（註三）」

劉知漸曰：

「本年（建安二十二年、二一七）正月，王粲在從軍途中病死，死時年四十二歲。（註四）」

郁賢皓、張采民曰：

「建安二十二年丁酉（公元二一七年）王粲四十一歲。爲魏侍中。從征吳，春，道病卒。（註五）」

然而，最近我指導顏進雄君撰寫碩士論文，論文引用皇甫謐《鍼灸甲乙經》自序云：

「仲景見侍中王仲宣，時年二十餘，謂曰：『君有病，四十當眉落，半年而死』令服五石湯，可免。仲宣嫌其言忤，受湯勿服。居三日，見仲宣，謂曰：『服湯否？』仲宣曰：『已服。』仲景曰：『色候固非服湯之胗，君何輕命也？』仲宣猶不信。後二十年，果眉落，後一百八十七日而死，終如其言。（註六）」

這段話顯然是爲宣傳餌食功效而設。作者由《三國志》王粲傳，知王氏自幼體弱，又四十一歲就卒。於是設爲王粲二十餘遇張仲景，張仲景診斷他「有病」，並預言他「四十當眉落，半年而死。」「令服五石湯」、「可免。」因王粲不服，後果如仲景之言。這樣王粲的下場就成了不聽服食者的榜樣。但細按史書，王粲之亡實另有原因，不是因幼年疾病發作。顏生已引拙著《魏文帝曹丕年譜暨作品繫年》（註七）建安二十二年所引資料，予以反駁，今再申論如下：

《三國志》王粲傳：

「建安二十一年，從征吳。二十二年春，道病卒，時年四十一。」

又《三國志》武帝紀：

「建安二十一年冬十月治兵，遂征孫權，十一月至譙。二十二年春正月，王軍居巢。二月進軍，屯江西郝谿。權在濡須口，築城拒守。遂逼攻之，權退走。三月，王引軍還，留夏侯惇、曹仁、張遼等屯居巢。」

拿上引「王粲傳」和「武帝紀」印證，可推知王粲病卒的時間是建安二十二年春正月，地點是居巢。建安二十二年春正月，居巢發生了什麼事呢？且看《三國志》司馬朗傳：

「建安二十二年，與夏侯惇、臧霸等征吳。到居巢，軍士大疫，朗躬巡視，致醫藥。遇病卒，時年四十七。」

原來，居巢發生大瘟疫，軍士感染甚衆。司馬懿之兄司馬朗也在軍中，爲病人「致醫藥」，也「遇疾」卒。很明顯地，王粲是感染瘟疫死的，這可能和他「體弱」有關，但不是死於二十年前就已發現的隱疾舊病，那是可以肯定的。當時，徐幹、陳琳、應瑒、劉楨也感染了，同年冬，回到鄴也病卒了。我懷疑鄴都也流行疫病，是由軍士和他們，從居巢帶回去的。

〔附　註〕

（註一）《三國志》卷二十一，王粲傳。台灣鼎文書局

（註二）見繆鉞《讀史存稿》、王粲行年考。台灣翻印本

（註三）見吳雲、唐紹忠《王粲集注》附錄二。中州書畫社出版，一九八四年三月第一版。

（註四）見劉知漸《建安文學編年史》正編。重慶出版社出版，一九八五年三月第一版。

（註五）見郁賢皓、張采民《建安七子詩箋註》、《建安七子年表》。巴蜀書社出版，一九九〇年五月第一版。此外日本漢學家伊藤正文、中川薰均爲建安文學專家，他們的意見也和上引同。不另蛇足。

（註六）見顏進雄《六朝服食風氣與詩歌》第四章第二節《六朝之服散風習》引。中國文化大學中文研究所碩士論文，一九九二年六月。

（註七）洪順隆撰《魏文帝曹丕年譜暨作品繫年》。臺灣商務印書館發行，一九八九年二月初版。

三、蕭琛卒年考

蕭琛，字彥瑜，蘭陵人。生於宋順帝昇明二年（西元四七八年），卒於梁武帝中大通元年，（西元五二九年），年五十二歲。少而穎悟，有才辯，仕齊爲太學博士。他嘗言少壯時好音律書酒，年來二事都廢，惟書籍不衰。謚曰平子。（註一）

案《梁書》卷二十六，蕭琛傳云：

「大通二年，爲金紫光祿大夫，加特進，給親信三十人。中大通元年，爲雲麾將軍、晉陵太守，

秩中二千石，以疾自解，改授侍中、特進、金紫光祿大夫。卒，年五十二。」

觀蕭琛傳，在「中大通元年」下，相隔三十字後方接叙「卒，年五十二。」並非謂其卒於「中大通元年」，是譚正璧有誤讀之嫌。然則，蕭琛卒於何年？《梁書》卷三、武帝紀下云：

「中大通元年……十一月丙戌……加金紫光祿大夫蕭琛、陸杲並特進。……三年二月乙卯，特進蕭琛卒。」

是知蕭琛卒時，在中大通三年二月乙卯。中大通三年是西元五三一年，二月朔辛丑，乙卯是二月十五日。琛享年五十二歲，上溯當出生於西元四八〇年，齊高帝建元二年。

可是《梁書》記事有不一致，如蕭琛「加特進」，本傳謂其在「大通」二年，「武帝紀」謂在「中大通元年」。相差二年。又《梁書》卷上十六、蕭琛傳云：

「琛少而朗悟，有縱橫才辯。起家齊太學博士。時王儉當朝，琛年少，未爲儉所識，負其才氣，欲候儉。時儉宴于樂遊苑，琛乃著虎皮靴，策桃竹杖，直造儉坐。儉與語，大悅。儉爲丹陽尹，辟爲主簿，舉爲南徐州秀才，累遷司徒記室。永明九年，魏始通好，琛再銜命至桑乾，還爲通直散騎侍郎。」

讀了上面的記載，如拿它和吾人計算出來的蕭琛出生年代合看，則不禁有些問題要問，即琛「起家齊大學博士」是何時？開始與王儉交接又在何時？何時爲王儉丹陽尹主簿？「舉爲南徐州秀才」在何時？何時爲「司徒記室」？「銜命至桑乾」是幾歲之時？案《南齊書》卷二十三、王儉傳云：

「齊臺建，遷右僕射，領吏部，時年二十八。建元元年，改封南昌縣公，食邑二千戶。明年，轉左僕射，領選如故。永明元年，進號衛軍將軍，參掌選事。二年，領國子祭酒、丹陽尹，本官如故。給鼓吹一部。三年，領國子祭酒。叔父僧虔亡，儉表解職，不許。又領太子少傅，本州中正，解丹陽尹。四年，以本官領吏部。五年，即本號開府儀同三司，固讓。六年，重申前命。七年，改領中書監，參掌選事。其年疾，上親臨視，薨，年三十八。」

我們知道蕭琛的出身和王儉關係密切，看他那樣崇拜王儉，王儉又那麼賞識他，這種立論是不會錯的。再說「太學博士」是太學的教官。晉武帝設國子學，置國子祭酒、博士、助教，六朝皆置，齊亦然。國子祭酒，是國子學的長官，晉始置。國子祭酒也是國子博士（太學博士）的首長。拿王儉傳和蕭琛傳合看，「琛起家齊太學博士」，當是王儉所薦。依「王儉傳」，儉於永明二年領國子祭酒，則琛之起家「太學博士」，當亦在永明二年。由此推衍，王儉在永明二年爲丹陽尹，則琛之被辟爲主簿，當也在其年。四年，王儉領本州中正，中正是選拔人才的兼任職位，想儉舉琛爲南徐州秀才，應在永明四年。又據《南齊書》卷三齊武帝紀記載，永明二年，征北將軍竟陵王子良爲護軍將軍兼司徒，四年，護軍將軍兼司徒竟陵王子良進號車騎將軍。五年，車騎將軍竟陵王子良爲司徒，則琛爲「司徒記室」，以永明五年的可能性最大，他之遊竟陵王西邸，當自此始。問題是如以西元四八〇年，建元二年爲琛誕生之歲，則上面所論琛經歷與他年齡，便成下表的分配狀態：

起家齊太學博士　四歲　（如以譚正璧數據爲準：六歲）

王儉丹陽尹主簿　四歲　（如以譚正璧數據爲準：六歲）

南徐州秀才　六歲　（如以譚正璧數據爲準：八歲）

司徒記室　七歲　（如以譚正璧數據爲準：九歲）

銜命至桑乾　十一歲　（如以譚正璧數據爲準：十三歲）

這種統計數據凸現出《梁書》蕭琛傳記載的不合常理性。琛只是普通官吏家的小孩。他父親蕭惠訓官拜太中大夫。那麼，琛又如何能四歲就起家爲太學博士，在太學中當教授呢？又如何能擔任國都所在的丹陽尹的主簿。七歲的小孩如何有能力當司徒記室；又十一歲的小孩如何能當外交使節到桑乾去呢？一連串由推算所暴露的疑問，讓我們不禁要想，是《梁書》的記載出了問題。問題的產生只有兩種可能，一是撰史者誤記琛的享年，六十二歲誤記爲五十二歲，誤記是由一時的疏忽；二是琛晚年的帝王年號的誤配，以「普通」爲「大通」甚而「中大通」。兩種誤失都可能造成琛享年歲數十歲之差。目前就只能考究到此了。更接近眞相的論證有待於新資料搜集或研判。我想後起新秀或有可指示我的，拭目以待。

〔附　註〕

（註一）《中國文學家大辭典》，譚正璧，河洛圖書出版社。

（註二）見《文獻通考·職官考·國子監》。《唐書·百官志》。

四、曹植〈愁霖賦〉考：

〈愁霖賦〉

迎朔風而爰邁兮，雨微微而逮行。悼朝陽之隱曜兮，怨北辰之潛精。車結轍以盤桓兮，馬躑躅以悲鳴。攀扶桑而仰觀兮，假九日於天皇。瞻沈雲之泱漭兮，哀吾願之不將。

又

夫何季秋之淫雨兮，既彌日而成霖。瞻玄雲之晻晻兮，聽長空之淋淋。中霄卧而歎息，起飾帶而撫琴。

讀這首賦我們所面對的問題有二：一是創作時間；二是是一首還是二首的問題。把這兩個問題同時作處理的有趙幼文的〈曹植愁霖賦考〉（註一），趙說：「案《藝文》卷二載曹丕、應瑒〈愁霖賦〉，丕賦句云：『脂余車而秣馬，將言旋乎鄴都。』丕不稱鄴爲魏都或魏京而稱鄴都，似在操尚未爲魏公時。魏公以後，便稱鄴爲魏都或魏京了。觀〈朔風詩〉、〈王仲宣誄〉可證。則此賦之創作時期，必在建安十九年之前可以推知。故《魏志·武帝紀》十七年冬十月，曹操東征孫權。據丕〈臨渦賦序〉，丕植隨行。十八年夏四月返鄴。因由南而北，故賦有『迎朔風而爰邁』之句，可以設想，賦當作於十八年反鄴途中。賦句多佚失，唯存此數句。」蓋趙氏以丕賦與曹植另一愁霖賦並論，意謂丕賦與植賦同作於建安十八年。與我的意見相左。趙氏所以這樣論斷還有一層理由。

趙氏愁霖賦引「銓評」云：「二首，程作一首，然前云朔風，後云季秋，時序不同，張析爲二首是也。今從張。」又引嚴可均曰：「案前明刻《子建集》既載前賦，復載一賦云『夫何季秋之淫雨兮』凡六句，張溥本亦如此，蓋據《類聚》連載兩賦也。考《文選》曹植〈美女篇〉注、張協〈雜詩〉注，知第二賦爲蔡邕作，《類聚》誤編耳，今刪（見《全三國文》）。」趙又云：「案嚴說甚允，今從之，僅存一首。」原來趙氏是聽信嚴氏的考證，不承認前面我所引的那幾句是曹植的賦。然後，單根據丕賦「鄴都」一詞，以及植賦（他所引）「迎朔風」兩句，就下判斷了。要證明趙氏的錯誤，必須先追究他所根據的理論是否正確。所以下面我想查證一下嚴可均和丁晏兩人的意見：

查《文選》曹植〈美女篇〉「長夜起長歎」句下注，以及張協〈雜詩〉十首其四「翳翳結繁雲，森森散雨足。」句下注，李善引的蔡雍作品，前者是〈霖雨賦〉曰：「中宵庭而嘆息。」後者是霖賦曰：「瞻玄雲之晻晻，懸長雨之森森。」與張溥編《陳思王集》所收〈文愁霖賦〉，題目及內容，文字均不同，嚴可均據此兩注，斷定〈文愁霖賦〉是蔡邕（雍）作品，實在欠妥。丁晏《詮評》，以「朔風」、「季秋」時序不同，從張溥析爲二首，還承認〈季秋〉殘賦是曹植作品，倒底比嚴可均愼重。不過，所謂時序不同，是把朔風當作北風解，以爲刮風時是冬季，一首賦中前言冬季，後言秋季，時序顚倒，實在可疑，寧可贊成把它分成兩篇的作法。可是仔細吟味曹植〈愁霖賦〉「迎朔風」一段，如前「朔」解爲夜明，（註三）朔風即夜明時之風。全句謂一大早就出發，迎著晨明時的風遠行。然後接上「悼朝陽之隱曜兮怨北辰之潛精。」既不是文暢而理順，而且中間「攀扶桑而仰觀兮」一句的時空詮釋也順理成章了。所以，依我的意見，《陳思王集》所收這兩篇《愁霖賦》的殘文，應是一篇中的兩殘段，依今存的兩篇殘文連接起來，仍不完整，文意既不連貫，又不完備。不過「夫季秋」一截殘文應在前面，可能是賦的開端，「起飾帶而撫琴」下，應該尙有殘缺，然後接上「迎朔風而爰邁」這一截。程本不察，將它前後顚倒，所以，丁晏懷疑它時序不同，嚴可均硬把「夫季秋」那一截劃給蔡邕。於是趙幼文就據嚴氏的意見，對程、張、丁的想法不屑去查證一下，作起他的考證來了。

趙氏所據的意見既然錯誤，當然他的考證的可靠性也値得懷疑了。首先，如前面我提出「朔風」是「朝風」可成立，那麼，趙氏由「迎朔風」兩句設想由南而北的說法，也値得商榷了。再者，如我設想的兩賦殘文本是一賦的兩殘段可成立，那麼，趙氏言丕、植兩賦作於建安十八年四月的說法，又與植賦「夫季秋之淫雨兮既彌日而成霖」所表現的節候不合了。再者，依《後漢書·獻帝記》記載，建安十八年夏五月丙申以後，確有「大雨水」之語。然《三國志·武帝紀》載「十八年春正月，進軍濡須口，攻破孫權江西營，……乃引軍還。……夏四月至鄴。……五月爲公……」是建安十八年的「大雨水」，在操、丕、植還鄴之後，可知十八年丕、植隨父北返鄴都時，途中並未遇大雨。如丕、植之賦是十八年四月返鄴途中之作，不當有霖雨、路途漸汝，行程沈滯的表現。且十八年五月，操晉封魏公，置社稷，已非僅僅冀州一州之牧；而鄴也不只是冀州首府鄴都，而成了魏都了。所以，趙氏作於建安十八年四月之說不足取。那麼是作於那一年呢？這得拿曹丕的《愁霖賦》來比對印證。丕《賦》云：

脂余車而秣馬，將言旋乎鄴都。玄雲黯其四塞，雨濛濛而襲予。塗漸洳以沈滯，潦淫衍而橫湍。豈在余之憚勞，哀行旅之艱難。仰皇天而歎息，悲白日之不暘。思若木以照路，假燭龍之末光。

觀賦的內容，寫的是車馬在外遇雨潦，道路漸洳，行役沈滯的情形。似乎不全。

案《三國志·武帝紀》：「建安十二年……秋七月，大水，傍海道不通……九月自柳城還……十三年春，公還鄴。」又《三國志·田疇傳》云：「疇隨軍至無終時，方夏水雨而濱海洿下，濘滯不通。」紀傳兩篇文獻記載建安十二年夏及秋七月以後大雨水，以致行軍沈滯不通。而據〈武帝紀〉曹軍是在九月自柳城還，十三年春方返鄴。可知曹軍是因七月大水，傍海道不通，方捨濱海之道，由無終出盧龍塞，東指柳城，那時在田疇引導下軍隊走的是山路。可是擊破烏丸後，九月由柳城回鄴，已不走山路，而改由濱海之道行軍，九月是季秋，大雨仍未停。（註三）這和丕賦「塗漸洳以沈滯，潦淫衍而橫湍。」所寫節候，路途景觀相合。而賦首句「脂余車而秣馬，將言旋乎鄴都。」和武帝紀「九月自柳城還，……十三年春，公還鄴。」所載相同。寫的是建安十二年九月自柳城還鄴的道途之苦。再者植的〈愁霖賦〉。賦中有「夫季秋之淫雨兮既彌日而成霖。」與武帝紀「九月自柳城還。」時間相合，也可證明建安十二年九月北海（渤海）沿岸地帶雨霖的情形。

現在把前面我的考證合起來檢討一下，我說丕〈賦〉作於建安十二年九月以後。我前面已拿丕、植的〈賦〉和史籍記載比對，證明在時空節候方面都相吻合。比趙氏十八年之說有力而可信。然後，再退一步設想，也許趙氏不承認「朔風」是「朝風」的說法是對的。那就依趙氏把朔風當「北風」解釋好了。但我還是要說「迎朔風」所表現的不是就空間而言，而是就時間而言，也就是說「朔風」固是「北風」，但在丕賦中，它所代表的是冬天的風。那麼，我們頂多只能說，這首賦是建安十二年孟冬十月以後作的。但考證創作時間，本來只能判斷個大概，十月以後和我前面九月以後之說並不衝突。再說植〈賦〉殘文的前後，如依我作正確的安排，不依程本顛倒，那就更與《三國志·武帝紀》，〈田疇傳〉所記史實和沿途景觀相合了。〈武帝紀〉說「九月自柳城還」，正是植〈賦〉「夫季秋」那段殘文所表現的時間。然後〈武帝紀〉說「十三年春公還鄴」，可見此年十月、十一月、十二月軍隊仍在返鄴途中，所以，植〈賦〉「迎朔風」殘文所表現的正是十月以後的途中情景。於是，我們可發現植〈賦〉由九月自柳城出發前寫起，賦的內容包括十三年正月以前，十二月冬沿途所經。然後再將丕〈賦〉與植〈賦〉合看，以與史籍記載建安十二年以後曹家事跡印證，那眞是合轍呢。《資治通鑑·漢記》是綜合相關的史籍依時間先後記載的，我把建安十二年九月以後所記與操行蹤有關的部份錄在下面：

建安十二年……時方夏水雨，雨濱海洿下，濘滯不通。……九月，操引兵自柳城還。……冬十月……十一月，曹操至易水……師還，論功行賞。十三年春正月，曹操還鄴……。

這段文章比《三國志·武帝紀》更詳細清楚地記載著曹操在建安十二年九月以後至十三年正月還鄴以前的返軍時空。如再拿它和丕〈賦〉、植〈賦〉比對，豈不是若合符契嗎？丁晏《曹集詮評附》《曹植年譜》、朱緒曾《曹集考異》附《曹植年譜》，《層冰草堂叢書》中古直所作《曹植年譜》，以及臺灣商務印書館發行，鄧永康《魏曹子建先生植年譜》，在建安十二年下，都不言植隨征烏丸事。成瀨氏《曹丕年譜》建安十二年下云：「曹丕是否隨軍北征，不明。」他們都未對丕、植作品創作年代詳加考證，故或不談，或存疑。張可禮《三曹年譜》，有作品繫年，在建安十二年五月項下有「曹植從征」之語，他根據《三國志·曹植傳》所載「〈求自試表〉：『臣昔從先武皇帝，……北出玄塞。』《三國志集解》卷一九引趙一淸曰：「玄塞，盧龍之塞也，謂柳城之役。」又卷一引《方輿紀要》卷七十曰：「盧龍塞，在永平府西一百九十里有盧龍鎭，土黑色，山似龍形，即古盧龍塞云，」等，斷云：「據此，知曹植是年從征。」卻未提及曹丕也從征。又未繫丕和植的〈愁霖賦〉。而張譜建安十八年處也未繫此賦。可見他對丕，植〈愁霖賦〉並不曾詳考。然而，他那曹植在建安十二年從征烏丸的證據相當有力，不可否認。所以，可以拿來作爲我主張曹丕也從征的旁證。拿他的證據和我考證合看，我的主張更無可動搖，趙氏十八年四月作〈愁霖賦〉之說可刪矣，析爲二首說之不當也確然的了。

〔附　註〕

（註一）《曹植集校注》，趙幼文，明文書局。

（註二）《白虎通》，三正：「夏以平旦爲朔，殷以雞鳴爲朔，周以夜半爲朔。」

（註三）見日本北海道大學《文學部紀要》（通卷第五一號）。

五、王褒〈九月從駕詩〉考

〈九日從駕詩〉

黃山獵地廣，青門官路長。律改三秋節，氣應九鍾霜。曙影初分地，暗色始成光。高旆長楸坂，緹幕杏間堂。射馬垂雙帶，豐貂佩兩璜。苑寒梨樹紫，山秋菊葉黃。華露霏霏冷，輕飆颯颯涼。終慚屬車對，空假侍中郎。

這首詩的作者是王褒，王褒生平如下：

「王褒，字子淵，琅邪臨沂人，王規之子。生年不詳，約卒於周武帝天和末年，年六十四歲，識量淵通，志懷沉靜。美風儀，善談笑。博覽史傳，尤工屬文。起家秘書郎，轉太子舍人，襲爵南昌縣侯。梁元帝與褒有舊，相得甚歡。拜侍中，累遷吏部尚書、左僕射。褒既名家，文學優瞻，位望隆重，而愈自謙損，不以位地矜物，時論稱之。尋入周，授車騎大將軍。明帝好文學，褒與庾信才名最高，特加親待。官終宣州刺史。褒著有文集三十卷，（《隋書志》作二十一卷。此從《兩唐書志》）傳於世。（註一）」

詩中「黃山獵地廣，青門官路長。」「終慚屬車對，空假侍中郎。」提供我們追蹤的線索。《周書》卷四十一〈王褒傳〉云：

「元帝與褒有舊，相得甚歡。拜侍中，累遷吏部尚書、左僕射。」

梁元帝承制時，即承聖元年（西元五五二年），曾封王褒爲侍中，如「空假侍中郎」一語是實指則這首詩必作於江南，在江陵梁朝廷任官時，然與開端二句地名不合。則「空假侍中郎」一語只意謂其陪侍天子左右。上句云「終軿屬車對」，屬東是副車，從車。《漢書》賈捐之傳：「鸞旂在前，屬車在後。」也同是「隨從」的意思。《周書》王褒傳又云：

「褒與王克、劉瑴、宗懍、殷不害等數十人，俱至長安。世宗即位，篤好文學。時褒與庾信才名最高，特加親待。帝每遊宴，命褒等賦詩談論，常在左右。尋加開府儀同三司。保定中，除內史中大夫。東宮既建，授太子少保，遷小司空，仍掌綸誥。乘輿行幸，褒常侍從。」

世宗是北周明帝宇文統萬突。王褒於西魏恭帝元年十一月入長安（註二），北周孝閔皇帝宇文覺代西魏，乃臣事北周，至世宗，「篤好文學」、「特加親待」、「帝每遊宴，常在左右。」「除內史中大夫」。「乘輿行幸，褒常侍從」。這些大概，就是詩中「終軿屬東對，空假侍中郎。」的生活內涵。如然，詩應作於世宗時，人在北方。又黃山，山名，地望甚多，當是指山西省壺關縣南的黃山，山下有馮坡鎭。青門是漢長安城東南門，本名霸城門，門青色，漢邵平種瓜處，宇文泰殲殺柔然可汗鄧叔子等三千人於此。「黃山獵地廣，青門官路長。」所叙地望與創作背景一致。庾信有一首〈和王內史從駕狩〉，詩云：

「冬狩出離宮，還過獵武功。澗横偏礙馬，山虛絕響弓。更嬴承落雁，韓盧鬥鷙熊。猶開三面網，誰肯一山重？」

詩中有「武功」一詞，也是山名，地在陝西省武功縣南。可見也是在北周時的作品。倪璠在題下注云：

「王內史，王褒也。《周書·王褒傳》曰：『保定中，除內史中大夫。』」

倪氏認爲是和王褒之作。王褒在周世宗時曾任內史中大夫。觀上述王褒詩也是〈從駕狩〉。不過時間是九月九日，季秋時節。雖不是同時之作，但庾信詩可能是後來追和，即以〈冬狩〉之詩和王褒〈九日〉。所和王褒詩即此〈九日從駕詩〉，而今存王褒集，〈從駕狩〉之詩也只有這一首了。如然，則庾信詩可旁證王詩是北方之作。

〔附　註〕

〔註一〕《中國文學家大辭典》，譚正璧，河洛出版社。

〔註二〕《周書》卷二，文帝紀下。

六、鮑照〈發長松遇雪〉詩考：

一、題「長松」：黃節補註謂「未詳」。隆案長松，縣名，吳越置，浙江省松陽縣。《讀史方輿紀要》：「浙江處州府松陽縣，府西北百二十里，本漢章安縣南鄉地。建安四年，孫氏所置松陽縣，屬會稽郡。三國吳太平二年，改屬臨海郡，……吳越改爲長松縣。」又《清一統志》：「《水經注》有長松縣，在白水之南，陰平西南界，蓋晉魏時，氐人所置。……」

二、土牛既送寒：錢振倫注引《禮記》：「季冬之月，出土牛以送寒氣。」案《禮記月令》：「季冬之月，命有司大儺，旁磔出土牛，以送寒氣。」蓋古時在迎春儀式中，出土牛以祭。《淮南子·時則訓》：「出土牛耳。」《集解》：「出土牛，今鄉縣出勸農耕之土牛於外是也。」《後漢書·禮儀志》：「立春之日，施土牛耕夫于門外，以示兆民。」《東京夢華錄》：「立春五日，造土牛耕夫犁具於大門之外。」

三、冥陸方浹馳：錢振倫引《左傳》云：「日在北陸而藏冰。」是以「冥陸」爲北陸。黃節從其說引張載「七哀詩」云：「朱光馳北陸，浮景忽西沈。」北陸乃天文星區，恐誤。案「冥陸」，丁福保《全漢三國晉南北朝詩·全宋詩》卷四作「奠陸」。逯欽立《先秦漢魏晉南北朝詩、宋詩》卷八同，丁註云：「作奠陸」，逯氏注云：「本集、詩紀並云：『一作冥陸』。」皆未得其解。陵乃凌之假借字。詞當作「冥凌」，冥，北冥，北方之神。凌，本爲馳之義，然鮑照用此語乃合二字爲一語，以代表北方之神。語出《楚辭·大招》：「冥凌浹行。」注：「冥，北方之神也，凌，猶馳也。」「冥凌方浹馳」即「冥凌浹行」，全句用「大招」語，而略更動字數，成五言句，句意則同，與「土牛既送寒」同謂冬神已去，春神即來之義。

四、振風搖地局：錢振倫按：「地之言局，猶田之言罫也。」案振風：震撼大地之寒風，疾風。陸機《贈尚書郎顧彥先詩》：「玄雲拖朱閣，振風薄綺疏。」地如棋盤，故云地局。

五、封雪滿空枝：黃節引《西京雜記》曰：「太平之代，雪不封條。」封雪：積雪、大雪。《說文通訓定聲》：「封，假借爲豐。」《廣雅·釋詁一》：「封，大也。」

六、江渠令爲陸：黃節引《說文》：「渠，水所居也。」吳摯父曰：「江渠二句，所謂萬方聲一概也。」

七、天野浩無涯：錢振倫引《呂氏春秋》：「天有九野。」

八、飲泉凍馬骨斲冰傷役疲：錢振倫注引陳琳詩：「水寒傷馬骨。」又引《楚辭·九歌》：「斲冰兮積雪。」

九、昆明豈不慘黍谷寧可吹：錢振倫注引《高僧傳》：「昔漢武穿昆明池底，得黑灰，問東方朔，朔曰：『可問西域梵人。』後竺法蘭至，衆人追問之，蘭云：『世界終盡，劫灰洞燒，此灰是也。』」黃節引《拾遺記》：「周靈王起昆明之臺，召諸方士，有二人乘飛輦上席酣醉。時赤旱，地裂木燃。一人能以歌召霜雪。王乃請焉。於是引氣一噴，雲起雪飛，坐者皆凜然。」黃節又按云：「案本詩收句『黍谷寧可吹』，則是喜雪之下，其爲旱後得雪。所謂昆明慘者，即地裂木燃也。錢注恐誤。」蓋黃氏解釋「昆明慘」及「黍谷吹」均與錢氏異。錢振倫注引阮籍《詣蔣公奏記注》，劉向《別錄》曰：『鄒衍在燕，有谷寒不生五穀，鄒子吹律而溫，生黍。』」案錢、黃二氏均誤，此詩爲冬季行役之作，所以寫寒冬行役之苦。從首二句寫節候記，振風二句寫季冬寒風大雪，江渠二句寫雪封凍之狀。飲馬二句寫行役之苦，至昆明一句借漢武徵役穿昆明池，以寫其事。《漢書·武帝紀》：「元狩三年，發讁吏穿昆明池。」自己正欲行役出外，乃想起讁吏勞役之苦寒。慘是酷寒，張衡〈西京賦〉：「水霜慘烈。」注：「綜曰：『慘烈，寒也。』」言勞役在外的官吏豈不覺酷寒之苦。豈有如鄒陽之流，可吹律以令寒天黍谷生溫乎。《清一統志》引劉向《別錄》：「燕有黍谷，地美而寒，不生五穀。鄒子居之，吹律而溫氣生。舊有鄒衍祠在山上，舊志亦名燕谷山，亦謂之寒谷。〈左思賦〉：『寒谷豐黍，吹律以暖之。』是也。山有風洞，洞口風氣凜冽，盛夏不敢入。」不必附會昆明灰，更非霜雪滅火，木鐸印行之《鮑參軍集注》竟亦不知改正，惜也。

葉燮詩學概述

香港浸會學院　羅思美

葉燮（一六二七—一七〇三）字星期，號已畦，浙江嘉興人，康熙九年進士，選爲江蘇寶應縣知縣。晚年因卜居吳縣橫山，學者遂稱橫山先生。橫山少時，「隨俗習爲詞章」，晚歲則厭薄「雕蟲飣之技」，而從事經學。後自歎年歲過高，不克有成，乃以其所以治經之道轉治詩文，以爲詩文之道有類經學，「必折衷於理道而後可」。是以橫山論詩、論文，一以孔孟之道爲旨歸（《中國文學理論史·第四冊》）。橫山生平著作，以《江南星野辨》、《已畦集》、《原詩》三種爲最著。《原詩》分內外二篇，而二篇復分上下，合計四卷。大體言之，內篇重在「標宗旨」，闡發詩歌原理；外篇旨在「肆博辨」，討論作品工拙。又《內篇》上卷論源流正變，下卷論法度準則。合內外二篇觀之，有詩學歷史、詩學理論、詩學批評，頗能「綜貫成一家言」（見《原詩·叙》）。故橫山之他種著作雖不甚行於今世，而《原詩》一書，則膾炙人口，爲世所重。

原夫《原詩》之作也，實有鑑於詩道之不振，而「詩道之不能長振也，由於古今人之詩評，雜而無章，紛而不一」所致。橫山之意，殆以爲嚴羽、高秉（左邊從木）、劉辰翁、李攀龍諸人之論，「錮蔽學者耳目心思」，最厭人聽聞。而鍾嶸、劉勰，雖專門名家，「其言」亦「不過呑吐抑揚，不能持論」。惟唐代論者，若皎然、若劉禹錫、若李德裕、若皮日休，時有一得，足以啓蒙砭俗，爲「合於詩人之旨」而已。蓋橫山之論詩也，既「一一剖析而縷分之」，復「兼綜而條貫之」，去取謹嚴，立論高遠，「盡掃古今盛衰正變之膚說」（沈楙德《原詩·跋》），不失爲一論詩佳作。論者謂《文心雕龍》、《詩品》、《滄浪詩話》後，惟此書差可比肩。是其爲世所重也如此。

葉燮之文學史觀

自錢謙益昌言擊七子、竟陵之後，詩壇風氣，乃爲之轉移。除少數學者如毛先舒之徒外，多不屑步趨七子之後塵。但格調之說雖然少廢，尊唐尊宋，仍多爭論。有於盛唐之外兼取中晚者、有於盛唐之外兼取宋元者，亦有折中唐宋者。品味不同，好尙異趨。迨葉燮《原詩》出，不主一代，惟求其是，詩道復歸於正。其後，薛雪、吳喬、趙執信、馮班等相繼興起，擬古之說，乃掃地而盡矣。此則《原詩》有功於詩學也。

論者或謂「《原詩》內外篇四卷，斥責李、何、王擬古派，意在兼取唐宋」（見《淸代文學評論史》）。其言是也而意有未盡，蓋橫山論詩，有其獨特之文學史觀，非意主調和而已。竊以爲橫山所說古今詩道升降之故，其要旨有二：一、盛衰循環；二、正變相因。試分析之如下：

一、盛衰循環

自嚴羽、高秉（木旁）以來，論詩有專取格調者，以爲古詩必三百篇、必漢魏，律體必盛唐。此說一行，論者乃謂「唐無古詩」，「貞元之後，可以覆瓿」。因之，「苟稱其人之詩爲宋詩，無異於唾罵」（《原詩》）。橫山深痛論者貴古賤今，尊唐抑宋，而「不知詩之源流、本末、正變、盛衰互爲循環，並不能辨古今作者之心思、才力、深淺、高下、長短，孰爲沿爲革？孰爲創爲因？孰爲流弊而衰？孰爲救衰而盛？」自橫山觀之，詩之盛衰與詩之正變，二者相爲表裡。其言曰：歷考漢、魏以來之詩，循其源流升降，不得謂正爲源而長盛，變爲流而始衰；惟正有漸衰，故變能啓盛。

蓋盛由於救弊所致，衰由於積弊而成，盛衰非有一定。橫山以盛唐之詩爲例，曰：「開寶詩人，始一大變，彼陋者亦曰：『此詩之至正也』，不知實因正之至衰，變而爲至盛也」。盛唐之盛，尙非其詩之自正，乃由極弊而後返於正也。故所謂盛衰者，乃「就一時而論」，若通古今而爲言，則盛衰循環。橫山曰：

但就一時而論，有盛必有衰；綜千古而論，則盛而必至於衰，又必自衰而復盛；非在前者之必居於盛，後者之必居於衰也。（《內篇上：五六五頁》）

橫山之意，以爲天道循環，盛者不必常盛，而衰者亦不必常衰。易言之，盛者日久必衰，而衰者日久又必再盛，盛衰之端，循環不已。然則所謂盛衰者，乃相對而言。自其源言之爲盛，自其流言之爲衰。盛則爲正，衰則爲變，但變又可「爲救衰而盛」。質言之，若就「詩之源」言之，則「有盛無衰」，就「詩之流」言之，則「遞衰遞盛」。如十九首爲三百篇之衰，而轉爲五言之盛，又如晚唐之詩，論者謂其「衰颯」，橫山以爲「衰颯之論，晚唐不辭，若以衰颯爲貶，晚唐不受也」。橫山曰：

夫風雅之有正有變，其正變係乎「時」，謂政治風俗之由得而失，由隆而汚，此以時言詩，時有變而詩因之，時變而失正，詩變而仍不失其正，故有盛無衰，詩之源也。吾言後代之詩，有正有變，其正變係乎「詩」，謂體格、聲調、命意、措辭、新故、升降之不同，此以詩言時，詩遞變而時隨之，故有漢、魏、六朝、唐、宋、元、明之互爲盛衰，惟變以救正之衰，故遞衰遞盛，詩之流也。《內篇上》

蓋以詩之正變若係乎時，時有「變而失正」，詩則雖「變而仍不失其正」，反之，若詩之正變係乎詩，則詩之體格聲調等有盛有衰，自不能不由盛而衰，由衰而盛，盛衰循環，互爲根本。

夫詩之爲道，既盛衰循環，「未有一日不相續相禪而或息者也」，是以今之爲詩者，固不必「膠固一偏」，專取一代。且「人之智慧心思，在古人始用之，又漸出之，而未窮未盡者，得後人精求之而益用之、出之」，譬之「治器然，切磋琢磨，屢治而益精，不可謂後此者不有加乎其前也」。概而言之，前修倘有未密，後出可以轉精，競今疏古，雖未必是，崇古抑今，亦有可非。其要在於不「叛於道」，不「戾於經」，不「乖於事理」，「於情、於事、於景、於理，隨在有得，而不戾乎風人永言之旨」而已矣。

二、正變相因

夫詩之所以有盛有衰者，蓋以有正有變之故也。然則所謂正變者何也？詩之源流、本末而已。橫山曰：

詩始於三百篇，而規模體具於漢。自是而魏，而六朝、三唐，歷宋、元、明以至昭代，上下三千餘年間，詩之質文、體裁、格律、聲調、辭句，遞嬗升降不同，而要之詩有源必有流，有本必達末；又有因流而溯源，循末而返本，其學無窮，其理日出。（《內篇》上）

橫山以爲詩有源必有流，有正必有變，自其源以溯流，則源爲盛而流爲衰；自其正視變，則正爲盛而變爲衰。然源流正變，乃就各體而言，非通古今之謂也。如三百篇變而漢之十九首，則三百篇爲源、爲本，漢之十九首爲流、爲末，十九首蓋因三百篇而後有。就四言詩之格律、聲調而言，四言詩爲正，而十九首則爲變。正可視爲盛，變可視爲衰。但十九首乃五言詩之所出，建安、黃初、齊梁皆受命焉，故就五言詩之體格、聲調而言，十九首復爲正，而建安以下爲變。十九首於是爲建安、黃初之源、之本。橫山曰：

漢蘇、李始創爲五言，其時又亡名氏之十九首，皆因乎三百篇者也；然不可謂即無異於三百篇，而實蘇、李創之也。建安、黃初之詩，因於蘇、李與十九首者也；然十九首止自言其情，建安、黃初之詩，乃有獻酬、紀行、頌德諸體，遂開後世種種應酬等類，則因而實爲創，此變之始也。

盛因相沿而流爲衰，衰則因創新而轉爲盛，故正可流爲變，變可復轉爲正。是正變相生，盛衰無定。其始也，「雖各有所因，而實一一能爲創」，創新以傳統爲本，傳統以創新爲能，橫山曰：

韓愈爲唐詩之一大變，……宋之蘇、梅、歐、蘇、王、黃，皆愈爲之發其端，可謂盛。退之以文爲詩，又好以古文奇字入詩，去盛唐之聲律、風骨何啻千里，但退之能因中唐之衰而獨創一格，爲宋代詩人之祖，可謂之正、謂之盛矣。橫山論東坡詩時，亦謂：

蘇軾之詩，其境界皆開闢古今之所未有，天地萬物，嬉笑怒駡，無不鼓舞於筆端，而適如其意之所欲出，此韓愈後之一大變也，而盛極矣。

東坡能變，是以能創。能創即爲正，爲正即爲盛，正則「有盛無衰」，變則「遞衰遞盛」，故東坡爲「韓愈後之一大變也，而盛極矣」。

橫山論列古今詩人，獨推杜甫、韓愈、蘇軾三家，皆緣三家能「包源流、綜正變」，有所獨創，而不泥於古也。

〔附　註〕

夫橫山言「詩之源流、本末、正變、盛衰」至矣，而論者或謂其昧於文學發展之客觀因素，不以「社會發展爲文學發展之基本原因」（見成復旺《中國文學理論史》四）。此則橫山所不受，橫山嘗謂「文之爲運，與世運異軌而自爲途」（《百家唐詩序》），蓋深明此理，特所見有殊云爾。

橫山論詩之原理

論詩之原理者，乃論詩之所以爲詩也。然詩之爲詩，又有本質、功能、境界諸事之別也。橫山之說詩，雖未就此三者分別立論，然其言法度、言創作，實與詩之本質、功能、境界有關。又詩之本質、詩之功能、詩之境界，分言之則有別，合言之則無殊，蓋詩之本質爲詩之體，其功能爲詩之用，而其境界則爲「詩之至」也。有本質，斯有功能，亦斯有境界。由是觀之，功能、境界非在本質之外也。茲爲節省篇幅，姑就其論本質者觀之，以覘其餘。

「詩是心聲，不可違心而出，亦不能違心而出」，因之，橫山以爲「作詩者」，乃「在抒寫性情」。性情爲詩之本質。橫山曰：

詩家之規則不一端；而曰體格、曰聲調，恆爲先務，論詩者所謂總持門也。詩家之能事不一端；而曰蒼老、曰波瀾，目爲到家，評詩者所謂造詣也。以愚論之：體格、聲調與蒼老、波瀾，何嘗非詩家要言妙義！然而此數者，其實皆詩之文也，非詩質也；所以相詩之皮也，非所以相詩之骨也。

體格、聲調既非詩之質，則詩之質，必有在此二者之外者，橫山曰：「必其具有詩之性情、詩之才調、詩之胸懷、詩之見解以爲其質」。是橫山所謂詩，乃本於作者之性情、才調、胸襟、識解也。

橫山有云：

原夫作詩者之肇端，而有事乎此也，必先有所觸以興起其意，而後措諸辭，屬爲句，敷之而成章。當其有所觸而興起也，其意、其辭、其句劈空而起，皆自無而有，隨在取之於心；出而爲情、爲景、爲事，人未嘗言之，而自我始言之。

「有所觸以興起其意」，蓋即劉彥和《文心雕龍》所謂「睹物以興情」之意。詩人之所以能在「流連萬象之際」，「觸物以起情」（李仲蒙說），乃由於作者先有是情。若作者本無此情，則哀樂不能入，何「感物吟志」之有？故惟有此情，然後能「自無而有（此即創造也），隨在取之於心」，「以窮盡萬有之變態」。質言之，性情爲詩人之第一要素，「作詩有性情必有面目」，面目即作者之「自家體段」。橫山之所以推重杜甫、韓愈、蘇軾三家，皆以三家各有其面目故也。

詩之面目既係乎性情，亦係乎人品。「詩如其人之品也」，品高則詩高，品下則詩下，詩之高下，一以品之高下爲準，橫山云：

> 余歷觀古今數千百年來所傳之詩與文，與其人未有不同出於一者，得其一，即可以知其二矣。即以詩論，觀李青蓮之詩，而其人之胸懷，曠達出塵之概，不爽如是也。觀杜少陵之詩，而其人之忠愛悲憫，一飯不忘，不爽如是也。其他鉅者，如韓退之、歐陽永叔、蘇子瞻諸人，無不文如其詩，詩如其文，詩與文如其人。蓋是其人，斯能爲其言；爲其言，斯能有其品。人品之差等不同，而詩文之差等，即在可握券取也。（《南遊集序》）

由於詩與人品關係密切，橫山是以有「詩基」之說，其言曰：

> 我謂作詩者，亦必先有詩基焉。詩之基，其人之胸襟是也。有胸襟，然後能載其性情智慧，聰明

才辨以出，隨遇發生，隨生即盛。

橫山嘗舉陶潛、杜甫等爲例：「陶潛胸次浩然，吐棄人間一切，故其詩俱不從人間得，詩家之方外，別有三昧也」。唐人儲光羲、韋應物等，雖風格與陶相近，而詩皆有不及，以其「不能有陶之胸次故也」。至於杜甫，其胸襟尤大。橫山曰：

> 千古詩人推杜甫，其詩隨所遇之人、之境、之事、之物，無處不發其思君王、憂禍亂、悲時日、念友朋、引古人、懷遠道。凡歡愉、幽愁、離合、今昔之感，一一觸類而起；因遇得題，因題達情，因情敷句，皆因甫有其胸襟以爲基。

有胸襟，則面目易見，故橫山又曰：

> 如杜甫之詩，隨舉其一篇與其一句，無處不可見其憂國愛君，憫時傷亂，遭顛沛而不苟，處窮約而不濫，崎嶇兵戈盜賊之地，而以山川景物、友朋盃酒、抒憤陶情，此杜甫之面目也。

作者之面目，爲其胸襟之表現，故橫山以爲：

> 功名之士，決不能爲泉石淡泊之音；輕浮之子，必不能爲敦龐大雅之響。故陶潛多素心之語，李白有遺世之句，杜甫興廣廈萬間之願，蘇軾師四海弟昆之言。

作者須先有胸次，然後可以論文講藝，發抒性情也。

夫詩之爲道，固有賴於作者之胸襟、性情，然徒有胸襟、性情亦不足以爲詩。橫山曰：

> 吾故告善學詩者，必先從事於格物，而以識充其才，則質具而骨立，而以諸家之論優游以文之，

則無不得而免於皮相之譏矣。

以識充才則質具，是才、識與詩之本質有關。橫山云：「曰才、曰膽、曰識、曰力，此四者所以窮盡此心之神明」。才膽識力，雖就作者而言，然詩之爲物，亦無外乎作者之心靈。故必四者備然後詩道全也。（橫山所謂「文章之能事，實始乎此」者也）橫山云：「大凡人無才則心思不出，無膽則筆墨畏縮，無識則不能取舍，無力則不能自成一家」。才膽識力，屬之詩人，亦屬之作品。詩品出於人品，所求於作者者如此，所求於作品者亦如此。夫才膽識力，雖同爲作者作品所需，然就作品而論，識解較才力尤爲重要。橫山云：

> 在我者雖有天分之不齊，要無不可以人力充之。其優於天者，四者具足，而才獨外見，則群稱其才；而不知其才之不能無所憑而獨見也。其歉乎天者，才見不足，人皆曰才之歉也，不可勉強也；不知有識以居乎才之先。識爲體，而才爲用。若不足於才，當先研精推求乎其識。人惟中藏無識，則理、事、情錯陳於前而渾然茫然，是非可否，妍媸黑白，悉眩惑而不能辨，安望其敷而出之爲才乎？文章之能事，實始乎此。

識之與才，有本末體用之關係。才餒者，識不足也；識不足者，學有歉也。學有歉者，「可以人力」救之（《文心雕龍》謂「將贍才力，務在博見」，亦同此理）。是才學識三者關係密切。橫山曰：

> 大約才、膽、識、力，四者交相爲濟。苟一有所歉，則不可登作者之壇。四者無緩急，而要在先之以識。使無識，則三者俱無所托。

綜合觀之，詩者，作者之性情、才調、胸懷、見解之謂也。作者有此四者，斯可爲詩，是實踐本乎理論也。

論詩之功能

夫詩之質、之體，既本乎情，則其用，必在於「舒寫胸襟，發揮景物」。橫山曰：

自開闢以來，天地之大，古今之變，萬彙之賾，日星河嶽，賦物象形，兵刑禮樂，飲食男女，於以發爲文章，形爲詩賦，其道萬千，余得以三語蔽之，曰理、曰事、曰情，不出乎此而已。

其意以爲宇宙之大、古今之奇，「形形色色，音聲狀貌」，皆可以理、事、情三者「窮盡」其變態。橫山嘗舉草木爲例云：「其能發生者，理也；其既發生，則事也；既發生之後，夭喬滋植，情狀萬千，咸有自得之趣，則情也」是理、事、情三者，「舉在物者而爲言」，「無一物之或能去此者也」。「文章者，所以表天地萬物之情狀也」。「萬物之情狀」無他，蓋即客觀之事物是也。橫山之意，以爲詩文之用，乃在於反映客觀之事物，故曰：

天地有自然之文章，隨我之所觸而發宣之，必有克肖其自然者，爲至文以立極，我之命意發言，自當求其至極者。

所謂「克肖其自然」者，亦即「肖乎物」之謂。易言之，文章須與社會現實一致，乃不流爲空言。橫山以爲，詩文之道，有法而無法，無法而有法。有法者爲定位，無法爲虛名。定位與虛名，相資爲用，互不相悖。蓋「爲定位」者有規矩準繩，「爲虛名」者須神而明之。橫山云：

詩文之道，豈有定法哉？先揆乎其理，揆之於理而不謬，則理得。次徵諸事，徵之於事而不悖，則事得。終絜諸情，絜之於情而可通，則情得。三者得而不可易，則自然之法立。故法者當乎理，確乎事，酌乎情，爲三者之平準，而無所自爲法也。

理、事、情三者雖然在物，但詩人之文章，所以「表萬物之情狀」，亦必須「當乎理、確乎事、酌乎情」，然後「天地萬物，皆遞開闢於其筆端，無有不可舉，無有不能勝」。由是觀之，橫山所謂「理、事、情」者，雖然在物，亦必在人。故曰：

惟理、事、情三語，無處不然。三者得，則胸中通達無阻，出而放爲辭，則夫子所云辭達。達者通也，通乎理，通乎事，通乎情之謂。

張玉書於《已畦集·序》中引橫山之言亦曰：

蓋詩爲心聲，不膠一轍，揆其旨趣，約以三語蔽之：曰情、曰事、曰理，自雅頌詩人以來，莫之或易也。三者具備，而縱其氣之所如，上摩青旻，下窮物象，或笑或啼，或歌或哭，如泉流風激，如霆迅電掣，觸類賦形，騁態極變。以才御氣而法行乎其間，詩之能事畢矣。

蓋作詩者，格物致知，通乎事物之理、事、情，則可以隨物賦形，窮形盡相也。

論詩之境界

橫山有《與友人論文書》一文，發明六經之道，亦嘗及理事情三者，其言曰：

僕嘗有《原詩》一編，以爲盈天地間萬有不齊之物之數，總不出乎理事情三者，故聖人之道，自格物始，蓋格夫凡物之無不有理事情也；爲文者，亦格之文之爲物而已矣。……六經者，理事情之權輿也。……六經之後，其得此意者，則庶乎唐宋以來諸大家之文，爲不悖乎道矣。

橫山以爲天地之道，雖備於六經，但「易似專言乎理，書、春秋、禮似專言乎事，詩似專言乎情」（同上文）。其所明之理，所述之事，所言之情，皆「可言之理」、「可徵之事」，可「達之情」。此種理事情，乃文章之能事，而非「詩之至處」。「詩之至處」，雖亦與理、事、情有關，但並非實寫。如「實寫理、事、情，可以言，言可以解」，則「爲俗儒之作」，而非詩之極詣。橫山曰：

詩之至處，妙在含蓄無垠，思致微渺，其寄托在可言不可言之間，其指歸在可解不可解之會；言在此而意在彼，泯端倪而離形象，絕議論而窮思維，引人於冥漠恍惚之境，所以爲至也。

橫山以爲詩者，乃作者「興會所至，每無意而出之」，其理、其事、其情，渾然爲一，蓋「情必依乎理，情得然後理眞，情理交至，事尙不得耶？」理事與情，可分而不可分，「至虛而實，至渺而近」，使人「言語道斷，思維路絕」。故曰：

惟不可名言之理，不可施見之事，不可徑達之情，則幽渺以爲理，想象以爲事，惝恍以爲情，方爲理至、事至、情至之語。

蓋以爲詩最高之境界，「必有不可言之理，不可述之事，遇之於默會意象之表，而理與事無不燦然於前者也」。橫山嘗舉「杜集四語」以說明之，如《玄元皇帝廟》之「碧瓦初寒外」句、《宿左省》之「月傍九霄多」句、《夔州雨濕不得上岸》之「晨鐘雲外濕」句、《摩訶池泛舟》之「高城秋自落」句，雖不能「以理而實諸事以解之」，「然設身而處當時之境會，覺此五字之情景，恍如天造地設，呈於象，感於目，會於心。意中之言，而口不能言，口能言之，而意又不可解。劃然示我以默會相象之表」，竟若實有其事，於是理事情三者一時俱得，此乃「詩之至處」。明朝謝榛論詩，謂「詩有可解、不可解、不必解，若水月鏡花，勿泥其跡可也」（見《詩家直說箋注》4），世以爲知言，然橫山之說，較之茂秦尤爲精闢，是以當代學者推崇備至，非偶然也。

匠心爲作者之別識心裁，「須有我之神明在內」，如東坡作詩，取材廣博，「譬之銅鐵鉛錫，一經其陶鑄，皆成精金」，斯爲善於用材也。

作詩者既善於取材，又長於用材，亦必巧於敷辭，精於變化，文章之能事始盡。橫山云：

文辭者，斐然之章采也，必本之前人，擇其麗而則、典而古者而從事焉，則華實並茂，無夸縟鬥炫之態，乃可貴也。

設色布采，本爲畫家之能事，爲文者斟酌用之，如「素之受繪」，則優游彬蔚文質俱全。

夫取材、用材、敷辭，雖動不失正，猶有憾焉，蓋變化之道不足故也。橫山云：「變化而不失其正，千古詩人，惟杜甫爲能」，杜陵爲千古文章之聖，善於變化之故也。蓋文章而至於化，則文章之能事盡矣。

橫山曰：「《虞書》稱『詩言志』。志也者，訓詁爲心之所之，在釋氏所謂種子也。志之發端，雅有高卑大小遠近之不同，然有是志，而以我所云才、識、膽、力四語充之，則其仰觀俯察，遇物觸景之會，勃然而興，旁見側出，才氣心思，溢於筆墨之外」。

橫山之意，以爲作者雖有胸襟，但如欲「自成一家」，猶須以才、膽、識、力充實之，藉「以窮盡此心之神明」，因「人無才則心思不出，無膽則筆墨畏縮，無識則不能取舍，無力則不能自成一家」。才、膽、識、力，橫山謂之四衡，四衡中以識爲主，蓋識居才先，「識爲體而才爲用，若不足於才，當先研精推求乎其識」。橫山曰：

人惟中藏無識，則理、事、情錯陳於前，而渾然茫然，是非可否，妍媸黑白，悉眩惑而不能辨，安望其敷而出之爲才乎？文章之能事，實始乎此。

人而無識，則事理不通，是非莫辨。「惟有識則能知所從，知所奮，知所決，而後才與膽力，皆確然有以自信」，以自成一家。

有識之人，亦必有膽。橫山以爲「識明則膽張，任其發宣而無所於怯，橫說豎說，左宜而右有（疑爲宜字之誤），直造化在手，無有一之不肖乎物也」。

人而無膽，則「筆墨不能自由」，取舍無準：或失之多，如「蛇添足」，或失之寡，「生割活剝」，皆不得其正。

「膽能生才」，有膽自然有才，橫山以爲學者「但知才受於天」，而不「知必待擴充於膽」。蓋所謂才者，實亦發於作者之膽識。橫山曰：

夫於人之所不能知，而惟我有才能知之；於人之所不能言，而惟我有才能言之，縱其心思之氤氳磅礴，上下縱橫，凡六合以內外，皆不得而囿之。以是措而爲文辭，而至理存焉，萬事準焉，深情托焉，是之謂有才。

人而有才，必有力以載之，文章始能傳諸久遠。橫山曰：

力之分量，即一句一言，如植之則不可仆，橫之則不可斷，行則不可遏，住則不可遷。

總而言之，才膽識力，實相資爲用，闕一不可。故曰：「才、識、膽、力，四者交相爲濟，苟一有所歉，則不可登作者之壇」。

概而論之，橫山之論創作也，兼有內外、本末、先後、輕重諸端。文學雖有因有創、有舊有新，在前者不必居於盛，在後者亦不必居於衰。盛衰無古今，唯獨創生新爲可貴。其創新也，有法而無法，無法而有法。有法者爲定名，無法者爲虛位。要能「當乎理、確乎事、酌乎情」，以「氣鼓行於其間，絪緼磅礴，隨其自然，所至即爲法」。法與無法，乃就詩以求詩，非詩之基也。若因其人以求其詩，則作者之胸次性情、才膽識力，乃成敗關鍵之所繫焉。

《萬錦情林》初探

成功大學　王三慶

壹、前　言

《鍥三台山人芸窗彙爽萬錦情林》一書，日本東京大學文學部藏，爲海內外僅存之孤本。孫楷第先生最早著錄：

書爲萬曆刊本，極不多見。大型，插圖。上層半葉十四行，行十二字；下層半葉十三行，行二十字。署『三台館山人仰止余象斗纂，書林雙峰堂文台余氏梓。』上層選《太平廣記》及元以來之文言傳奇。下層則爲明人詩詞散文相間之通行小說。其上層之〈秀娘遊湖〉一篇爲平話；鋪陳豔冶，結構亦平平；而屬辭比事，雅近宋元，似其時代甚早，至少亦從宋元本出。存此一篇，亦彌足珍貴矣。（註一）

此外，並附上下層篇目。其後，譚正璧，譚尋先生合著《古本稀見小說匯考》，大底根據此說敷演而成，並對故事源流繼續追尋。（註二）至於胡士瑩撰述《話本小說概論》，雖未直接涉及，然而其中第十一章〈明代的說書和話本〉第六節〈明代的傳奇文和通俗類書〉部份，則是針對通俗類書略加敘述。（註三）因此，本書經過三位大家的報導發揚，已經對於學界作了不可磨滅的貢獻，應該給予肯定。如果還有一點遺憾，即是後來二篇對於《萬錦情林》一書實非親自寓目，只能根據孫說的報導資料稍加論述。然而孫氏當年東京觀書，極爲倉促，所重非一，尤其昔日複制沒有今天想像的方便，鈔錄也費時日，著書又限於體例，以致於所能提供的僅是有限的珍貴材料，仍然不能滿足研究者的貪婪心理。筆者有幸覽閱此本，願將全本讀後概況作一報導，並將部分心得，撰成初探一文，呈請方家賜正。

貳、全書概況

本書首封面，上題橫書『雙峰堂余文台梓行』，左行直題『鍥三台山人芸窗彙爽萬錦情林』，右下直題『一彙鍾情麗集』、『一彙三妙全傳』、『一彙劉生覓蓮』、『一彙三奇傳』、『一彙情義表節』、『一彙天緣奇遇』、『一彙傳奇全集』等共七行，中下欄云：『更有彙集詩詞歌賦諸家小說甚多，難以全錄于票上，海內士子買者一展而知之。』中繡余文台本人影相圖，內題『三台館』之匾額及『成化門』之店址，實爲讀者所作之廣告標記。每卷首二行署『三台館山人仰止余象斗纂，書林雙峰堂文台余氏梓。』卷六底葉有『萬曆戊戌（一五九八）冬余文台繡梓』牌記。封面後則爲六卷之總目，然而持與書中各目對照，微有小異，故將各卷題目，故事內容及源流，略加報導追溯，表列如下：

一卷下層

1鍾情麗集：言辜輅・瑜娘事《風流十傳》

⑴辜生謁姑見瑜娘圖⑵瑜娘觀詞作怒色圖⑶瑜娘入館見辜生圖⑷瑜姑生錦帳初交圖⑸辜生踰墻與瑜重會圖⑹辜生共瑜並肩觀傳圖⑺辜瑜窗間和韻聯詩圖⑻辜生店疾觀詩圖⑼瑜娘漸出深閨會生圖⑽瑜娘共生船中敘情圖⑾辜瑜圓合共飲談情圖玉峰主人

《國色天香》卷九・十上下層

《花陣綺言》卷六・七：題目同・無圖・題：『楚江僊隱石公纂輯・吳門翰史茂生評選』

一卷上層

1華陽奇遇《華陽奇遇記》：敘於潛秀才文信美奇遇記

《剪燈餘話》〈洞天花燭記〉

2張于湖記《張于湖宿女貞觀記》：于湖者張孝祥《古今女史》

《寶文堂書目》張于湖誤宿女貞觀記・關漢卿《玉簪記》・佚名《孤本元明雜劇》張于湖誤宿女貞觀記・高濂《玉簪記》・林本《燕居筆記》6.何本《燕居筆記》10.馮本《燕居筆記》7.《國色天香》卷十上層《張于湖傳》

3玩江樓記：柳七耆卿事

《清平山堂話本》柳耆卿詩酒玩江樓・林本《燕居筆記》6.何本《燕居筆記》10.馮本《燕居筆記》

7.《繡谷春容》7.元人戴善甫・楊景言・永樂大典戲文並名〈柳耆卿詩酒玩江樓〉・

4芙蓉屏記（廬陵李禎）：至正辛卯崔英之妻王氏事

《剪燈餘話》（《叢話》卷三）

5連理樹記：上官守愚事

《剪燈餘話》

6令言遇仙《成令言遇仙記》：成令言〈鑑湖夜泛記〉

《剪燈新話》

7崔生遇仙《崔生遇仙記》：唐開元天寶崔生事

8聚景園記《滕穆醉遊聚景園記》：延祐初滕穆事

《剪燈新話》（山陽瞿祐）（《叢話》卷三）《豔異篇》第522頁

二卷下層

1白生三妙傳《風流十傳》3

⑴白錦瓊奇會遇・目圖⑵白生錦娘佳會・目圖⑵飲讌賞月留連・目圖⑷白生瓊姐佳會・目圖⑸三妙寄情倡和・目⑹白生奇姐佳會・目圖⑺白生獻賞銀花・圖⑻右調憶王孫・目⑼慶賞上壽會飲・目圖⑽涼亭水閣風流・目圖⑾玉枕卜締姻連・目圖⑿錦娘割股奉親・目圖⒀奇姐臨難死節・目圖⒁徽音堅貞守義・目圖⒂碧梧雙鳳和鳴・目圖

《國色天香》卷六全·下層《花神三妙傳》，內目7·8作四美連床夜雨·14無·餘同上。《花陣綺言》

卷二·三：《花神三妙傳》·無圖·題：『楚江僊隱石公纂輯·吳門翰史茂生評選』

二卷上層

1裴航遇仙《裴航遇雲英記》：唐長慶中裴航事

《清平山堂話本》藍橋記·林本《燕居筆記》5上·《寶文堂書目》·宋官本雜劇《裴航相遇樂》·元庾天錫《裴航遇雲英》雜劇·明龍膺《藍橋記》·楊之炯《玉杵記》·清黃兆森《裴航遇仙》·《綠窗新話》卷上《裴航遇藍橋雲英》傳奇·《豔異篇》第50頁

2秋香亭記：據內目補·又附至正年間商生事

《剪燈新話》

3夫婦成仙《張老夫婦成仙記》：梁天監中揚州張老事

4田洙遇薛《田洙遇薛濤聯句記》：洪武十七年甲子五羊田洙事

《剪燈餘話》·《豔異篇》第535頁·《情史》20《列朝詩集小傳閏集》

5聽經猿記：廬陵吉水之東山支雲務金禪公事

《剪燈餘話》

6天致續源《天致續緣記》：徐戌文仙·劉懷娘事

7秀娘遊湖《裴秀娘夜遊西湖記》：南宋理宗寶慶二年裴朗之女秀娘

見《醉翁談錄》舌耕叙引・胡士瑩《話本小說概論》496頁・《宋元話本》第351頁

三卷下層

1覓蓮傳記《覓蓮記傳》：劉一春茂華事

目：劉生覓蓮・

圖：劉生步梅遇女・生聽閨中吟詩・劉生與文仙對飲・劉生遇蓮折花・童對蓮娘談生德・生紅二人對答・蓮於枕上問梅事・蓮對紅嘆相思・蓮睹劉生釣魚・汝和於園中戲蓮・繡鳳送茶與生・生執梅手告苦・生蓮談情遇梅童・生見梅求蓮一會・劉生一見中鷹・生童上岸遇文仙・劉生奇遇團圓・

《國色天香》卷二上・下層・卷三下・下層〈劉生覓蓮傳記〉

《花陣綺言》卷11 12〈覓蓮雁集〉：無圖・題：『楚江僊隱石公纂輯・吳門翰史茂生評選』

三卷上層

1東坡三過《東坡三過記》：蘇軾三過攜李訪文長老事

2羞墓亭記：買臣妻棄夫事，並附後人詩。

3賣婦化蛇《賣婦化蛇記》：秀水張鑑不事生產賣妻之因果報應。

4聯芳樓記：元至正年間，薛氏二女蘭英・蕙英事。

《剪燈新話》（山陽瞿祐）（《叢話》卷三）・《情史》75頁・《豔異篇》第256頁・《情史》75頁。

5王生奇遇《王生渭塘奇遇記》：元至正年間王生過渭塘奇遇事。
《剪燈新話》（明馬龍）（《叢話》卷六）．《豔異篇》第327頁
6甘節樓記：嘉興姜儒之女嫁夫馬瑫．瑫死，妻為守節事。
7會眞記：唐傳奇。
一葉誤入《王生奇遇》中，29上．30下又誤置。《豔異篇》第233頁．《情史》407頁。

辨本類

8李玉英本：嘉靖四年玉英受繼母誣陷上本事。
《國色天香》卷六《山房日錄》18《醒世》26《靜居詩話》卷23
9李妙緣本《李妙緣代死救夫本》：本宗年間，榆林驛丞林圯妻李妙緣上本代夫死，後得赦。《國色天香》卷六《山房日錄》19
10周氏本《周氏代夫受刑本》：王裕妻上本代夫受刑。
《國色天香》卷六《山房日錄》20

疏類

11陳茂烈疏《陳茂烈乞恩終養疏》：《國色天香》卷六《山房日錄》16
12吳良詠疏《吳良詠乞恩終養疏》：進士吳良於正德十六年乞求終養，入仕共三二年。《國色天香》卷六《山房日錄》17

13蔡宗袞疏《蔡宗袞乞致仕疏》：德十三年四月，求致仕教書養母事。《國色天香》卷六《山房日錄》14

14張欽諫疏《張欽閉關諫阻乘輿疏》：張欽諫英宗事。《國色天香》卷六《山房日錄》18

15李氏疏《李氏代夫死疏》：成化13年3月16日，徐孚爲王佇劾奏罪斬，妻上疏代夫死。

書類

16李白退番書：《酒史》卷上・《國色天香》卷三《快睹爭先》16・《警世》9

17解縉奉母書：《國色天香》卷三《快睹爭先》19

18與情妓書：無名氏《國色天香》卷三《快睹爭先》22

聯類

19君臣口聯：蘇易間與太宗聯

20宰相對聯：丁晉公與楊文公聯

21御製聯句：明太祖與任福通聯《國色天香》卷六《臺閣金聲》16〈感對陞官〉

22多寶聯對《上幸多寶》：明太祖與江懷素聯《國色天香》卷六《臺閣金聲》17〈多寶如來〉

23兄弟對聯《豫章兄弟》：豫章人士兄弟聯《國色天香》卷六《臺閣金聲》18〈兆應兄弟〉

24店主還聯：明太祖與店主聯《國色天香》卷六《臺閣金聲》19〈店主還對〉

25馬鐸夢聯：馬鐸於永樂間中壯元，乃以夢中聯語壓勝邑人同學林誌事。《國色天香》卷六《臺閣

金聲》20〈夢聯應兆〉

26螃蟹鱗甲：李西岸與程篁墩以神童爲英廟廷事。《國色天香》卷六《臺閣金聲》15〈對應聖言〉

27商輅捷才：天順皇上出聯，柯潛無以對，商輅應答之。《國色天香》卷六上層《臺閣金聲》4〈商輅捷才〉

28堂上春聯：邃庵楊公以神童應薦翰林。《國色天香》卷六《臺閣金聲》5〈公堂署聯〉

29神童捷對：彭印山於永樂中，以六歲受徵召應對事。

30端明敏捷：汪端明應辰以神童爲喻子材召對事。

31書童善對：洪武間，楊季任見呂升學童出對事。《國色天香》卷六上層《臺閣金聲》10〈童子捷對〉

32臺閣先聲：丘文莊公幼學捷對事，後事宣廟。《國色天香》卷六《臺閣金聲》23

33斧頭梯子：舒芬大比前作聯題齋，丁丑大魁天下事。《國色天香》卷六《臺閣金聲》31〈以對見志〉

34司馬門帖：書生與司馬聯對事。《國色天香》卷六上層《臺閣金聲》6〈司馬門聯〉

35生員捷對：宣德間，林生員與葉叔（縣丞）對事。《國色天香》卷六《臺閣金聲》14〈因對免刑〉

36雪消月滿：一文宗與生對。《國色天香》卷六《臺閣金聲》27〈見景生聯〉

37鬢疏鬚廣：正德中，御史與教官之戲對。《國色天香》卷六《臺閣金聲》24

38鼎鼐調羹：邑宰與貳尹戲對。

39御溝金屋：駙馬鄔公景和在嘉靖初與毛三江宗伯對，預讖事。《國色天香》卷六《臺閣金聲》26〈讖應其對〉

40春雨分茶：解春雨與教坊妓戲對。《國色天香》卷六《臺閣金聲》28

41以姓爲聯：惠安歐知縣與趙教諭相戲以姓爲聯事。《國色天香》卷六《臺閣金聲》29

42北斗西天：僧客戲對。《國色天香》卷六《臺閣金聲》30〈即物爲聯〉

43木匠還聯：木匠與道人戲對。

44泉州教授：弘治末，教授爲人戲題聯語愧走事。《國色天香》卷六《臺閣金聲》12〈譏亂明倫〉

45龍聽以角《龍德以角》：宋壽皇問王季海事。《國色天香》卷六《臺閣金聲》21

46給事尚書：永樂中，夏忠靖公宿天寧寺與給事戲對。《國色天香》卷六《臺閣金聲》22

47夫妻對語：宋梅聖俞夫妻戲對。

48佛印出聯：東坡夫人與佛印戲對。《國色天香》卷六《臺閣金聲》13〈僧婦相譏〉

判類

49王採花判：採花王剛爲御史，爲龍溪張生與鄰女私通判。《國色天香》卷六《山房日錄》10〈私通判〉

50詞判僧姦《僧奸判》：伍愛娘爲鄰僧圓茂所姦，官人趣判。《國色天香》卷六《山房日錄》11

51詞判幼婚《幼婚判》：詹公任南海縣令，判富室女不准離婚案。

52詞判老婚《老婚判》：陳晟爲隆慶府奉新縣老富人判。《國色天香》卷六《搜奇覽勝》32〈老婚媾頌〉

52詞判強姦《強姦判》：胡友信爲富人婢受姦案判。

53嫁尼姑判《尼姑嫁人判》：黃文煒判尼蓄髮嫁人案。

54嫁婦判：黃名中爲鉛山鉛有民婦判。

55螢蚊判：螢蚊戲頌，蛙爲判。《國色天香》卷六《山房日錄》12〈螢蚊供〉

56湯婆竹夫人判：夏天洪爲妻妾湯婆及竹夫人判。《國色天香》卷六《山房日錄》13〈湯竹判〉

四卷下層

1浙湖三奇《浙湖三奇傳》：《風流十傳》6元末吳守禮事

⑴吳生歸寓自吟圖⑵鸞姐書約吳生圖⑶吳生作詩自嘆圖⑷鳳承生題即韻圖⑸鸞鳳具卮餞生圖⑹興賦房闈十勝圖⑺二喬四景閨怨圖⑻嬌鳳書寄汝玉圖⑼帝詔賜生歸娶圖

《國色天香》卷四下層〈尋芳雅集〉（〈新鍥幽閒玩味奪趣群芳四卷〉·撫金養純子吳敬所編輯·大梁周文煒如山甫重梓）

《花陣綺言》卷一〈三奇合傳〉：無圖·題：『楚江僊隱石公纂輯·吳門翰史茂生評選』

2情義奇姻：陶定夫人劉氏生子啓元，連襟熊夢龍生女群娘，二人戀情案。

⑴元生訪姨見群娘圖⑵群娘姨家看生病圖⑶元生群娘幽會圖⑷群娘送生長亭餞別圖⑸元生榮歸完娶圖

《燕居筆記》劉方三義傳·《情史》卷三及《明詩正聲》·《醒世恆言》《娛目醒心編》《今古奇聞》《劉小官雌雄兄弟》·《曲海總目提要》《彩燕詩》

四卷上層

詩類

1君臣弈棋詩《君臣奕棋》：仁宗東宮時與曾子棨觀內侍奕棋詩。《國色天香》卷二《搜奇覽勝》70《內侍奕棋》

2君臣贈答：嘉靖間，蔣太傅冕歸後，復徵召不至，君臣嘲詩。《國色天香》卷二《搜奇覽勝》3《君嘲臣詩》

3詠萍伏降：嘉靖間，毛伯溫之謀士詠萍詩。

4詩見志：唐宣宗微時與黃蘗唱詩。《唐溪詩話》166頁·《續雞肋》《國色天香》卷二《搜奇覽勝》22《詩以言志》

5神童詠鳥：李義府貞觀時賦鳥詩。《全唐詩話》·《唐詩紀事》·《國色天香》卷二《搜奇覽勝》24《自詠無依》

6詠門第詩《詩詠門第》：洪武初，蕭子韶詠出身詩。

7松友忠節：胡公閏松友因題詩爲明太祖見召。

8詠鷹知賢：崔鉉隨父元略至韓晉公滉處詠鷹事，寶曆三年登第。《全唐詩話》167頁

9愍肅詩讖《愍肅詩讖》：于謙於景泰初口占詩讖。《雪濤小書》30頁

10題項羽廟：士人題詩慰羽。

11題諫官廟：慶曆三年，楊璠·歐陽修爲余襄國靖詩。

12題岳王祠：葉紹翁·馬則誠·林清源·邵李二方伯題岳王祠。《吳禮部詩話》600頁·《歸田詩話》一二六九頁

13燒貢院詩《火燒貢院詩》：洪武癸未，甲申貢院火，舉人死九十餘人事。

14女奇狀元：李翺之女識盧儲卷詩。《國色天香》卷二《搜奇覽勝》43

15狀元詩讖《狀元詩讖》：黎淳至京，口占排妓狀元詩。

16贈子應試《贈子應試詩》慶元間，余孔惠與子名復詩。

17夢題扇梅：程楷（念齋）事。

18挈牌賣詩：宋仇萬頃事。

19命題椿子：舉人賦志詩。《國色天香》卷二《搜奇覽勝》7〈命詠椿子〉

20命題水棒：正統間，葉宗文徵兵謀逆，生員爲父賦詩。

21酸字題梅：宋陳蒙以酸字題梅。

22姚少師詩：永樂間，姚少師爲曹三尹撻而戲題。
23賦詩食犬：士人作。
24遇盜索詩：李涉事。《國色天香》卷二《搜奇覽勝》31〈逢盜索題〉
25詠詩嘲僧《食篁嘲僧》：程渠南與僧信道元同齋詩。《國色天香》卷二《搜奇覽勝》52〈同齋爭篁〉
26楮衾獻詩：徐大山爲尹，僧獻一詩。
27楊少卿詩：楊少卿復爲童採萍受毆詩。
28嘲友驕詩：士人登第，友招不至而嘲詩。
29詩僧請韻：賈似道爲相，蜀僧請韻。《國色天香》卷二《搜奇覽勝》6〈詩詠漁翁〉
30神翁先見：宋高宗與神翁見，神翁賦詩。
31相約一笑：唐肅宗時，李泌與僧圓澤約見詩。《國色天香》卷二《搜奇覽勝》42〈一笑爲約〉
32田叟贈藥：薛昭食田叟藥，遇三女和詩。《國色天香》卷二《搜奇覽勝》49
33招文蕭詩《招文簫詩》：吳猛女彩鸞寫《唐韻》及文蕭事。
34投詩配仙：任生與妓（仙女）事，提及李長卿撰《白玉樓記》。
35盤塘仙女：元揭曼碩遇女留宿事及別詩。《國色天香》卷二《搜奇覽勝》5〈神詩留記〉
36苧羅仙女：王軒題西施灘詩唱和。《情史》633頁。
37鬼女聯詩：逸士及女鬼事。

38烏衣國婿：航海人以風至烏衣國爲婿事。
39二女獻詩：鐵鉉二女於靖難後，不願配入樂籍事。《國色天香》卷二《搜奇覽勝》44
40束綾贈詩：宋寇萊公與寵妾蒨桃和詩。《情史》150頁。《國色天香》卷二《搜奇覽勝》29〈詠一束綾〉
41紅葉題詩：唐僖宗時，于祐得紅葉題詩，並唱和，後賜宮女事。《情史》117頁
42桐葉題詩：侯繼儒拾妻任氏桐葉詩。《情史》48頁
43見詩求婚：趙德麟見王氏28字詩，因而求婚。
44戰袍賜婦：唐玄宗時，戍士得宮人制袍詩，賜婚。《本事詩》·《情史》117頁。《石點頭》〈唐明皇恩賜纊衣緣〉
45鎖袍賞婦：唐僖宗時，宮人制袍，戍士馬眞得金瑣詩，賜婦事。《情史》117頁。
46楊謝聯句：謝生求楊翁女詩。
47書紅銷帕：張生得李公寵姬紅綃帕詩。《情史》98頁
48咫尺相思：華椿年女春娘贈徐君亮詩。《國色天香》卷二《搜奇覽勝》4〈男女賡和〉
49人月雙圓：連倩女贈陳彥臣詩。
50元宵佳偶：張俊以詩挑鄰女。
51用中奇遇：嘉熙丁酉，福建潘用中與黃府孫女以笛識，並以胡桃裹詩帕傳情事。《豔異篇》249頁·

《情史》85頁

52藤籠老木：石周默挑張復妻孫氏詩事。

53天花板詩：元遺山妹詩，張于章見詩不敢言。《雪濤小書》62頁

54江鄉臘雪：韓襄毅公雍召友人賞雪不至詩。

55木蘭戍邊：木蘭詩及杜牧題木蘭廟詩。

56痲鬍吟句：宣和間，痲鬍郎中娶麗女李氏，受岳母譏而作舉家詩事。

57龜圖獻詩：唐張睽防邊，妻作迴文詩之睽離典。《情史》199頁

58詠青松詩《解縉詩》：解縉神童幼時詩。

59獻詩救夫：方勉妻許氏詩。

60寄衣侑詩：葉正甫妻劉氏寄詩。《情史》29頁

61寄征衣詩《征衣詩寄》：王駕妻陳玉蘭寄詩（夫在邊關妾在吳）。

62寄襪鞋詩：士人妻寄詩。

63寫眞寄詩《寫眞寄外》：南楚材妻薛媛詩。

64拆柬復詩《拆簡復外》：吳仁叔與妻韓氏唱詩。

65寵妾寄詩《寄寵妾詩》：陳少卿妻寄詩。

66題詩寄燕《紫燕傳書》：郭行先女紹蘭致夫任宗詩。

67詠詩辭婚《詞蜀相婚》：《說海》．黃崇嘏喬裝男兒謁蜀相周庠，庠欲招婿，以詩白之。

68留詩爲別：嚴瓘夫欲出妻任氏，婦賦詩。《情史》198頁。《國色天香》卷二《搜奇覽勝》12〈夫妻詠別〉（原作愼氏）

69湖州期約：杜牧十年期約落空詩。《情史》343頁

70寄士登詩：女戴伯齡與兄友林士登通，後被林棄，寄詩，爲父母覺而縊死事。

71題燕侶詩《孤燕爲侶》：王整妹王玉京夫婿衛瑜死後，題燕詩。

72旌表烈婦：陳友諒部鄧平章強佔藺氏，氏自刎，友諒立廟以表之。

73刎嶺死節：至正十三年，臨海人妻王氏被擄不屈，賦詩自刎，附楊廉夫及佚名詩。《情史》13頁

74燕樓死節：張建封妾關盼盼事及白居易詩。《情史》25頁

75裂帛投河：至正間，衢川龍遊縣儒家婦何氏題詩不屈自刎。

76妙端題壁：祝氏婦胡妙端被苗獠所擄不屈自刎詩。125頁

77花枝金鈴：士子挑商婦，被拒往來詩。《國色天香》卷二《搜奇覽勝》50

78題金山寺：成化二十年，李妙惠因誤傳夫盧氏死，爲翁出聘，因詩復聚。末署弘治二年八月十七日。《情史》5頁

79湘江柘枝：殷堯潘贈李翺柘枝詩，舒元輿贈詩。

80紅綃妓詩：唐大曆中，崔生贈紅綃女詩。

81金陵翠翹：金陵名妓翠翹寄左公詩。《集異記》·《國色天香》卷二《搜奇覽勝》48

82衆妓歌詩：開元間，旗亭唱詩事，王昌齡·王之渙·高適。

83迴文四絕：薛氏春·夏·秋·冬四絕迴文詩。

84詠白鸚鵡：周韶名妓求落籍，蘇子容指詠白鸚鵡事，間及蔡君謨·陳述古事。

85詠針嘲妓：士人與妓詩。《國色天香》卷二《搜奇覽勝》58〈以針詠針〉

86妓館留題：秀才戲題廣陵名妓賽鶯詩。《國色天香》卷二《搜奇覽勝》11

87嘲妓擇偶：王九吳娼也，早衰，友人戲題詩。

88謝遣妓妾：佛印謝東坡遣妓詩。

89王魁負約：王魁負桂英。《情史》490頁·《豔異篇》425·《宋元話本》345·

90貧妓坐化《角妓坐化》：歌妓鄒妙端色衰坐化嘲詩。

91東坡誚妓：東坡誚豪家妓詩。《國色天香》卷二《搜奇覽勝》33〈戲誚妓女〉

吟類

92逐婦吟：隆慶間，詹仰庇忤旨被放，蕭公廩作贈。

93虎泉吟：貫雲石作。《西湖遊覽志餘》·《國色天香》卷四《士民藻鑑》22〈酸齋吟〉

94紫燕吟：《國色天香》卷四上層《士民藻鑑》26·

95綠窗吟：《國色天香》卷四上層《士民藻鑑》27·

96惜花吟：《國色天香》卷四上層《士民藻鑑》28・
97讀書吟：解縉作（又及宋景濂公）。
98白頭吟：司馬相如及卓文君事，文君作。《國色天香》卷四上層《士民藻鑑》21・

行類

99虞美人行《虞美人草行》：《冷齋夜話》云：曾子宣夫人魏氏作。《國色天香》卷四上層《士民藻鑑》4・
100結交行：《國色天香》卷四上層《士民藻鑑》6・
101浩歌行：《國色天香》卷四上層《士民藻鑑》7・

五卷下層

1天緣奇遇《風流十傳》4
(1)祁生奇遇仙姬圖(2)祁生斂跡攻書圖(3)二姑並枕爭春圖(4)祁生狎金錢圖(5)祁生丹陛陳情圖(6)恩命洞房歸娶圖(7)祁生仙子同登圖
《國色天香》卷七・八上下層〈天緣奇遇〉《花陣綺言》卷四・五〈天緣奇遇〉：無圖・

五卷上層

詞類

1岳武穆詞《武穆忠義詞》：岳飛〈滿江紅〉及文徵明和詞。《國色天香》卷二《搜奇覽勝》55〈忠

以詞見》

2岳王祠詞《遊岳王祠詞》：何喬遊岳王祠作。《國色天香》卷二《搜奇覽勝》59〈何公遊祠〉

3賦鷓鴣詞《鷓鴣詞》：宋鄧中齋剡原為文天祥客，宋亡，賦此詞。45頁。

4登釣臺詞：士人過嚴子陵釣臺作。《國色天香》卷二《搜奇覽勝》63〈過登釣臺〉

5祝壽月詞：解春雨壽太宰詞。《國色天香》卷二《搜奇覽勝》57〈以月祝壽〉

6妻守節詞《寶妻守節詞》：岳州破，徐君寶妻張氏被擄，題壁〈滿庭芳〉詞後赴水死。《國色天香》卷二《搜奇覽勝》56〈張氏守節〉

7題烈女詞〈烈女詞〉：王原吉梧溪著古樂府〈銀瓶娘子詞引〉，記岳飛女事，作者感作此題。（第一人稱自序）

8和竹枝詞〈竹枝詞〉：曹妙清比玉和楊廉夫〈竹枝詞〉。《西湖遊覽志餘》卷11

9贈綵花詞〈綵花詞〉：劉鼎臣妻作〈鷓鴣天〉贈詞。

10一剪梅詞〈寄外詞〉：楊祓字彥章，妻贈此詞。

11伊川令詞：花仲胤妻為相州錄事，妻所贈。

12餞夫別詞：戴復古流寓江右，歸前訴曾取妻，後婦贈詞云云。《情史》435。《國色天香》卷二《搜奇覽勝》60〈酒澆墳上〉

13兩姨兄妹：梁意娘與表兄李生通，後生歸，意娘作〈秦樓月〉等詞。《情史》78。《國色天香》卷

二《搜奇覽勝》54〈意娘寄柬〉
14吟春心詞《春心詞》：陳敏夫事。案：殘缺一紙
15壁上題詞《内目脱一紙》：林茂叔娶楚娘回家，妻李氏不容，楚娘題〈生查子〉詞，因共被事。
《情史》201頁。
16勝瓊寄詞《勝瓊詞》：李之問與妓聶勝瓊友，臨别妓贈詞，感妻迎歸共事。《情史》327
17唱春容詞《春容詞》：涪翁贈瀘帥歌妓盼盼詞。《情史》463頁。
18金馬綠衣：陶其才試第不中，入夢，後赴金陵與妓小芙蓉言綠衣郎得驗事。《國色天香》卷二
《搜奇覽勝》53〈金馬錄衣〉
19紅白桃花詞：嚴蕊幼安，名妓，唐太守仲友高會，謝元卿命以己姓爲韻，受人構獻，後洗清事。
《情史》111頁。
20妓館題詞《雄雌交賤》：陳全遊金陵戲題諸妓詞。《雪濤小書》81頁。
《國色天香》卷二《搜奇覽勝》61〈雌雄交感〉
21長短句：吳淑姬爲富家子據，賦詞伸冤。
21樂學歌：于心齋作。《國色天香》卷二上層《戛玉奇音》4·
22勉學歌：《國色天香》卷二上層《戛玉奇音》3·

歌類

23明日歌：《國色天香》卷二上層《夏玉奇音》2·
24明月歌：《國色天香》卷二上層《夏玉奇音》15·
25行樂歌：
26無油歌：淇盧朱復之，冬夜讀書無油作。
27霜髮歌：李空同戲客題作。
28節婦歌：甄氏節婦之夫張氏死，或勸改嫁，哭作。《國色天香》卷二《閨範執中》5·
29長恨歌：南昌商婦病篤，作歌寄良人。《國色天香》卷二上層《夏玉奇音》11·
30相思歌：五代梁公女意娘與表兄歌。見卷五13·《國色天香》卷二上層《夏玉奇音》7·
31指環歌《指環篇歌》：景泰三年，永春潘公女英奴與苗生得純以指環約，並出妻，因延時而女已嫁，兩頭落空，娶又不如前，友因作此歌爲戒。《國色天香》卷二上層《夏玉奇音》12·
32青梅歌：金英與俊士往，後見棄，作此歌自解。《國色天香》卷二上層《夏玉奇音》9·
33下堂歌：稅家妻周氏，爲僧惠明潛買婆用計遭出，後知悉，婦乃訴之太祖伸冤事。《國色天香》卷二上層《夏玉奇音》13

賦類

34採桑賦：秋胡事·《嘉祥縣志》卷四藝文收·《國色天香》卷三上層《夏玉奇音》3·
35落葉賦：《國色天香》卷三上層《夏玉奇音》4·

36相思賦：《國色天香》卷三上層《戛玉奇音》2·

37梅花賦《梅兄請名賦》：《國色天香》卷三上層《戛玉奇音》5·

曲類

38擣衣曲：夫戍邊關，妻作曲以寄。逯輯《樂府詩集》一三一七頁

39鳳求凰曲：文君相如事。逯輯《樂府詩集》599頁

40胡笳曲：蔡琰十八拍曲。逯輯《樂府詩集》860頁

題圖類

41題騎牛圖《題老婦騎牛圖》：明太祖題繪老婦助米圖。《國色天香》卷四上層《士民藻鑑》57

42題四柳圖《題長亭四柳圖》：薛尙書致士歸，解縉題圖贈行。《國色天香》卷四上層《士民藻鑑》60

43題貧樂圖：徐思張題，楊伯子·王才臣並和之。

44題貴妃圖：鄭憲未第時題，又題朱買臣挑柴讀書及韓信乞食漂母詩。《國色天香》卷四上層《士民藻鑑》61

45題紅梅圖：扶箕仙題。

46題百子圖：解縉題。《國色天香》卷四上層《士民藻鑑》58

47竹木寒鴉圖《題竹木寒鴉圖》：

48題美人圖《題圍屏美人圖》：

49送窮文：陳石亭致餞於洪崖先生事。《國色天香》卷三上層《快睹爭先》3

文類

50相思文：

51熱梅枝文：周中父作。《國色天香》卷三上層《快睹爭先》4

52答誡酒文：閩歐布衣與客對。《國色天香》卷三上層《快睹爭先》5

53祭義蜂文：正德間，楊邃庵祭蜂爲鶩殺文。《國色天香》卷三上層《快睹爭先》7

54誅老鼠文《誅鼠文》：淳祐改元四月甲申陳子偶于囊中得鼠殺之祭文。《國色天香》卷三上層《快睹爭先》8

贊類

55眞西山贊《西山題贊》：宋寧宗時，金主圖像求贊，眞西山戲題。

56文天祥贊《文天祥像贊》：宋亡，文天祥死，其客鄧中齋題像贊云云。46頁。

57烹雌雞贊《烹雞贊》：士人與僧戲題。《國色天香》卷三上層《士民藻鑑》38

58題魁星贊《魁星贊》：《國色天香》卷三上層《士民藻鑑》37

59半身喜容贊：《國色天香》卷三上層《士民藻鑑》39

六卷下層

1傳奇雅集：幸生逢事。

圖：⑴幸生洛陽訪親⑵雲姐私往問疾⑶生玉紙牌角勝⑷幸生內庭乍遇⑸紫英對鏡畫眉⑹娥珠屬垣竊聽⑺幸生鍼寇獲姝⑻燕容酒酣起舞⑼幸侯勒杯流飲

六卷上層

箴類

1自警箴：杭州鄭廩庵作。《國色天香》卷三上層《士民藻鑑》43

2白沙忍箴：吳空齋語門人陳白沙。《國色天香》卷三上層《士民藻鑑》42

3父子箴：《國色天香》卷三上層《士民藻鑑》44

4夫婦箴：《國色天香》卷三上層《士民藻鑑》45

5兄弟箴：《國色天香》卷三上層《士民藻鑑》46

6朋友箴：《國色天香》卷三上層《士民藻鑑》47

銘類

7座右銘：聶東軒作。《國色天香》卷三上層《士民藻鑑》52

8孝娥井銘：劉瑞爲岳王女孝娥井作。《國色天香》卷三上層《士民藻鑑》56

9書燈銘：《國色天香》卷三上層《士民藻鑑》54

10書榻銘：《國色天香》卷三上層《士民藻鑑》53

11竹夫人銘：《國色天香》卷三上層《士民藻鑑》55作箴

12筇竹杖銘：宋張紫炭先生作。

13布衾銘：司馬溫公得范景仁布衾，左僕射高平公作銘。《國色天香》卷三上層《珠淵玉圓》59

14李白供狀：《國色天香》卷六上層《山房日錄》1

狀類

15士人供狀：士人爭娼供狀。《國色天香》卷六上層《山房日錄》2

16李淳奴供狀：永樂八年二月十五日，李淳奴供。《國色天香》卷六上層《山房日錄》3

附雜類

17妻賢致貴：程鵬舉於宋季被擄，在張萬戶家爲奴，並娶妻，妻勸去。《輟耕錄》卷四

18不亂附妾：秦君昭與友鄧公事。《輟耕錄》卷四

19奚奴溫酒：宋鉉翁納奚奴事，有余仰止先生評。《輟耕錄》卷七

20還金絕交：胡明鑑以齋爲湖廣員外郎，廝陽主簿顧淵書訊，並贈辰沙雜沙金，因與絕交。《輟耕錄》卷七

21五馬入門：陳剛中孚爲僧作詩題壁，父執見之，妻以女。《輟耕錄》卷八

22妾猶處子《嫁妾猶處子》：錢壁伯全無意於女鬟事。《輟耕錄》卷八

23聶碧窗詩：元初聶碧窗詩二首。《輟耕錄》卷八

24葛大哥：蔡木匠夜宿棺，聞鬼語某家女爲葛大哥淫，且即掘殺之，女病痊。《輟耕錄》卷九

25萬柳堂：廉野雲·盧疏齋·趙松雪會萬柳堂，劉氏解語花妓歌，趙賦詩云云，乃集中所無，所歌有小聖樂乃小石調，元遺山製，名妓多歌之。《輟耕錄》卷九

26連枝秀：姓孫氏，投逸士風高老爲師，陸宅之居仁作募緣疏，譏其不禮之云云。《豔異篇》397頁·《輟耕錄》卷十二

27詠美人指《詠美人指甲》：劉過作，〈沁園春調〉《輟耕錄》卷十五

28詠美人足：劉過作，〈沁園春調〉《輟耕錄》卷十五

29詠美人眉：劉過作，〈沁園春調〉《輟耕錄》卷十五

30詠美人目：劉過作，〈沁園春調〉《輟耕錄》卷十五

31妓出家：不當當妓，段吉甫天祐贈詩云云。《輟耕錄》卷十五

32歸婦吟：劉氏女爲郎中宥所擄，後放歸，並作此詩，附余仰止評。《輟耕錄》卷七

33蘇小小：司馬才仲晝寢，夢見小小，後逾年死。《輟耕錄》卷十五

34虞美人詞：無人物

35妓聰敏：順時秀姓郭氏，王元鼎眷之，阿魯溫屬意，以詞試，善對。《輟耕錄》卷十九

36珠簾秀：歌兒珠簾秀朱氏善雜劇，胡紫山愛之，贈〈醉東風曲〉，馮海粟贈〈鷓鴣天〉。《豔異篇》394頁·《輟耕錄》卷二十

37夫婦同棺：李淸妻張春兒夫死自刎，有余仰止評。《輟耕錄》卷二十
38虎禍：九人遇虎，獨愚者得救，有余仰止評。《輟耕錄》卷二一
39河南婦：婦爲元兵擄，不願回夫處，爲雷震死，有白湛雨紀詩。《輟耕錄》卷二一
40玉堂嫁妓：姚燧遇眞西山後落籍，除之，認作義女，並嫁小史黃球，有具闕詩。《輟耕錄》卷二
二
40夫婦入道：王守素與夫入道，有薩天錫贈詩。《輟耕錄》卷二三
41先輩風致：龍麟州過福建府，爲小玉帶賦詩一首。
42金蓮傳盃《金蓮盃》：楊鐵崖蓮杯飲之韻事，並及王深甫金蓮詩。《輟耕錄》卷二三
43檢田吏：袁介可潛踏災行。《輟耕錄》卷二三
44病潔：倪元鎭嫌歌妓趙買兒不潔，命沐洗多次至天亮事。《輟耕錄》卷二七
45不孝陷地死：母誤殺孫，不肖兒逼母死受天遣事。《輟耕錄》卷二八
46如夢令：袁可潛贈人新婚詩。《輟耕錄》卷二八
47磨兜堅箴《磨兜堅》：李敦立揭磨兜堅於座右，宋廉作箴。《輟耕錄》卷三十
48與妓永訣：道士洪丹谷娶妓入室，妾臨死，洪作訣別歌，極輕佻。《輟耕錄》卷十五
49與妓下火文：張子韶命道川爲崑山倡作，氏作下火文。見宋龔明之《吳中紀聞》《輟耕錄》卷十
五

50官妓罵賊：宋瑞平二年，榮全據高郵城叛，官妓毛惜惜佐酒，罵之至死，後封英烈夫人，潘紫岩贈詩云云。

參、《萬錦情林》編輯情況探研

根據此書封面，足以確定編輯者爲明代書林世家余象斗，字號凡有文台、仰止山人、仰止子、三台山人、三台館主人，世騰、象鳥、宗雲、元素、君召、子高父等可能都是他的另一化名或別號，三台館、雙峰堂、文台堂則是他的坊名。（註四）

從宋至清，余氏子孫世居建陽刻書，其中以『勤有堂』最爲著稱，因此，余象斗堪稱世襲祖業。爲了擴展自己的事業，可能還在南京一地設立聯鎖門市，販售刊物和廣搜稿源，（註五）甚至親自編寫了一些通俗書籍，可說是一位通俗讀物的倡導、發行者，聚集出版、編輯、創作、批評於一身，而《萬錦情林》則是其出版、編輯、創作整個過程的一個小點。然而，其中透露的消息，擬提出兩點供大家研討：

㈠從《萬錦情林》一書的出版時間和署名推斷余氏編刊各書的概況

《萬錦情林》：萬曆二六年戊戌冬（一五九八）刊本，題『三台館山人仰止余象斗纂，書林雙峰堂文台余氏梓』。光憑這行文字試作推論他的編刊過程，資料是不夠的，然而如果再從余氏編刻的二十種小說中，所題署的時間和名號來看，可以排列成如下一個簡表：

1.《京本通俗演義按鑒全漢志傳》：序言余文台請名公修輯，並署『萬曆十六年（一五八八）秋月，書林余氏克勤齋梓』題『書林文台余世騰梓行』。

2.《新刻按鑒全像批評三國志傳》：萬曆壬辰（一五九二）余氏雙峰堂刊本，題『書坊仰止余象烏批評，書林文台余象斗繡梓』。

3.《京本增補校正全像忠義水滸志傳評林》：萬曆乙未（一五九五）余氏雙峰堂刊本，題『後學仰止余宗雲登父評校、書林文台余象斗子高父補梓』。

4.《新刊皇明諸司廉明公案》：萬曆戊戌（一五九八）余氏雙峰堂刊本，題『山人仰止余象斗編述，書林文台余氏梓行』。

5.《全像北遊記玄帝出身傳》：題『三台館山人仰止余象斗編，建邑書林余氏雙峰堂梓』。卷末牌記題『壬寅歲（一六〇二）季春月書林熊仰台梓』。

6.《新刊京本春秋五霸七雄全像列國志傳》：『大明萬曆歲次丙午（一六〇六）孟春重刊、後學仰止余象斗再拜序』，題『後學畏齋余邵魚編集，書林文台余象斗評梓』。

7.《刻全像五顯靈官大帝華光天王傳》：題『三台館山人仰止余象斗編，書林昌遠堂仕弘李氏梓』，『辛未歲孟冬月（一六三一—一六三二）書林昌遠堂梓』牌記。

根據以上諸書的題署，加上社科院現在存藏的明萬曆十九年（一五九一）刻本《新鋟朱狀元芸窗匯輯百大家評注史記品粹》書內附刻的書目，自述他在辛卯（一五九一）秋後，才開始繼承家業，廢棄儒學，（註六）大概是再屢試不中之後所作的決定。如果從肖東發先生的說法，以二十歲加冠起試，三年一試，時年已經三十有餘。（註七）到崇禎十年（一六三七），余象斗三台館刊刻林維松輯《五刻理氣纂要詳辯三台便覽通書正宗》《新刻玉函全奇五氣朝元斗首合節三台通書正宗》，則其活動時間必須推到這個時限之後，至少活了近八十歲。如果從《宗譜》來看，官桂銓先生所作的假定：余象斗的年紀比其堂兄余福海小十歲，則約生於嘉靖二九年（一五五〇），至崇禎十年八八歲。（註八）兩種推論雖然相差不多，倒是官氏的說法較近情理。因爲題署余世騰梓的萬曆十六年戊子（一五八八）刊本《京本通俗演義按鑒全漢志傳》，已經證明從這段時間起，他已開始活動。可能不曾完全死心，辛卯（一本九一）秋後，年過不惑，再試的一次失敗，才告完全絕望，於是將世騰、象鳥的希望，改成仰止、象斗、文台諸名號。萬曆戊戌年（一五九八），接近五十之齡，才以山人自居，『雙峰堂』、『三台館』並題，象徵事業上大有進展，壬寅歲（一六〇二）以後，『三台館』已爲讀者熟悉，『雙峰堂』才被摘去。根據這種推測，來看其他未署時間的書籍，應該可以準此論定。

㈡《萬錦情林》一書的資料來源和編輯態度：

從第二部份的資料來源追溯中，可以看出這書是《國色天香》的選編本，傳奇文部份共選了〈鍾情麗集〉、〈張于湖記〉、〈白生三妙傳〉、〈覓蓮傳記〉、〈浙湖三奇傳〉，雜類也是出自其中的〈戛玉奇音〉、〈山房日錄〉、〈快睹爭先〉、〈臺閣金聲〉、〈搜奇覽勝〉、〈士民藻鑑〉、〈珠淵玉圓〉等門類中的篇目，形成這書的主體部份。然後增選加入《剪燈新話》、《剪燈餘話》中的幾篇傳奇文和《輟耕錄》中的雜類，以及一小撮時事和《豔異篇》等書的部份篇章，成就了六卷本的《萬錦情林》，這是本書編輯時的取材情況和資料來源。

固然在他編輯《萬錦情林》一書時，在此之前的資料都有被取錄的可能，如《風流十傳》一書，可是這些篇章《國色天香》卻早已收錄，因此不必直接取用該書，也是可以達到相同的結果。何況其它部份文體，如本、書、狀、聯、取、詩、詞等，和《國色天香》的諸門類又如此的近似，豈是它書所能取代，尤其《國色天香》各門類中，每冠篇名，以示性質，到了《萬錦情林》卻無一存。當然《國色天香》也有取自《萬錦情林》一書的可能，可是如果考察周氏原刊本《國色天香》的刊行早在萬曆十五年（一五八七）已經出現，二五年（一五九七）版木模糊，又出現了重刊本，則孰先孰後之說已是不辨自明。果然准此而看，不知出版年代的三種《燕居筆記》，可能都已晚於這兩部書，並且直接取材於二書，加以選編而成。

余氏編刊此書在不能全同《國色天香》的原則下，（註九）不得不另有去取的標準，甚至有時還附加一些評語，對原材料略作加工，如《奚奴溫酒》一則有余仰止先生評曰：

吁！彼女流賤隸耳，一事精至，便能動人，亦其專心致志而然。士君子之學，爲窮理正心，修己治人之道，而不能至於當然之極者，視彼有間矣！

《歸婦吟》所附余仰止先生評曰：

固雖劉氏有莫大之幸，而王亦仁人矣！

《夫婦同棺》余仰止先生評曰：

春兒生長寒微，不閑禮節，尚知夫婦大義如此，顧世之名門巨族，動以衣冠自眩，往往有夫骨未寒，而求匹之念已煎于中者，豈不爲春兒萬世之罪人也與！

〈虎禍〉也有余仰止先生評曰：

當顛沛患難之際，乃欲以八人之智而陷一人之愚，其用心亦險矣！天道果夢夢耶？以上數則，雖是隻言片語，對於余氏的思想及編輯態度，無疑是絕佳的參考材料。可以看出余氏有編有評，故意示與所取用之書有所分別，也稍加過濾及篩選。再者，評語中表現的思想意識十分的傳統，不脫理學風潮影響下士大夫所負的窮理正心，修己治人，仁義禮節，智以濟愚的一套思考模式。據此，可以窺覷他所編纂的書籍，不能全用營利消遣的眼光來看，而是具有實用性，或教育性等寓樂於教的作用。從《萬錦情林》的分類來看，其編輯的目的也是如此，這就是他何以沒有取用《公餘勝覽國色天香》各門類的主要原因。

海內外僅存的孤本《萬錦情林》一書的價值，歷來學者都已論述，無庸贅言。（註一〇）這類兔園冊的刊物，的確盛行於當日，而爲雅俗所共賞；百般雜陳的內容，不但保留當日的文學材料，更是今日期刊雜誌的濫觴。至於編輯的目的，則具有實用和啓蒙教育的任務，在歷史上的定位，卻也不能因爲盡是鈔錄而來的材料，就把它加以忽視。

一九八九年十二月二十日王三慶成稿於青田家居

【附註】

（註一）孫楷第，《日本東京所見中國小說書目》，第一三〇頁。

（註二）譚正璧、譚尋，《古本稀見小說匯考》（浙江文藝出版社，一九八四年十一月一版）第四〇—四一頁。

（註三）胡士瑩，《話本小說概論》，第三八四—三九三頁。

（註四）參見官桂詮，〈明小說家余象斗及余氏刻小說戲曲〉《文學遺產》（中華書局，一九八三年九月一版）增刊第十五期，第一二五—一三〇頁。又見肖東發，〈明代小說家·刻書家余象斗〉《明清小說論叢》（春風文藝出版社，一九八六年六月一版）第四輯，第一九五—二一二頁。

（註五）肖東發，〈明小說家余象斗及余氏刻小說戲曲〉，第二〇四—二〇六頁。

（註六）根據肖東發一文第一九八—一九九頁引錄：『辛卯之秋，不佞斗始輟儒家業。家世書坊，輮笈爲事。遂廣聘縉紳諸先生，凡講說、文笈之神業舉者，悉付之梓，因具書目於後……余重刻金陵等板及諸書雜傳，無關舉業者，不敢贅錄。雙峰堂余象斗謹識。』

（註七）同上，第一九九頁。

（註八）同註（註三），官著第一二九頁。

（註九）《八仙傳》〈引〉云：『不俗斗自刊華光等傳，皆出予心胸之編集，其勞鞅掌矣！其費弘巨矣！乃多爲射利者刊，甚諸傳照本堂樣式，踐人轍跡，而逐人塵後也。今本坊亦有自立者固多，而亦有逐利之無恥與異方之浪棍，遷徙之逃奴，專欲翻人已成之刻者，襲人唾餘，得無垂首而汗顏，無恥之甚乎！故說。三台山人仰止余象斗言』（天一出版社，一九八五年影印本）據此，無論其如何抄襲及重刻金陵等板，也必稍作加工，不照他人樣式，招徠『踐人轍跡，逐人塵後』之譏訕。

（註一〇）參見同註（註一）、（註二）、（註三）所引諸書。

附記：本文原擬參加「明清小說會議」之宣讀論文，茲因適逢景伊師八秩冥誕，追憶先生生前對後學之提攜，余亦深受教誨指導，豈能默而不言，故特予移作紀念論文集登載，用作悼念。

黃季剛登高絕筆遺墨研究

香港中文大學　黃坤堯

一、三代薪傳，心香一瓣

有關黃季剛先生的詩文墨寶，海外流傳未廣。今已編印者爲黃念容《量守居士遺墨》（一九七四，香港自印本）、潘重規教授《黃季剛先生遺墨》（一九七五，臺北學海出版社）及《章炳麟跋黃季剛登高絕筆遺墨》（一九七八，臺北學海出版社）三書。其中第三種僅收季剛〈登高〉絕筆一首，上有太炎先生題識；另附林尹教授所藏季剛信札、對聯等八件；末有林尹教授題跋。三代師尊遺墨，粹於一編，而前輩高義壯心，風懷萬代，亦足以振衰世之末俗，發思古之幽情。一脈沿流，心存景仰，借題發揮，亦所以表季剛先生之志事於萬一也。惜見聞所囿，力有不逮，學者專家，幸垂敎焉。

季剛先生固以小學鳴世，詞章亦所擅長。此詩書法秀逸，保持完好，殆屬精品。復以觸目時艱，詞意淒婉，憂國憂民，可爲縮影矣。季剛既卒，太炎先生親爲題識曰：

此季剛絕筆也。意興未衰，而詩句已成豫讖，眞不知所以致此。觀其筆蹟灑落，猶不見病氣也。景伊其善藏之。乙亥大雪後一日章炳麟記。

大雪約為當年十二月七日左右，而太炎先生未幾亦於翌年六月十四日相繼謝世，距題字半年而已。太炎先生〈黃季剛墓志銘〉嘗嘆云：「微回也，無以胥附，微由也，無以御侮。繫上聖猶恃其人兮，況余之瘣腐。嗟五十始知命兮，竟絕命於中身。見險征而舉翮兮，幸猶免於逋播之民。」（註一）汪東〈蘄春黃君墓表〉亦曰：「餘杭章先生聞君之歿，以為喪予：絕學弗紹，有等孔顏；六藝之衰，過於周季。嗚呼悕已！」（註二）孔顏相惜，蓋憂道也；「喪予」之毒，情何以堪。夫以孔顏為喻者，可見古人師生之誼，大義在公，逾於骨肉。

神州鼎沸，兩岸分治，而章黃之學大行，此天之未喪斯文也。車書混一，學術繫之矣。林尹教授既珍藏章黃兩代遺墨垂四十年，因感於師教，沾溉來學，遂出示所藏，影印行世。俾後生小子，得所借鑑焉。景伊教授跋云：

民國二十四年乙亥九日，先師黃君偕念田世兄及尹等共遊金陵雞鳴寺，歸而賦詩，並書以示尹。越二日，先師以咯血卒，此書竟成絕筆。太炎先生見而傷感，因題其耑，而命尹善藏之。歲月不居，忽忽已四十餘年。今李君善馨彙刊名家書畫，故取付影印。民國六十六年丁巳四月瑞安林尹謹識。

其後景伊教授亦於一九八三年仙逝。展讀遺篇，仰懷先哲；三代薪傳，心香一瓣。師道尊嚴，學風淳古，其研讀章黃者，當垂顧焉。此書由孔德成教授署耑，追躡孔門，發揚國粹，學術公器，源流自遠。微意所繫，又非章黃之所獨尊也。

二、觸目時艱，詞意淒婉

黃季剛先生以一九三五年十月八日（舊曆乙亥九月十一日申時）卒於南京，享年五十。其〈登高〉絕筆一詩即作於前二日重九，末題「乙亥九日獨吟甫成。適景伊以佳紙至，遂爲錄之。量守居士黃侃。」詩云：

秋氣侵懷正鬱陶，茲晨倍欲卻登高。
應將叢菊霑雙淚，漫藉清樽慰二毛。
青冢霜寒驅旅雁，蓬山風急抃靈鼇。
神方不救群生厄，獨佩萸囊未足豪。

有關此詩之背景，諸家記載頗詳。尙笏、陸恩涌〈季剛師得病始末〉云：

六日爲廢曆重陽，據先生此日日記書：「絜子女甥婿，小步豁蒙樓，覺腹痛甚急，急歸臥」云云。此或由於登臨過勞之故。夕食，仍持螯飲啖如故。至夜分，忽覺瞑眩，汗不止下，四體若冰，急暖熱湯取暖，體溫漸復。質明，先生興，猶徘徊蔦蘿架下。盥頮前，團血兩次，皆紫褐色，旋復吐血盈盂，而讀書不休。時閱《唐文粹補編》，尙餘二卷未畢，猶力疾圈點訖，且記日記。甫閣筆，又大吐，遂臥床。暈眩少愈，適訂購《宛委別藏》送至，又取《桐江集》五冊披閱一過而醫至。醫云：「胃中血管已破裂，醫籍所稱胃潰瘍者也。」因注射止血藥劑。移時，吐血愈劇，共吐三盆四盂，指甲變白，終夜不能入睡。八日晨，醫注射安眠止血藥劑，乃稍稍入睡，昏卧喃喃若夢囈，多涉學術語。下午四時半，哮氣興奮欲坐。坐甫定而卒。（註三）

柯淑齡《黃季剛先生之生平及其學術》亦嘗補充若干情節，蓋親受於景伊教授者也，特爲錄之：

重九日，先生偕子念田君、姪焯君及景伊師同游雞鳴寺，登豁蒙樓，坐眺移時，覺腹痛，歸即偃卧；少時起，夕食仍持螯把酒，讌談如常，賦詩樂甚。是夕，景伊師往省，並攜乾隆臘紙乞書，先生欣然起，爲濡毫書七律詩幅云……先生書此詩至署款時，忽咯血，然猶力疾書，書法遒勁潤澤，且用中鋒，字跡歷落有致，而詩意特爲衰颯，字形詩意均到底不懈。夜分，先生忽覺瞑眩，汗不下止，四體若冰。黃夫人隔室聞呼聲，起視大驚，急尋熱湯取暖，體溫漸復。……病中極疲苦，而神識不衰，顧子弟云：「吾輩遭邦家多難，自分舍生久矣，畢命正寢，爲幸已多，但苦煩渴耳。」自是先生疲極，時昏睡，喃喃若夢囈，語多涉學術，頻言垂老無成，孤負明恩，竟未及家事也。（註四）

出處大節，凜然不苟，知人論世，然後可以讀先生之絕筆矣。案景伊教授集中有〈乙亥九日遊清涼山弔袁子才墓〉云：「千金空學屠龍技，九日登高弔古丘。」（註五）則是日雖同遊雞鳴寺，其後景伊又別遊清涼山，晚復往省季剛先生求書。至於登高之義，《文心雕龍·詮賦》嘗論云：「原夫登高之旨，蓋睹物興情。情以物興，故義必明雅；物以情觀，故詞必巧麗。麗詞雅義，符采相勝。」佳節放歌，良有所託；而季剛先生感時傷事，自見懷抱，非徒以麗詞相勝也。

雞鳴寺在南京城北雞鳴山東麓。北臨玄武湖，東對紫金山，水光瀲灩，山色空蒙，爲南京著名風景區之一。本爲三國時吳後苑。先後建有同泰寺、千佛院、淨居寺、圓寂寺、法寶寺等。明洪武二十年（一三八七）始建雞鳴寺。淸同治年間（一八六二—一八七四）重修，規模較小。光緒時建豁蒙樓，民國初建景陽樓。寺今毀。樓下山麓相傳爲陳後主與張麗華、孔貴嬪避隋兵之所。（註六）季剛先生極愛南京名勝，閒時即與友人子弟同遊。故詩集、日記等均多紀遊之作，而豁蒙樓亦多次登臨矣。詩集固有〈豁蒙樓偶成〉（註七）；一九二九年亦嘗與陳伯弢、王伯沆、胡翔冬、胡小石、汪辟彊、王曉湘諸先生集豁蒙樓聯句，並用雞鳴寺破筆書於長條毛邊紙上，各人自寫詩句，署名於下。一九六四年，黃焯教授嘗將此手稿轉贈沈祖棻女士，今或存程家。（註八）又一九三五年六月十二日日記云：「夜月佳，與子婿女等步上豁蒙樓啜茗，久坐乃反。」（註九）

此詩首聯寫秋氣侵懷，國事日非，心情抑鬱，不欲登高。《僞古文尚書·五子之歌》：「鬱陶乎予心。」孔傳：「鬱陶，言哀思也。」又南唐後主李煜嘗上表宋祖求其弟從善歸國，不許，因作〈卻登高文〉云：「今予之齒老矣！心悽焉而忉忉。愴家難之如燬，縈離緒之鬱陶。」（註一〇）季剛顯用其意，而傷國難如燬；南唐亦都南京，用典最切。

頷聯由杜詩變化而出，另有託意。杜甫〈秋興〉八首之一云：「叢菊兩開他日淚，孤舟一繫故園心。」蓋杜甫離成都後淹留於雲安及夔州，已兩度秋光矣；心懷故國，無時或已。「三毛」句用庾信

《哀江南賦序》：「信年始二毛，即逢喪亂，藐是流離，至於暮齒。」《左傳》杜預注云：「二毛頭白有二色。」（註一一）季剛年逾五十，適足以自喻，而喪亂流離，亦同於庾、杜之忠愛淒愴也。又季剛嗜酒，「清樽」亦有所指。汪東《蘄春黃君墓表》云：

> 晚歲講學金陵，聲聞日遠，東邦承學之士多踵門請益。遼瀋變起，君憤恨，絕弗與通。既志在恢復，嘗以易象占之，得《明夷六二》，曰：「明夷於左股，是其諭矣，唯應天合衆者，始有吉徵。今非所望。」繇是鬱鬱不自聊，益縱飲，或聲之於詩。（註一二）

其後汪東更於季剛先生之周年祭詞云：「季剛傷時縱酒，遂以身殉。」（註一三）則季剛亦古之傷心人耶。此聯不但極寫懷抱，亦所以說明「鬱陶」之意。先生舍政治而專注學術，其苦心可見。宋人有「爲往聖繼絕學，爲萬世開太平」之宏願，其亦季剛之謂乎！

頸聯最爲緊要，明指日寇侵略孔亟，人民流離失所。「青冢」在今呼和浩特市（歸綏市）南九公里大黑河南岸之沖積平原上，遠望墓表黛色冥濛，歷代相傳爲昭君冢。「蓬山」在東海，直斥日本。《山海經·海內北經》云：「蓬萊山在海中。」郭璞注：「上有仙人宮室，皆以金玉爲之。鳥獸盡白，望之如雲，在渤海中也。」（卷十二）又《史記·封禪書》云：「自威、宣、燕昭，使人入海求蓬萊、方丈、瀛州。此三神山者，其傳在勃海中。去人不遠，患且至，則船風引去。蓋嘗有至者，諸僊人及不死之藥皆在焉。其物禽獸盡白，而黃金銀爲宮闕。未至，望之如雲；及到，三神山反居水下。臨之，風輒引去，終莫能至云，世主莫不甘心焉。及至秦始皇并天下，至海上，則方士言之，不可勝數。始皇自以爲至海上而恐不及矣，使人乃齎童男女，入海求之。船交海中，皆以風爲解。曰：「未能至，望見之焉。」（卷二十八）此徐福入海之說所從出，文獻固以「蓬山」喻日本者也。又屈原〈天問〉：「鼇戴山抃，何以安之？」洪興祖注云：「鼇，大龜也，擊手曰抃。列仙傳曰：『有巨靈之鼇，背負蓬萊之山，而抃舞戲滄海之中，獨何以安之乎？』……列子云：『五山之根，無所連箸。帝命禺強使巨鼇十五舉首而戴之，迭爲三番，六萬歲一交焉；五山始峙而不動。』張衡賦云：『登蓬萊而容與兮，鼇雖抃而不傾。』」《淮南子．覽冥訓》亦云：「往古之時，四極廢，九州裂，天不兼覆，地不周載，火爁炎而不滅，水浩洋而不息。猛獸食顓民，鷙鳥攫老弱。於是女媧鍊五色石以補蒼天，斷鼇足以立四極，殺黑龍以濟冀州，積蘆灰以止淫水。蒼天補，四極正，淫水涸，冀州平，狡蟲死，顓民生。」（卷六）季剛自以「靈鼇」喻中國，而所負極重。中原板蕩，夷狄交侵，爲免神州陸沈，其有女媧可以再平天下者乎？此處「抃」引申有侵略義，無限激憤，盡在此字；瞋目怒髮，氣壯山河。

案日本自一九三一年發動九一八事變侵佔東北以後，即於一九三二年三月扶植滿州國（兩年後溥儀稱帝），並積極向內陸推進。一九三三年，承德失守，日本進窺平津，務令河北、山東、山西、察哈爾、綏遠五省脫離中央，另建「華北國」。一九三五年六月九日中日訂立「何梅協定」，二十七日簽「秦土協定」，河北、察哈爾兩省幾全受日本控制。日本步步進侵，亡國之禍，逼在眉睫。季剛六月十三日日記云：「聞東倭又有新要求，浸淫疽食，非囊括九州不止。群小保官位權勢者，亦未必能終保也。哀哉！」（註一四）此外十一日、十二日日記亦多記國事，要之文化所繫，中國亦未盡絕望也。

末聯以天下爲念，不欲獨善其身者也。「萸囊」出吳均《續齊諧記》：「汝南桓景，隨費長房遊學累年。長房謂曰：『九月九日汝家中當有災，宜急去。令家人各作絳囊，盛茱萸以繫臂。登高飲菊花酒。此禍可除。』」（註一五）桓景獨善其身，未爲季剛所羨。其志不同如此。程千帆〈憶黃季剛老師〉嘗釋云：「這一篇詩以雁象徵流離的人民，以鼇比喻猖狂的日帝，對於自己雖能安居治學卻缺少救國的『神方』感到內疚。」（註一六）主旨明確，惟以「鼇」釋「日帝」則誤。汪辟疆〈悼黃季剛先生〉云：

先生憂國之忱，形諸顏色，偶一命筆，有小雅詩人之感。聞前日嘔血方劇，猶時時問家人：『河北近狀若何？』已而又曰：『國事果不可爲乎？』蓋先生本性情中人，氣憤塡膺，雖在彌留之時，猶未忘懷國事。即此一端，已足見其生平矣！（註一七）

三、改字鍊意，絲毫不苟

季剛先生絕筆之作最早見於《制言》半月刊第三期，出版日期爲十月十六日。是期首先公布季剛噩耗，並稱「派孫世揚往弔，因鈔得先生絕筆詩，刊錄如下」：

秋氣侵懷興不豪。茲辰倍欲卻登高。
應將叢菊霑雙淚，豈有淸樽慰二毛。
西下陽烏偏灼灼，南來朔雁轉嗷嗷。

神方不救群生厄，獨臂萸囊空自勞。

此詩與前論季剛先生之咯血手定稿互有異同，押韻用字亦見改易，尤以頸聯變換最大。「陽烏」原指日中金烏，《文選》李善注云：「《春秋元命包》曰：陽成於三，故日中有三足烏。烏者陽精。」（註一八）此處當指日本；「灼灼」燒炙貌，侵凌中華，逼迫何甚！「嗷嗷」乃哀鳴聲，《詩·小雅·鴻雁》云：「鴻雁于飛，哀鳴嗷嗷。」毛傳：「未得所安集則嗷嗷然。」喻人民流離失所，未得安集，輾轉溝壑，誰可救挽。

兩詩相較，則孫世揚所鈔者（今稱「前者」）似屬初稿。其後改定者則寫付林尹教授，似未留底（今稱「後者」），而季剛不二日即謝世。世亂方殷，時人多未見後者。以詩論詩，後者首句「鬱陶」正用〈郤登高文〉語，且有《尚書》可據，意較涵渾。「興不豪」則嫌淺露矣。頷聯「漫藉」不著意，「豈有」則欠沈鬱。頸聯二句，後者喻象鮮明。「青冢」本苦寒之地，旅雁尚不能生存；「蓬山」則徒託仙境，日軍竟大動干戈。「驅」、「扑」兩動詞有趕盡殺絕義，讀之敵愾同仇，血脈賁張。前者泛寫景色，骨力稍弱，聲調亦嫌哀沈不振。或謂日本雖窮凶極惡，然日薄西山，一輪返照而已；然亦不敢妄定，以免附會。其後徐風陶〈悼黃季剛先生〉云：「重九持霜螯，二三相攜手。吟詠西頹日，悲歌菊花酒。蒼天意渺茫，萸囊空在肘。」又注云：「四句君詩中意。」（註一九）則以「西下」一句為絕望之辭。復與前解不同。末聯前者「獨臂」雖亦切典，終以後者用動詞「佩」字為佳。「空自勞」語氣亦弱，後者用「未足豪」則可表現先生之國士本色，民胞物與，胸懷浩蕩；且可遙應「青冢」一聯，非徒弱者之哀鳴也。太炎先生題曰「意興未衰」者，殆以此也。二詩版本不同，而高下易辨。足以表現先生之治學態度，改字鍊意，絲毫不苟，詩詞雖小道，亦足見其大者。或曰後者爲初稿，孫世揚所鈔者始爲最後定稿。蓋先生爲景伊教授寫定時已見咯血，晚復昏睡；惟翌日亦如常讀書寫字，因改定所作，並留底稿；觸目時艱，生涯將盡，而不自知其所以衰颯也。是耶？非耶？大雅君子，尚祈賜教。

此詩尚有第三版本，題〈乙亥九日〉，見《黃季剛詩文鈔》。是書蓋由黃念祥手鈔本校訂整理而成，得詩一〇一七首；此詩則錄於七律之末，知爲絕筆無疑。文字與孫鈔本大同小異，現將兩者異文列下：

1.茲晨「更欲」卻登高（手寫本及孫鈔作「倍欲」）

2.「漫藉清尊」慰二毛（手寫本同；孫鈔作「豈有清樽」）

3.神方「莫救」群生厄（手寫本及孫鈔作「不救」）

4.「繫背」萸囊空自勞（手寫本作「獨佩」；孫鈔作「獨臂」）（註二〇）

其他與手寫本異同者不錄，蓋亦即手寫本與孫鈔本之異，前文論之已詳。所可異者，孫世揚既稱鈔自季剛遺稿，黃念祥所錄者亦當爲季剛家藏手稿無疑，何竟懸殊若此？黃念祥可能僅從《制言》回鈔，則異文從何而出耶？其又或季剛一稿、二稿、三稿之異耶？前三條異文改動較小，可置不論；第四條「繫背」比較費解，或爲鈔者手民之誤，而非季剛之原稿者耶？季剛獨吟甫成，越一日而卒，而版本歧異若是。因表而出之，以俟知者矣！

【附註】

（註一）原載《制言》半月刊第五期，一九三五。今據《量守廬學記》P·二。三聯書店，一九八五·八。北京。

（註二）原載《制言》半月刊第十一期，一九三六。今據《量守廬學記》P·二。

（註三）原載《金陵大學校刊專號》，一九三五·十一。今據《量守廬學記》P·一〇四。

（註四）見《先生年譜》P·一八七—一八八。中國文化大學中國文學研究所博士論文，一九八二·五臺北。

（註五）《景伊詩鈔》P·七。學海出版社，一九八四·五。臺北。

（註六）節自《中國名勝詞典》，上海辭書出版社，一九八一·一〇。

（註七）見《黃季剛詩文鈔》P·二三五。湖北人民出版社，一九八五·九。

（註八）見程千帆《憶黃季剛老師》。原載《學林漫錄》八集，一九八三。今據《量守廬學記》P·一七五—一七六。

程氏云：「從聯句中，可見各位老師的逸興雅致。但隨著民族災難的日益深重，『花天酒地』也終於被『茲辰倍欲卻登高』所取代了。」

（註九）見《散葉日記》，《黃季剛先生手寫日記》P·三二九。臺灣學生書局，一九七七·六。

（註一〇）陸游《南唐書·李從善傳》：「後主手疏求從善歸國，太祖不許。以疏示從善，加恩慰撫，幕府將吏皆授常參官以寵之。而後主愈悲，每登高北望，泣下霑襟，左右不敢仰視。由是歲時游宴多罷不講。常製〈卻登

高文》云云。」（卷十六）

（註一一）見《左傳·僖公二十二年》泓之戰，宋襄公曰：「君子不重傷，不禽二毛。」

（註一二）同（註二），P·三一四。

（註一三）引自程千帆〈憶黃季剛老師〉。同（註八），P·一六八。

（註一四）見《散葉日記》。同（註九），P·三三一。案季剛此頁日記實針對「何梅協定」而發。時何應欽與梅津美治郎於北平協議：中國罷免河北省府主席于學忠、天津市長張廷諤，撤退北平憲兵團、河北省黨部、軍事委員會政治訓練處、藍衣社（軍統特務組織）及河北境內的中央軍、東北軍于學忠部等。惟僅口頭答覆，事後何應欽離北平南下。至於「秦土協定」則由秦德純與土肥原簽定，中國撤退張家口駐軍及國民黨黨部，解散排日機關，協助日人在內蒙活動允許不向察省移民。十二月，蒙軍進入察東六縣，察哈爾大半淪陷。一九三六年六月二日錫林果勒盟副盟長德王（德穆楚克棟普）成立內蒙軍政府於察哈爾嘉卜寺，自稱總裁。季剛詩「青冢霜寒驅旅雁」實寫北方淪陷慘況。詳見郭廷以《近代中國史綱》P·六五四—六五五，中文大學出版社，一九七九·九，香港。

（註一五）引自清·王謨輯《增訂漢魏遺書》P·三二五一。大化書局，一九八三·十二。臺北。

（註一六）同（註八），P·一六八。最近吳培根《稼軒襟抱陸游魂》一文仍沿襲誤說，見《黃侃紀念文集》P·一六六，湖北人民出版社，一九八九·三。

（註一七）原載《制言》半月刊第七期，一九三五。今據《量守廬學記》P·一〇〇。

（註一八）見左思〈蜀都賦〉：「羲和假道於峻歧，陽烏迴翼乎高標」句。《文選》P・一七八，上海古籍出版社，一九八六・八。又馬王堆漢墓出土「非衣彩繪帛畫」，其左上角紅日內亦有烏鴉，黑色，二足，與相傳金烏三足不同。

（註一九）《制言》半月刊第四期P・八，一九三五・十一。蘇州。

（註二〇）同（註七），P・二四四。

附：制言（第三期）

黃季剛先生噩耗

黃季剛先生教授中央金陵二文學院秋來頗有小疾以九日登高之辰偕弟子上豁蒙樓觴詠覺脘痛而返其夕猶特螯飲酒翌日忽然嘔血圊血經西醫二人療治皆無效凡嘔血歷三十小時積數十盂而卒本會得電赴後特派孫世揚往弔因鈔得先生絕筆詩刊錄如下聞先生遺著以經學小學札記及日記爲大宗將由及門諸君整理付梓並許本刊隨時登載云

黃季剛先生絕筆

秋氣侵懷興不豪茲辰倍欲卻登高應將叢菊霑雙淚豈有清樽慰二毛西下陽烏偏灼灼南來朔雁轉嗷嗷神方不救群生厄獨臂萸囊空自勞

徵求黃季剛先生遺文

黃季剛先生平生詩文及論學書札多不留副稿凡先生友好及門諸君藏有此等文字者請各迻寫一通寄交本會孫世揚彙收以便編印如將原稿寄來經本會迻錄或攝影後即當寄還不誤

章氏國學講習會謹啓

乙亥九日（黃季剛詩文鈔，黃念祥手鈔本）

秋氣侵懷興不豪，茲辰更欲卻登高。應將叢菊沾雙淚，漫藉清尊慰二毛。西下陽烏偏灼灼，南來朔雁轉嗸嗸。神方莫救群生厄，繫背萸囊空自勞。

渡江書十五音初探

臺灣師範大學　姚榮松

一、「渡江書十五音」解題

《渡江書十五音》是閩南方言韻書，是個鈔本，一九五八年李熙泰在廈門思明北路舊書攤買到此鈔本，一九八七年由李榮交由日本東京外國語大學亞非言語文化研究所出版。李榮作序，曾指出：本書未聞刻本，鈔本見於《涵芬樓燼餘書錄》，原注云：「爲閩人方言而作。」全書二百七十九頁，中缺四頁，有幾頁因破損而偶缺一、二字。李榮的序發表於一九八八年《方言》第一期，此書影本傳世不到兩年。

此鈔本無序跋，不署編者姓名和年代。但從書名用《十五音》即可斷定爲閩南語韻書，再就該書目錄以四十三字字母之韻部又按七個聲調分韻統聲，這種分韻的辦法自是承襲漳系韻書「彙集雅俗通十五音」而來，因此，此書初步可斷定爲漳系韻書。李榮在序中並提出許多內證，推定本書爲閩南方言，並說「就今天的方言來說，在廈門漳州之間，本書的音韻系統更接近於廈門。」這些推測皆有待驗證，從而找出本書所據的音系，並爲此書的價值作一定位，此爲本文寫作之動機。

二、渡江書十五音的內容體例

本書卷首「字祖三十字，又附音十三字，共四十三字」，指四十三個韻部，即閩系韻書通稱之「字母」。「以本腔呼之，別爲序次如左」是說「列舉本腔每個韻部的七個韻母。四十三部共有三百零一韻（韻母）。」由此可見，作者在分析韻母時，是揚棄從前湊足八音的陋習，而直接依七音列目。另一現象是三百零一韻的「韻目」皆有代表字，不像與之最近的「彙集雅俗通十五音」的「五十字母分八音」的韻目次中，充斥許多有音無字的空圈。

爲方便討論，茲將上述內容過錄如下：

渡江書字祖三十字

君堅今歸嘉　干公乖經官　姑嬌雞恭高

皆根姜甘瓜　江兼交加談　他朱鎗幾鳩

又附音十三字

箴寡尼儺茅乃貓且雅五姆么缸　共四十三字字母

順口十五音歌已字爲首

柳里邊比求己去起治底波鄙他恥曾只入耳時始英以門米語擬出齒喜喜

此卷中字祖三十字又附音十三字共四十三，以本腔呼之，別爲序次如左（韻目依內文校正）：

1 君滾棍骨群郡滑
2 堅蹇見吉鍵徤杰
3 金錦禁級⿰岑頁妗及
4 規鬼桂軌馗跽⿰九力
5 嘉絞駕鉀珈齩⿰犭加
6 干簡諫葛推幹⿰斗干
7 公廣貢國狂⿰金罡咯
8 乖枴怪⿰乖攴⿰石乖呆槼
9 經景敬革鯨梗極
10 官管貫适權倦⿱卷米
11 姑古故雊糊詁鈷
12 嬌矯叫勪喬轎噭
13 雞改計莢鮭易⿰扌亟
14 恭拱供菊窮共局
15 高果告閣⿰皋頁⿰食過⿱穴⿱殳口
16 皆改界觧⿰皆瓦⿱山支絯
17 根謹艮吉釿近⿰乞力
18 姜襁⿱強言腳強⿱強見臄
19 甘感監鴿唅⿰目監頷
20 瓜回卦葛⿰木豪栝銛
21 江講降角⿰忄工共⿰扌鄉
22 兼檢劍夾塩剡⿰革夾
23 交姣教⿰食夾猴厚⿰口冓
24 迦假寄栔夯崎⿰扌亟
25 魁粿檜郭葵⿰足于⿰食會
26 他⿰扌逞暴詒膛⿱髟巴祏
27 朱主註⿰忄物慈自咮
28 鎗搶錩⿰食象墻象⿰食足
29 幾己記⿰乞欠其技啹
30 鳩九究⿱咎心求舊台

31箴怎譖嗖撢䆘吥　32官寡鑵挌寒汗嗁
33拈㞾沕哯年菈擒　34灘菰蓘躹儺懦㸧
35䅮惵殈扒茅貌懇　36疷乃秏捩脫賴躝
37貓鳥瞀搡撩謬凋　38笡且倩碃磠揎訹
39㜸雅䐗嗄敓硬㪅　40浯五悪嚳跳肸箬
41嗒姆叭醼嗡嫛嘍　42么昀熔約窰鷂藥
43扛管樌迸桄節鋙

如果按照傳統閩韻書的「八音」（即八個調），以上七音皆少一個「下上」（即陽上），本書在韻目之後，亦以「圈破法式」（借自彙音妙悟的名詞）說明八音，如：

郡下去 —— ○下上
梶上去 — 骨上入
君
滾上上 — 君上平
滑下入　　群下平

倝下去 —— ○下上
諫上去 — 葛上入
干
簡上上 — 干上平
齖下入　　琟下平

值得注意的是：可能同出漳系的三本「十五音」，其韻目八音（或七音）的處理方式略有不同：

(1)彙集雅俗通十五音：　君滾棍骨群滾郡滑

(2)烏字十五音：　君滾棍骨群郡棍滑

(3)渡江書十五音：　君滾棍骨群　郡滑

又如：

(1)雅俗通　干柬澗葛○柬○○

(2)烏字　干簡諫割蘭但諫達

(3)渡江書　干簡諫葛稚　幹䵍

《彙集雅俗通十五音》是據高雄慶芳書局的本子，此本與羅常培《廈門音系》所據漳州顏錦華木刻本韻目次序上（6干至15高）有些不同。此書套紅、黑二色（分別代表文、白二系），故或稱「紅字十五音」，韻目據五十字母分八音，故最繁複。《烏字十五音》爲台中瑞成書局本，內題「增補彙音」，韻目依三十字祖分八音，實則去聲收字只見上去（即陰去）不見下去（陽去），故亦僅七音，與《紅字十五音》上聲有上上無下上（下上聲全韻與上上同）者異。渡江書的七音內容上與《紅字十五音》本質上並無不同，此二書與《烏字十五音》在聲調類型上有異，因「烏字」以「郡」爲下上，異於其他二書之爲「下去」。

渡江書十五音，按上列七音四十三行之韻目次序，逐韻列字，韻內以十五音（聲母）統字，十五音名稱已見上列。《渡江書》與《紅字十五音》僅有二字不同，即治＝地（紅字）、波＝頗，紅字的「地」實襲《彙音妙悟》之舊。《烏字十五音》亦有一字與其他二書不同，即：鶯＝英（渡江、紅字），後者實承《彙音妙悟》之舊。在收字的數量上，渡江書較其他三書大得多。以君字韻爲例，列其十五音收字數統計對照表於下：

十五音	渡江書	紅字	烏字
柳	6	1	2
邊	3	3	1
求	18	4	5
去	17	13	10
治（地）	21	11	10
波（頗）	9	7	7
他	11	7	3
曾	11	17	7
入	4	0	1
時	3	6	3
英（鶯）	23	12	10
門	3	0	1
語	2	0	1

出	9	6	6
喜	40	37	20
合計	180	124	87

由此可見，此書收字特多，爲一大特色，然僻字亦相對增加，李榮據書中字義用字，證明此書有據字典列字，故確定編撰年代在《康熙字典》之後。然則此書韻目多能以字填實，或據字典；且可據字典校其訛誤。茲舉數例：

堅下去聲「徤」字韻，字書未見此字，本韻求紐下：「徤，康｜亢也，不倦強也。」考康熙字典人部「健」字下云：「集韻等：渠建切，乾去聲。說文：伉也。增韻：強有力也。易乾卦：天行健，君子以自強不息。」，則渡江書之「徤」字可能係「健」之譌字。

規上入聲「⿰革九」字韻，求紐下：「⿰革九革也。」康熙字典革部有「⿰革丸」，按篇海：居僞切，規去聲，革也。聲調不合，但字義同，則知「⿰革九」爲「⿰革丸」之譌。

規下入聲「边」字韻求紐下：「边，力也。」按字典作：边，集韻居僞切。韻會基位切，正韻居位切。並音媿。集韻：疲極也。正韻：弊也。力乏也。渡江書但訓「力也」恐係「力乏也」之僞。聲調亦不合。

規下去聲「⿰⻊思」字韻柳紐下：「頪，疾也」。字典頁部：頪，玉篇力外切，廣韻郎外切，疾也。是音義皆合。

干下平聲「雗」字韻求紐下：「雗，鵠鵲」，字典隹部：「雗，集韻居寒切，音干。玉篇：鳱鵲鵲」。則「鵠鵲」恐為「鳱鵲」之譌。

干下去聲「倝」字韻求紐下：「倝光也」。字典人部：「倝，集韻居案切，音幹，日始出光倝倝也。」同韻求紐下：「骭，骭而殺也。」字典骨部：「骭，集韻居案切，音幹。類篇：體也。」義不相合。又「擀，以手伸物」字典同。

干下入聲「𢆡」字韻求紐下：「𢆡，𢆡豎也」，字典干部：「𢆡，集韻居曷切，音葛。𢆡𢆡豎干貌。」音義皆合。

姑上入聲「鷊」字韻（韻目作𩀉），求紐下：「𩀉，鳥聲，鷊，鳥名」二字皆不見於「字典」，字典有「鷊」，倪歷切，埤雅：綬鳥也。音非類。

同韻柳紐下「𢭃，手動」；字典手部：「𢭃，集韻：昵洽切，同囡，詳口部囡字註。」口部：「囡，玉篇：女洽切，音嫐。手動也。」音義皆合。

同韻曾紐下：「睃，視也。」字典目部「睃，集韻甾尤切，音鄒，瞫也。」義不合，音近調不合。

以上諸例，除「鷊」，「𩀉」不見於字典外，其餘各例，可以支持李榮的說法，即此書多據康熙字典。《增補彙音》（即烏字十五音）卷一目錄最前行有「依字典訂」四字，而此書分韻僅「字祖八音共三十字」，較「渡江書」少「附音十三字」，兩書同謂「字祖三十字」，則必同出一源，疑「烏字十五音」乃刪削「渡江書」而成，然其八音配調又頗不同。「烏字十五音」有嘉慶庚辰壺麓主人序云：

「至於解釋雖間用方言，而字畫必確遵字典。」這幾句話放在「渡江書」是十分貼切的說明。

三、渡江書十五音的音系基礎

《渡江書十五音》的音系根據究爲閩南語四個次方言——泉州音、漳州音、廈門音、潮州音中的哪一個音系，並不是一個大難題，李榮從本書的內證上斷定並非泉腔和潮腔。其證據是：

本書119頁拱韻喜母：「享，泉啌。」

129頁閣韻門母：「卜，泉啌。」

147頁近韻喜母：「恨，恨心也，泉啌。」

201頁提韻語母：「雅，泉啌。」

201頁㬎韻治母：「說，說話，潮啌。」（李榮謂：這裏的「說」是訓讀字，本地俗字作「呾」。拿來和本書卷首韻目前「以本腔呼之」對比，則「本啌」似指本書依據的方言，啌就是腔字。泉、潮特別註明，與本腔對立，則泉腔，潮腔並非本書依據之方言，如果我們依據「悉用泉音」的《彙音妙悟》，把以上各字的讀法找出。

	彙音妙悟	本書(1)	(2)
享	香韻喜紐 ᶜhiɔŋ	拱韻喜紐泉腔 ᶜhiong	襁韻喜紐 ᶜhiaŋ
卜	科韻文紐 bɤʔ	閣韻門紐泉腔 boʔ	郭韻門紐 bueʔ

恨　恩韻喜紐　hɤnᵓ　近韻喜紐泉腔　hinᵓ　郡韻喜紐　hunᵓ

雅　三韻語紐　ᶜŋã　揑韻語紐泉腔　ᶜŋã　雅韻語紐　ŋẽᵓ

〔潮語十五音〕　〔本書〕

咀　柑部地紐　tãᵓ　韻治　tãᵓ　潮腔

《彙音妙悟》的音讀爲本人所擬。與本書⑴所收，大致吻合。本書的音讀暫以《雅俗通十五音》爲準，後者又以王育德一九八七年爲據。本書⑴與⑵相對，一泉一漳，⑵正如同以「本腔」呼之，因爲在韻目上已註明了。「咀」字爲典型的潮州字，有此一例，亦可見此書非據潮音。

還有一個緊要的問題，即是否如李榮說的「就今天的方言來說，在廈門漳州之間，本書的音韻系統更接近於廈門」呢？下面依據「福建省漢語方言概況」（上冊）頁三六二—三六七廈門、泉州、漳州韻母比較表，摘錄現代廈門、漳州韻母差異較大的，來和渡江書的韻部作一比較：

廈門	漳州	例字：唇	舌	齒	牙	喉	渡江書十五音
u	i		5除 2b屢 2儲 6呂	聚6 取2 須1	1居 區1 3去 娛5 2語	1虛 1于 5余	幾 1朱 2b己 2主 記 3註 钦 4惆 其 5慈 技 6自 啹 7味
a	ε			査1 杈3 沙1	家? 牙42	下5	1嘉 2珈 3雞 4鮭 5易
e	i	6蔽 8弊	6滯 9例	3制 9誓 3世			雞1幾 改2己 計3記 莢4钦 鮭5其 易6技 極7啹
e	ui				圭 奎		規 8 9
e	ue	9飛 5皮 10未		擺 5吹 7稅	3過 1科	2火	[illegible]5高1 粿6果2 檜7過3 郭8閣4 葵9 盱10 鱠11
ue	e	1批 2買	2底 3替 5犁	5齊 3細	1雞 1溪 5倪		1雞 2改 3計 4莢 5鮭 6易 7極
ue	ua				1瓜	2花 6話	1瓜 2囘 3卦 4葛 5據 6秸 7[illegible]
ue	ui					1廢	1規 2鬼 3挂 4軌 5 6 7

就上表而言，⑴廈門讀u，漳州讀i字在本書絕大部分歸入u韻部，歸在i韻部的只有一個「屢」字。⑵廈門讀a漳州讀ɛ的字，本書各半，牙字兩收，古人名（如姜子牙，易牙）讀珈部音cga，象牙讀鮭部音cge，獨「家」字兩系皆未收，不可解。⑶廈門讀e，漳州讀i的字也多兩收，蔽、弊兩見於技（-i）和計（-e），滯和例兩見於技（-i）和易（-e），誓字收在易韻，制、世則並見於記（-i）。⑷廈門讀e，漳州讀〔ui〕者，本書從漳系的規；⑸廈門讀e，漳州讀ue者，本書半入ue系的魁粿檜葵𧿳，半入o系的高果過，排字別屬乖韻。⑹廈門讀ue，漳州讀e者，本書完全屬e系的雞改計……鮭等韻。⑺漳州讀ua,ui的瓜字、廢字，本書亦入瓜系ua、規系ui而不入䕒系ue。筆者雖然未做全面統計，但就以上諸例來看，除第⑴例渡江書的歸字偏向廈門外，其餘各例，則似乎並不偏廈，實則偏漳的傾向更明顯，現代漳音雖然局部混同了渡江書的高系和䕒系，但合成ue系的音卻和i系、ui系保持對立，而廈門音則把這三系都混成一個e，同理又把漳州的e、ua、ui也混成ue，而渡江書卻分別屬於雞系，瓜系，規系。因此李榮的說法，正確度是可疑的。通過下一節的比較，筆者相信渡江書基本上是以漳州音系為基礎的。

四、渡江書十五音與漳系十五音韻部的比較

閩南方言的韻書，最早的是一八〇〇年（嘉慶年間）黃謙據泉州音編的《彙音妙悟》，同治年間東苑謝秀嵐所編的《雅俗通十五音》則據漳州音。兩書都分五十字母（代表五十類韻母），十五音

（代表十五個聲母），八音（代表八個調）。但是在編輯的體例上，前者以五十字母統十五音、每個聲母統八調。後者先把五十字母的八音（調）析成四百個音節代表韻部，每個韻部再統十五音（聲母）。這是體例上的一種變革。除了五十字母兩書用字絕然不同外，四百個韻部名稱對於十五音韻書的刪併，也留下彼此蛻變之痕跡，本節擬從韻部的比較，來爲渡江書的音系定位。

爲了說明泉、漳音系的異同，先根據李如龍（一九八一）的研究，將《彙音》和《十五音》五十字母中韻值相同的四十三個韻部對照於下：

《彙音》	《十五音》	韻值	渡江書
嘉	膠	a	嘉
嗟	迦	ia	加
花	瓜	ua	瓜
高	沽	ɔ	姑
刀	高	o	高
燒	茄	io	么
西	稽	e	雞
杯	檜	ue	蒐
基	居	i	幾

飛	珠	秋	開	乖	郊	朝	丹	軒	川	賓	春	三	兼	金	江
規	艍	ㄐ	皆	乖	交	嬌	干	堅	觀	巾	君	甘	兼	金	江
ui	u	iu	ai	uai	au	iau	an	ian	uan	in	un	am	iam	im	aŋ
規	朱	鳩	皆	乖	交	嬌	干	堅	官	根	君	甘	兼	金	江

東	公	ɔŋ	工
香	恭	iɔŋ	恭
卿	經	iŋ	經
三	監	ã	他
京	驚	iã	笡
歡	官	uã	官
莪	扛	ɔ̃	浯
青	梔	ĩ	拈
箱	牛	iũ	鎗
熊	閑	aĩ	㾍
嘐	爻	aũ	䅦
猫	嗅	iaũ	貓
梅	姆	m	喑
毛	鋼	ŋ	扛
商	姜	iaŋ	姜
風	光	uaŋ	

關	褌	uĩ
管	門	uaĩ

下面是兩書各自特有的韻部各七：

居	ɯ
科	e〔ɤ〕
鷄	ie〔iɤ〕
鈎	eu〔ɤu〕
箴	em〔ɤm〕
生	eŋ〔ɤŋ〕

箴	ɔm	箴
嘉	ɛ	
伽	ɛ̃	嬰
更	ẽ	
糜	uẽ	
薑	iɔ̃	（鎗？）
姑	õ	灘？

〔 〕為本人所擬音。由上表可見，前四十個韻部，三書基本相同。泉音獨有的韻，十五音兩書俱無，漳州音獨有的，箴、更，二韻，兩書並存，但五十字母的「雅俗通」比「渡江書」總共多了七韻：光、褌、閂、嘉、伽、糜、薑。姑與灘兩韻在疑似之間。由兩者相同的情形看，渡江書殆與「雅俗通」同系。關於「雅俗通十五音」的擬音，各家尚有出入，為五十字母擬音者，有葉國慶、薛澄清、羅常培、袁家驊、王育德、黃典誠、李如龍、陳永寶等人。葉、薛二家大抵相同，今併為一家，如有不同另加註明。羅、袁均據廈門音系擬音，袁特標出漳音有別者。黃典誠有「漳州 十五音述評」一文因未得見，暫缺。王育德集諸家之後，並附最早的漳州字典W.H.Medhurst 1831 的記音。現在將渡江書所稱「三十個字祖」以外的韻部，依「雅俗通十五音」的韻次，排列各家擬音的對照：

	M氏	葉、薛	羅氏	袁氏	李氏	王氏	陳氏
更	ɑi^{ng}	en	en	ẽ	ẽ	eN	ẽ
褌	wui^{ng}	uiN	uiN	uĩ	uĩ	uiN	ŋ
茄	ëo	io	io	io	io	io	io
梔	ee^{ng}	iN	iN	ĩ	ĩ	iN	ĩ
薑	ëo^{ng}	ioN	ioN	iɔ̃	iɔ̃	ioN	iõ
驚	ë^{n}a	iaN	iaN	iã	iã	iaN	iã

官	wⁿa	uaN	uaN	ũã	ũã	uaN	ũã
鋼	e^ng	ŋ	ŋ	ŋ	ŋ	əŋ	ŋ
伽	ɑy	ei	ei	ɛ〔廈e〕	ɛ̃	oi	e
閒	ɑe^ng	aiN	aiN	ai〔廈iŋ〕	aĩ	aiN	aĩ
姑	ⁿoe	oN	oN	ɔ	ɔ̃	ɔN	ɔ̃
姆	ū^m	m̩	m̩	m̩	m̩	m̩	m
光	wang	uiN	uaŋ	uɔŋ	uaŋ	uaŋ	uaŋ
門	wɑe^ng	uaiN	uaiN	uan	uaĩ	uaiN	uaĩ
糜	öey	aiN	e*	aĩ〔廈e〕	uẽ	ueN	ɔĩ
嗅	ⁿëɑou	iauN	iauN	iaũ	iaũ	iauN	iaũ
箴	om	am	im*	im	ɔm	om	ɔm
爻	ⁿɑou	auN	auN	aũ	aũ	auN	aũ
扛	ⁿo	on〔i〕	oN	ɔŋ	ɔ	oN	ɔ̃
牛	ⁿew	iuN〔uiN〕	iou	iũ	iũ	iuN	iũ

由此表看來，各家對五十字母的音讀分歧的韻部相當有限，陳氏把褌、鋼均擬作ŋ，犯了重複，大抵是受台灣梅山沈富進「彙音寶鑑」一書的影響，沈氏用「褌捲劵〇啙捲〇〇」來代表ng韻，他

的四十五字母並沒有「鋼」。鋼擬成ŋ或eŋ並無不同，王氏擬為eŋ以便和「經」ieŋ相配。「伽」在「雅俗通」中字還不少，茲列其韻字如下：

伽上平　迦伽茄舵臭推胎遮閣骴

○上上　短姐者這若惹矮

○上去　退嚥塊處脆

莢上入　渫八捌莢鍥裌嗇篋啄節抑雪攝瘱戚撮歇

𠍽下平　螺𠍽瘸個个

○下去　袋遞代坐賣坐係

○下入　笠拔奪提截絕褯狹嗜峽

這些字和「稽」韻的關係是，有一部分重出，如：推、胎、短、姐、這、矮、退、脆、螺、袋、遞、代、坐、賣、係等，在「稽」韻應擬作e，有兩行正好與稽韻互補，因為「稽」韻的上入、下入都註明「全韻空音」，如果這兩韻沒有不同，應該合併，既然分之，想必反映早期漳州音的某些區別，Medhurst字典的記音提供了區別：稽是ey，伽是ay本可視為ei：ai的不同，但是「皆」韻系也是ai，比較單純的擬構是：稽e，伽ɛ，而「嘉假嫁骼枷下逆」韻系，葉國慶、王育德亦擬為ɛ，因Medhurst也用ay來記音，按M氏則「伽」當併入「嘉」韻系，但兩韻之間卻找不到重出，因此王育德氏把這三韻對比成：嘉ɛ：稽e：伽oi，我覺得這可能是受潮州音的暗示，漳州音系並無oi這樣的音節，在李永明「潮州方言」的同音字表（P.78-79），正有賣、代、八、拔、矮、笠、截、絕、窄等字讀爲oi或oiʔ，陳永寶把「伽」擬作ɔ，可能受泉州音的暗示，因爲上列韻字中，正有短、矮、退、雪、袋、推、奪、絕、螺等，《彙音妙悟》收在科韻而今泉音唸ɤ者。由其重出現象及有方音痕跡，這兩點看來，這個韻可能不是漳州音系，韻書的編者因受傳統五十字母觀念的影響，爲湊足五十字母之數，便不得不找該方言中的外來成分，或新興的音節，爲它另立一韻，這一點在《彙音妙悟》已有泉腔的「管」韻之先例。這種現象亦多半屬於白讀或土音的部分，一方面反映了方言接觸的交互影響，一方面也說明閩南語音系的多元性。廈門音系便是這樣的一種方言交集。渡江書十五音和烏字十五音都有「字祖三十字母」的說法，所謂「字祖」正是各家擬音都沒有出入，是閩南各方言共有的成分，各方言的差異除了調値外，主要集中在韻母，字祖以外的韻目數及其內容，正好是方言差異的焦點。

渡江書十五音在三十字祖之外，只有十三個附音，較「雅俗通」正好少了七個韻，現在我把「雅俗通」第三十一以下的字母和渡江書的擬音對照於下：

	31					36					41					46				50
雅俗通：	更	褌	茄	梔	薑	驚	官	鋼	伽	閒	姑	姆	光	閂	糜	嘄	箴	爻	扛	牛
													uaŋ	uaĩ	uẽ				õ	iũ
渡江書：	嫈		么	拈	鎗	礦	官	扛		脫	浯	嗜				貓	箴	穡		
擬　音	ẽ		io	ĩ	iõ	iã	uã	ŋ		aĩ	ɔ̃	m				iãũ	om	aũ		

作以上的擬音，是將兩韻相當的字略作對照，並參考各家對「雅俗通」的擬音，其中「雅俗通」

的姑與扛爲ɔ̃與õ，似乎太接近了，Medhurst作õ與œ̃的區別，或許可以有其他擬法，本文就不再推測了。

五、結語

渡江書十五音對閩方言學者來說，是一個新出土的資料，世間究竟有幾個鈔本，不得而知，從李榮的序可知，這個鈔本保存在大陸圖書館或李熙泰那裏足足三十年，沒有任何有關的論述。何大安先生接到東京外語大學的贈書，即刻把它轉借給我；幾乎同時，洪惟仁先生也透過朋友送我一個影本；張次瑤先生因我信中提及未睹此書，也從美國寄了一份影本給我；畢業於師大國研所的日本麗澤大學千島英一兄，去年九月特代我向東京外國語大學要到一個正本寄贈。這本新資料從急切一睹到擁有多份影本，筆者感到學術的盛情，超過一切。半年多以前，即著手按李榮序中提到的辦法，與「雅俗通」逐韻比較，在草擬本稿時比對完成的僅有數韻，其餘都是邊寫邊比較得來的印象，先把它寫成初探，作爲進一步研究的基礎，許多細節都無法在文中交待，可說掛一漏萬，那些遺漏的部分，希望在我的一系列閩南韻書研究中，逐步落實。本文主要確定此書屬於漳州音系韻書，並從音值的構擬方面，肯定此書在閩南語韻書中的價值。

(附記）本文曾于民國七十八年四月廿九日在第七屆全國聲韻學研討會上宣讀。從事閩南韻書探討，爲近三年之事，成績有限，謹以此文爲景伊先師八十冥誕紀念，實有繼志承業，不忘其初之意。七十八·十二·八·榮松補誌。

主要參考書目

渡江書十五音　編者不詳。李榮序。東京外國語大學亞非言語文化研究所出版，一九八七年
彙集雅俗通十五音　謝秀嵐編，高雄慶芳書局
增補彙音妙悟　黃謙編，台中瑞成書局，民五十九・十月
烏字十五音　壺麓主人序，台中瑞成書局，民六十二，十一月
潮語十五音　蔣儒林編，香港陳湘記書局發行（吳守禮教授出借）。
廈門音系　羅常培著，古亭書屋
彙音寶鑑　沈富進編，文藝學社總發行，民五十九，三月第十四版。
臺灣十五音辭典　黃有實編，民國庚戌年，斗六。
漢語方言概要（第二版）袁家驊，文字改革社，一九八三年。
福建漢語方言概況（上冊）（討論稿），福建省漢語方言概況編寫組等。一九六三年。
潮州方言　李永明著，中華書局，一九五九，四月。
綜合閩南、台灣語基本字典初稿（上）（下），吳守禮著，文史哲出版社，民七十五年。
台灣語の歷史的研究　王育德著　日本第一書局，一九八七年。
閩南語十五音之研究　李三榮撰，政大碩士論文，民五十八年。
閩南語文白系統的研究　楊秀芳著，台大博士論文，民七十一年。
八音定訣初步研究　李如龍撰，福建師大學報，一九八一年。

彙音妙悟與古代泉州音　洪惟仁手稿，台灣省文獻會出版中。
閩南語與客家話之會通研究　陳永寶著，台中瑞成書局，民七十六年。
彙音妙悟之音系及其鼻化韻母　姚榮松撰，師大國文學報十七期，民七七年。

高麗初期的文風和國外交流

韓國梨花女子大學　李慧淳

目錄

1. 問題的提出
2. 新羅末高麗初賓貢諸子的傳統
3. 與五代之間的人員交流及五代文學之特色
A 與五代之間的人員交流
(1)科舉及第(2)歸化漢人(3)使臣往來
B 五代文學之特色
4. 由公文來看高麗初文學的特色
5. 結論

1. 問題的提出

至武臣亂爲止，高麗文學主要是由晚唐風所支配並以唯美文學爲主流的說法由來已久。徐兢在《高麗圖經》裏說的：「其國取士之制…大抵以聲律爲尙，而於經學未甚工，視其文章，彷彿唐之餘弊云」，（註一）還有朝鮮初期的宗直在〈青丘風雅序〉裏所說的，「羅季及麗初，專習晚唐」，都可以窺見此見解的一斑可是，也有學者指出逆晚唐風的宋朝文風在高麗初期已經形成。比如說，在睿仁年間以文名著稱的鄭知常和金富軾，就給人以互不相同的文學傾嚮之感。李鍾文教授就注意到睿仁年間已出現有與晚唐文風相反的文學傾嚮，將其原因看成是，高麗睿宗，仁宗時對新儒學的極大關心和積極受容，由崔承老、崔冲、崔瀹、金黃元等繼續不斷的古文運動之開展，蘇東坡等宋詩的傳入，並把此文風的領袖首推金富軾。（註二）

我認爲，雖然宋朝文學對金富軾的文學有一定的影嚮，但將他的文學純粹與儒學和宋詩相連繫亦不合情理。其理由是，在金富軾的詩中所用的典故過多和難澀與宋詩的表現距離很遠。與之相反，代表睿仁年間文學的鄭知常和金富軾可視爲把晚唐文風中的其中一面加以擴大的詩人。衆所周知，晚唐文風的美的特質可認爲在於由詩語的華美和典故的費解所引起的神秘裏。鄭知常很少用典故，他的詩語富於情感且淸麗，而金富軾因典故使用過多致使有損於詩情。

從這角度來看，有必要對成爲他們文學的傳統背景的高麗初文學和他們由相同的根子而形成相反的詩風的文學內部外部因素，重新作評價。崔滋認爲高麗文學是從光宗科舉制度建立後開始的，徐居正也在編纂《東文選》時認爲高麗的律詩和絕句都是從崔承老的作品起算起旳。作爲前者的有光宗時的文士王融，趙翼、徐熙、金策，他們的作品除了幾篇已發表的文章以外，幾乎沒有留存的文章。作爲後者的崔承老是太祖起受重視的人物，列傳裏已說到他，光宗時寫的作品中一部分被保存下來，在《東文選》裏的作品似是成宗時的。

因上述理由，高麗文學至成宗止，幾乎是空白期間。成宗以後，陳文宗時的崔沖，朴寅亮等以外，尹彥頤，權適，金黃元，郭輿，金富軾兄弟，鄭知常等都是睿宗，仁宗年間的作家，至今文學史上所說旳高麗前期文學，至要是指睿仁年間爲中心旳。睿仁年間是高麗王朝自建立起，幾乎是二百年後的時期，並是武臣亂發生七〇年前，以這個時期來代表高麗前期的文學的話，缺乏說服力。

本稿爲了考察睿仁以前文學的歷史發展，首先想考察自太祖王建時期至國家制度在一定程度上已趨整頓的高麗成宗以前，在國際上五代滅亡宋朝建立時的文學狀況。如上所述，這個時期是沒有具體作品的文學空白期，所以，筆者想從兩個方面來考察。第一，領導這個時期的人物大部分是賓貢及第者和歸化漢人，而他們是實際上執行海外交流的人物，因此想通過形成這個時期文學背景的晚唐及五代的文學特徵，來追溯高麗文學。第二，這個時期雖然留存下來的幾篇文章都是實用性的，想以此爲基礎來考察高麗初期文學的特徵。

2. 新羅末高麗初賓貢諸子的傳統

太祖王建的建國初期，主要是慶州六頭品文人支配著文壇。這是因爲新羅末的文翰幾乎都是由渡唐留學生掌握著，其中像唐朝賓貢科及第的崔彥撝那樣的人物就是典型的人物。高麗史崔彥撝列傳中，主要是崔彥撝幫王建管理文書，當時的人士都傾倒於他的記錄，就是很好的見證，這是由於當時從唐歸國的賓貢諸子在各地爲對抗新羅中央政權，與積聚自己力量的士豪相連繫的緣故。

在建立科舉制度後，積極利用此制度的人中間有新羅六頭品文人的背景，也是因高麗初期崔彥撝等打好的基礎受益不淺。爲太祖起草遺詔的金岳或第一回科舉及第的崔暹的出身背景雖不詳，可能是廣州六頭品出身，光宗時及第後任攻文博士的崔亮也可推測爲廣州六頭品文人。

賓貢諸子掌握高麗初期文衡的事實，可推測出兩種意義。第一，說明新羅末的文學至高麗時，並沒有斷絕而被原封不動地繼承下來了，從某種意義來說，在新國家建設中可能出現的矛盾和新氣象在文學出現的轉機也喪失了。第二，由賓貢諸子都是晚唐留學先的事實，可知高麗初期的文學中存在著晚唐文風，這裏所說的晚唐文風當然是否定的一面。

筆者在〈論新羅末賓貢諸子詩〉一文中，曾言及與賓貢諸子的晚唐文風不同的詩風，他們從唐體會到的歷史意碩和與禪宗的連繫等。雖然從他們的詩中看不到有力的雄渾，但可見到他們的詩是著根於他們所處的現實中。（註三）

但是，詩雖是如此，在文的方面，他們能於駢文。他們之所以能參加高麗建國時外交上所需的文書寫作，以此來協助國家創建事業，是由於他們在晚唐修學的關係。晚唐以前的中唐時期，由韓愈，柳宗元等的古文運動形成古文盛行時代。但到了晚唐，在李商隱，溫庭筠等領導下四六文重新與起。實際上，四六文之稱可視從李商隱《樊南甲乙集》開始稱呼的。特別是，崔致遠在唐朝時，爲高駢節度使，歸國替新羅國王寫了許多公文，在此公文裏很顯著使用了各種對偶和繁多的典故。把孤雲的《西川羅城圖記》和羅隱的《東安鎭新築羅城》記《杭州羅城記》作比較的話，反而可知崔致遠的文章用了許多形式上的修飾和費解的詞語。《築城記》內容是由築城動機、築城過程、築城後御敵時作了貢獻，對築城者的贊美等組成的。其一例，對築城過程，羅隱在《東安鎭新築羅城記》記述：「彭城王始授君以板築之要，濠塹之廣袤，地理之棋互，皆取則於丞相。…」築城的狀況寫成：「蟠東矗西，離連坎接，隆者就之，窪者盈之，民不弛擔，時不妨農…」，而崔致遠則描寫成：「…採時候於魯書，佚規模於周令，引長江而刻長塹，夏禹慙能，對高巘而劃高墉，秦皇失色，矧乃命五丁而嘯侶，運六甲以驅種，天吳則謬水於塞泉，地媼 則變沙謂美土，實爲百靈幽替，萬姓悅隨，鍤聚雲鋒，杵騰雷響…不但用了不少誇張的修飾性表現，而且使用了如秦始皇、夏禹，五丁六毋等內容旳不甚重要的典故和爲對偶而作的對偶

當然，這也是羅隱和崔致遠之間的不同，因爲羅隱是一個對當時文壇及社會面貌懷有強烈的批評意識。正因爲如此，可見如晚唐詩人不全受晚唐文風束縛那樣，晚唐留學生的文風也是多種多樣的，

特別是，不用在唐朝學來的形式上的駢文和修辭來寫公文的崔彥撝的文章，可推測出與崔致遠不同的文風，這些可從金石文中得知。關於這一點將在第4章裏敘述。

3. 與五代的人員交流和五代文學的特色

A與五代的人員交流

晚唐時期因藩鎮的跋扈造成混亂之極的局面，加上黃巢之亂又起，百姓之慘相難以形容。這時，河南節度使朱全忠滅了唐後建立的王朝就是五代第一個後梁。此後，在約五〇年期間，後唐、後晉、後漢、後周等王朝反覆交替，南方形成了十個國家。

在五代十國的交替頻繁發生的時期，韓半島繼續試圖與他們保持外交上的接觸。後百濟和高麗之間，借吳越國班尙書的入國一事也有過信件往來。此外，高麗在太祖王建建國後，因王位繼承問題使國內局勢不太平，但歷代的王都很重視與中國的外交關係。從某角度上來看，這也是鞏固王權的一個手段。宋滅了五代十國統一全國後，宋遼之間的關係影響到高麗，使高麗與這兩王朝的關係，時而斷絕時而持續。

高麗與這兩國的關係主要是外交方面的。除使臣的往來和詔書的交換之外，還有我國的文士那裏科擧及第，歸化漢人的受容，佛書交流。王建爲鞏固王權積極促進與他們的交流，而且爲了確保外交關係上所需的管理外交文書的人員化了不少精力。這種情況，不僅出現在太祖時，初期的光宗，穆宗等都是如此。比如說，據張延祐列傳所記，他在新羅末跟著父親儒到吳越避難後回國，光宗因儒會看華語，數次除授他客省之職，有中國使臣來的話，總要叫他接待。光宗時，後周人雙冀的歸化和穆宗時周佇的歸化，都是由於高麗積極的外交政策所致。

雖然，五代是中國歷史上罕見的驟變期，時間也不過是短暫的五〇餘年。但並不可把這個時期的社會文化看成退步期。「…反而在這時期掃除了在武人相爭之中跨台了的舊貴族社會的殘餘，並是新生的新社會成長的過渡期。從這角度來看，政治混亂的五代是向新時代邁進的充滿苦難的變換期」（註六）

高麗與這些王朝的不斷的交流，也可能是使高麗前期文學發生某種變化或使之促進的原由。五代和高麗的文化交流，其內容可看成賓貢科及第，歸化漢人，使節團的派遣。

(1)科舉及第

崔瀣在「拙藁千百」中記述：…由此以至天祐終，凡賓貢科者五〇有八人·五代梁唐又三〇有二人·蓋除渤海十數人，餘盡東土在五代，似有相當多的人在那裏科舉及第。梁唐的科舉制度直接繼承了唐朝的，但後梁時，知貢舉一職由兵部侍郎所任，與禮部侍郎所任的唐制度有所差異而已。

新羅賓貢及第者中，推測有人在新羅末渡唐之後，在唐滅亡後停留原處，到後梁或後唐時去考科舉，也有人在後三國建立時或王建統一三國後去中國的，是些什麼人現在還不清楚，同時也不知他們在及第歸國後是否在高麗初期之文學擔當一翼。

在高麗史登場人物中，有崔彥撝的兒子崔光胤賓貢進士的記錄，如考慮到崔彥撝是唐最後的科舉及第者時，可確信他是五代的賓貢及第者。

他於太祖二十三年寫的原州興法寺「眞空大師塔碑文」見於朝鮮金石總覽，在此以前所寫的塔碑文，幾乎都是崔彥撝所寫，由此可推測崔彥撝的晚年時，他的兒子崔光胤替他代筆的。據高麗史所記，他去留學時，到了晉國時被契丹所逮，但以才學被登用於官職。在龜城奉職期間，知契丹將侵犯我國，就寫信使藩人告知我國。於是，光宗命令有司組織了三〇萬兵士的光軍。崔彥撝之子崔行歸去吳越國留學，吳越王除授秘書郞之職。他是否是賓貢及第，不得而知。崔行歸在回國後，譯了均如的「普賢十願歌」。吳越國原來是後百濟爲了擴大自己的海上勢力，鞏固國際上聯系而結交的國家。

(2) 歸化漢人

除了科舉及第的人物之外，對當時文學起了不少作用的是另一個歸化漢人集團。在高麗建國初期，王建在土豪勢力之跋扈的狀況下，爲維護王權，與周圍的國家建立了積極的交流關係，爲了執行與這些國家的外交任務，就需要管理外交文書和作爲使臣去中國或接待中國派來的使臣的人員。爲此，就積極收容了歸化漢人，所以很難否定由這些人所形成的文風。

作爲五代十國人歸附於高麗的文人，見於高麗史的有酋彥規、朴巖、雙冀、雙哲四人。自太祖至穆宗的七代實錄是著火後重新編纂的關係，實際上歸化漢人要此數目更多，因此，在此實錄所出現的人是其中代表性人物的可能性相當大。酋彥規作爲吳越國文士於太祖二年（九一九年）於癸未來投，朴巖也是作爲吳越國文士於太祖六年（九二三年）於癸巳歸化的。雙冀作爲後周試大理評事跟薛文遇以使臣身份來我國後，因病不能回國，光宗去信洽後周世宗，使他歸化的（光宗七年，九五六年）。後周的侍御雙哲（雙冀之父）於光宗一〇年（九五九年）追隨其子而歸化並除授佐丞職務。

高麗太祖於天授八年派韓申一和朴巖去後唐修交。如所周知，雙冀是向光宗建議科擧制度並付諸於實行的人物，雖然科擧制度並不因他的建議會立即實行，在這以前已有些基礎，但熱衷於科擧制度的雙冀之作用是不可輕視的。這不僅是建立科擧制度的角度上看，而是因他成了知貢擧後直接選拔文士，他的文學傾嚮對當時的文風有極大的影響之故。李穡對振作高麗文風的雙冀之作用作了肯家的評價。

「…三韓人物之盛，雖不盡在於科第，然由科第之盛，而一國政理之氣像益著而不可掩矣。吾東方在虞夏時，史不伝，不可考。周封殷大師箕子，則其通中國也蓋可知已。雖其封之，又不臣之，重其受禹範，爲道之所在也。大師之祠在平壤府，國家祀之彌謹，則大師之我東人也深矣。豈雙冀王融之淺淺而爲我文風之始也哉。雖然雙氏王氏，所以誘掖後生者，亦至矣。

不過，李齊賢雖肯定雙冀的建立科擧制度之功勞，但他批評了高麗文風中「冀…惟其倡以浮華之文，後世不勝其弊云。」（註九）雙冀的文辭實際上受到了後代「病於浮藻，不足爲後學模範」之評。（註一〇）由此可知，實際上科擧在形成當時人們讀書風氣上起了作用，但在文風內容裏，高麗學者已認識到他和由他代表的五代文學背景所起的否定作用。

雙冀總共歷任了三次知貢舉。

時期	知貢舉	及第者數			
		製述	明經	卜業	醫業
光宗9年	雙冀	2	3	2	
光宗9年	雙冀	7	1		3
光宗12年	雙冀	7	1		

值得注意的是，除了第一年之外，他不出時務策的試題，祇以待賦頌偏於進士來取士。特別是，像賦頌之類比起內容更重視形式，這也可以成爲使文風更趨唯美的原由。此外，第一年的如玄鶴呈祥那種煽動華美之風的詩題，(註一一)也可看作是雙冀通過科舉對高麗初期文風所起的作用。這似乎是他在歸化以前，在五代，特別是在後周形成的文學背景有關。

此外，在由雙冀選拔的人物在成宗時，在文壇上起了重要作用的一點上，有著極大的意義。第一回的崔暹就是一個例子。他在成宗十二年作爲翰林學士選拔了進士，十五年，作爲都考試官選拔了進士。

另外，對王融也值得一考。王融在光宗時三次，景宗時二次，成宗時六次等，總共十一次，作爲知貢舉掌握了文衡的人物，也沒收在高麗史的列傳中。史學界也有說他是歸化人的說法，筆者注意到這一點。景宗時，從王融所寫的佮新羅王金傳追加尙父都省令的教書中，可知他是光、景、成宗三王的心腹。上面引用的牧隱之文章裏，他在言及科舉之功時，特別值得注意談到雙冀和王融。特別是，牧隱指出我國與中國溝通早在箕子時代已實現，在此期間教化已深，這並不是由雙冀和王融開始的。由此可知，王融很有可能是歸化人。光宗作了十一次的知貢舉，選拔了四〇餘個進士及第者，其中的白思柔作了二次的知貢舉。如看王融現存唯一的文章「新羅王金傳加尙父都省令官教書」的話，可看出他的文章十分浮華，所以他給當時文風之影響也是不小的。

(3)使行

高麗首次與中國作交涉的，據說是在王建太祖六年福州卿尹質去五代第一個王朝的後梁拿五百羅漢像來時。經過後唐後晉和後漢，與後周互通了使臣。在《舊五代史》中，有關五代期間的記錄中不斷出現「高麗遣使入朝」。在使臣中，特別引人注目的是朴巖和王融二個人物。朴巖是在後唐時出使的，王融是在光宗六年與廣平侍郎荀質一起出使後周的，此二人中，朴巖是作爲吳越國文士歸化的記錄見於高麗史。後者祇有他可能是歸化人的推測。由此可確知高麗爲外交上的需要迫切需要歸化人的情況。

比起高麗頻繁的出使，五代對高麗國王賜爵，並爲行冊禮而派使臣的記錄祇出現幾次而已。不過，在使臣中也有由高麗歸化到中國去的人。在後周恭帝六年秋七月有個叫金彥英的人，原是高麗人，被後周作爲使臣派到高麗去時，因向高麗國王稱臣而被治罪。這些都表明，不管高麗還是五代，在兩國之間使臣往來中，雙方的歸化人在政治，社會，文化方面是活躍的中間人。

B五代文化的特色

有關五代的詩人，特別在文學史上言及的人物並不多。這是由於宋人在記述五代史時，沒有寫《儒林文苑傳》等，雖說在五代對社會有用的文章或詩人作家都屬少數，但實際上因晚唐詩人分散於江南江北，他們的文學活動是相當活躍的，他們的文章也不是祇有浮華的，其中也有不少質實無華的文章。（註一二）五代以文名著稱的，在吳越有羅隱，南唐有張義方，江文蔚，歐陽廣，潘佑，徐鍇，徐鉉，蜀有韋莊，憑涓，杜光庭等。從現存詩來看，自唐滅亡後，江南的詩作更加興旺起來了。實際上，五代的文學在當時因避難，文士都跑到江南去，文士的活動主要在南唐，蜀很活躍。

因《全唐詩》和《全唐文》的後面部分所收的五代人物，大部分是唐朝滅亡後到梁朝去做官的，或是經歷了後唐，晉，漢的人，其中也有一部分人是生存於宋朝的人。所以，以五代十國爲區分標準來尋找其特徵是相當困難的。例如，憑道歷仕唐，晉，漢，周和凝在後唐天成中任了翰林學士，並在任了知貢舉後，他所選拔的都是當時的俊才。至天福五年，他又被任爲中書侍郎，至後漢時任太子太傅，在後周時去世。

在五代，詞要比詩占有更重要的地位。由著名的晚唐五代之詞集《花間集》中，可見詩的特徵是艷麗，華美。這一時期，正是政治動蕩不安之時，而君主卻過著花天酒地的生活，而詞就給他們這種生活添加興味。由這種角度來看，可把這個時期的詞與宮體詩作比較。詞的這種特徵，在詩中也同樣可見到。清朝王士禎把各種文集所記載的有關五代之詩話選集中撰述五代詩話，由此可窺見到當時文學的特徵和詩風來。

如上所述，那時的君主大都喜歡詩歌和吟詠。後唐莊宗就喜「音聲歌舞俳優之戲」，而且「自己作詩欣賞」。不過，由他怕別人嗤笑自己的詩之事實中，可得知他的詩也並不高妙。此外，吳越錢忠懿王博覽經史，書不離手，平時喜愛吟詠。南唐後王李煜對音律深有造詣，能於書畫。徐絃稱贊後主博學多藝，是個有聖人之能的人物。宋太祖也稱「李煜若以作詩工夫治國事豈爲吾禽也」李煜之詩，大都帶有「悲感愁戚」「含情淒婉」之色彩。前蜀王衍頗有文才，並喜「靡麗之辭」，後蜀主孟昶不僅能於文章，並富有詩才。（註一三）

總之，五代的君主喜愛詩文，他們的詩風之華麗和淒婉的特徵，間接或直接給當時的文人不少影響。由高麗史太祖本記中記載的後唐送來的對王建之冊文和後晉送來有的有關惠宗之冊文中，筆者想由此推測出與當時高麗文風之關係來。

在這二篇冊文中，可窺見到其中的描寫部分同樣地呈現過於誇張和華麗之傾向。

…卿珠樹分輝，金鉤協兆，領日邊之分野，冠海外之英雄，士心同感於撫循，民意咸歌於惠養，而又誠堅事，志在恤鄰，…金石之誠明貫日，風雲之梗槩凌空，名播一時，美流四裔。（對太祖之冊文）（註一四）

…圭茅積慶，忠孝因心，早彰幹蠱之名，顯著象賢之譽…

…卿才略耀奇，規模冠俗，荀息之忠貞自許，翁歸之文武兼全，鷹瞵鶚立之姿，折衝萬里，夏屋春臺之煦，化洽一隅…（對惠宗之冊文）（註一五）

梗槩但是，對太祖是以珠樹，金鉤來稱他的文才和武藝，其中的「金石之誠明貫日」「風雲之梗・槩凌雲」等描寫屬較平凡的修辭。與此相比，對惠宗則稱他為幹蠱，翁歸，荀息等，這作為給高麗王之冊文並不恰當。可是，在形式上，給王建和惠宗之文中，都是靈活地變換著字數和文章結構，並採用言對，事對等各種對仗來使文章不至枯燥，且避用劉勰認為劣小的正對，好用反對，這些就較特別。以6.6,4.4,3.4,3.4,3.4等來使字句對發生變化。其內容是作為輔助諸侯的大夫以忠誠幾代侍侯主人的荀息，廉潔奉公，文武兼備的翁歸，把他們兩人的垂直之倫理和水平之倫理作比較，把侍候者和治者作比較，通過鷹瞵鶚立和夏屋春臺之句來顯示威容和慈愛等，擴大了對描寫對象時相對照的特點，給人以比起實質性的內容更重視形式之感。

此外，詞語上也是大都用費解或習慣上罕用之詞匯。這雖可看作文章類型之不同，但與王建的詔書和訓要等使用的普通詞語相比，可看出其差異來。同時，也可看出這種文章給高麗的公文和文學的影響來。

4. 由公文來看高麗初期文學的特徵

現在所能接觸到的資料中，首先是以王建名義寫的文書。王建給甄萱之書信，訓要十條，詔諭8首，上南唐烈祖即位等，都收在《三國遺事》《高麗史》《全唐文》中，〈開泰寺華嚴道場發願文〉被收在《補閑集》中，這些文章幾乎都是崔彥撝和崔光胤等所作。〈答後百濟王書〉被推測是崔彥撝所作，《全唐文》中王建所寫的〈高麗國原州靈鳳山與法寺忠湛大師塔銘〉在金石文中是以，〈原州與法寺眞空大師塔碑臣崔光胤奉敎集〉的字樣呈現的。太祖時，碑文之寫作大都是崔彥撝之作，而在銘文中是以崔仁統之名的。（新羅國故兩朝國師敎謚朗空大師白月棲雲之塔碑銘）仁統之名是他在新羅作翰林學士時使用的，到了高麗朝就改名爲彥撝。此後至光宗，作爲寫銘文之人有金廷彥，孫紹、李夢遊等，其中金彥和孫紹曾任翰林學士等職，李夢遊在成宗時曾任知貢舉。

由現存資料可知，這個時期的文學，與古代文學初期文學相比，有許多相似處和對比之處。首先，這兩個時期的文學都是以實用性的文書爲主的。可是，古代文學主要是以說明建國過程之史書爲中心，而高麗文學則主要是以外交文書爲中心的。古代文學中是以開辟國土之王的碑文爲主，在高麗則是以僧侶之碑文爲主。外交文書在古代文學中也爲數不少，再說高麗的也所存不多。可是，由高麗建國初的政治性質來看，王建的文士主要被集中於外交文書的寫作方面的，並由這一點可知進入中世之高麗文學的特徵。

在這種文章裡，最受重視的自然是充滿華美詞語的駢麗文。可是，王建的詔諭八書，訓要一〇條等是比起形式更重視內容的文章。盡管使用對仗、湊字，但大都是以四字爲主的單調的對仗，詞匯也是質朴而不用典故。

當時的駢麗文的特徵，反而在給外國的書信或給中國皇帝奏表中顯得很突出。但王建的高麗初期時（給甄萱的書信），並沒有那樣的駢文，這在僧侶之碑文中也可見到，太祖時崔彥撝所作的碑文並不是形式主義的文章。

最初的美辭麗句之文章。是定宗給王式廉的教書。雖然，文中把王式廉誇爲「…量呑海嶽，氣蘊風雲…」（註一六），但這種文辭在漢文中是司空見慣的描寫。可是，景宗時，王融給金傅的制誥中，其對個人的稱贊充滿了過於浮華的描寫。

…英烈振凌雲之氣，文章騰擲地之才，富有春秋，貴居茅土，六韜之略，拘入胸襟，七縱五申，撮歸指掌。…（註一七）

對以千年之社稷呈送給高麗的亡國之王的美化，趨於過分，反而顯得滑稽了。

由此可知，自太祖至光宗和實行科舉之後的文章確實發生了變化。高麗前期的文學出現浮華的晚唐餘毒，指的就是實行科舉後的文風。李齊賢在高麗史光宗中的批評也是針對文風變化之責任的。

這種文風之變化同樣也反映在金石文中。崔仁統「朗空大師白月棲雲之塔碑銘」之雕刻時期是光宗五年，而崔仁統是惠宗元年去世的，所以這是新羅末或至晚在高麗太祖時寫的。文中描寫朗空大師的部分，有這樣的話：「大師生標奇骨有異，凡流遊戲之時，須爲佛事，每聚沙而造塔，常摘葉以爲香」（註一八），不見有什麼特別使之美化的華靡辭句。

這種情況在太祖時寫的其它銘文中也可見到。在《唐津無爲寺先覺大師遍光塔碑》中，對大師的人品作了如下評價：「大師生有殊相，幼無雜交，洎于志學之年，潛蘊辭家之念」（註一九），並不見有特別修辭上的誇張。

但他的兒子崔光胤所寫的忠湛大師之銘文中，開始出現過於修辭的傾向，對忠湛之父的描寫中，有「…陶潛而不事王候，希賈誼而寧求祿位，所以考盤樂道，早攻莊列之書，招隱攀吟，常避市朝之譽」（註二〇），的表達。這種描寫表明文章逐趨誇張並有炫學的色彩。忠湛生於咸通一〇年（西元八六九年），入籍於九四〇年（高麗太祖二十三年），彫刻年代似是高麗太祖二十三年。由此可知，此碑文是他死後不久寫的。

定宗時的「光陽玉龍寺洞眞大師寶雲塔碑」是光宗九年所刻，這是翰林學士金廷彥所寫的。在描寫洞眞大師人品部分中，有如「雖居兒戲之中，猶在童年之上，年登幼學，饗傾鼓篋之心，德貴老成，即有腦內之志」（註二一）的文句，表出其炫示誇耀文章之意。李夢遊的「聞慶鳳巖寺靜眞大師圓悟塔碑」（光宗十六年刻）中，「祖淑長，父亮去，並戴仁履義，務存達己之心，積德豐功，貴播貽孫之業，勞筋骨而服職，抱霜雪以淸心，卅里稱長者之名，遠近聞賢哉之譽」（註二二），也顯示出修辭上的美化。此外，金廷彥所寫的麗卅高達寺元宗大師惠眞塔碑」中，稱贊大師之父爲「白杠英氣丹穴奇姿，含霞綺之餘光，振霜鍾之雅韻」，由此可知更重視形式的描寫的文風。

雖然，這些資料偏於一部分公文，但表明文章自高麗初期太祖至光宗時逐漸在變化，値得注意的就是其文風更重視形式上的華美。

結論

本稿的目的在於考察作者和作品幾乎無存的高麗初期文學史的空白期。

在三國鼎立的情況下，滅了弓裔，建立了高麗王朝的太祖王建時期，渡唐留學的新羅學生歸國後，領導了那個時期的文學。他們雖是晚唐時去唐朝的，但並沒有完全追隨偏於形式美的文風。這不僅在王建用於治化的文章中，而且在需要修辭美化的外交文書或個人的銘文等公文中，全都同樣證明了這一點。

可是，由渡唐留學生爲主體的新羅末之文人進行世代交替後，即自太祖末的文學是由誰來領導的呢？筆者認爲在賓貢諸子之後，掌握文的人是歸化漢人。盡管賓貢諸子有唐朝時的體驗，由他們的詩文中呈現的。與晚唐文風不同的質朴，至太祖時接近晚唐、五代的唯美主義文風的原由，就在於歸化漢人身上，其時期就是實行科擧制度的光宗時期。在歸化人中間，知貢擧雙翼在這文風轉變上起的作用是很大的。同時，似是歸化人的王融十一次任知貢擧的影響更是不可小看的。這可見證於自光宗後期出現的充滿美化修辭、巧妙的對偶、難澀的典故等的文章中。自光宗後期至景宗的公文或金石文越來越偏於駢文之現象，表明了歸化人及以之爲背景的五代文學對高麗文學之影響。

歸化文人並不是光宗時初次出現的，而是在太祖初期已存在了。他們到了這個時期才發揮作用的原由，是因爲在太祖時期，有一批不亞於歸化文人的，文筆流暢且公文寫作能力出衆的崔仁統等渡唐留學生的存在，使歸化人只能跟隨使行，而不能從正面露出他們的頭角來。

可是，當時的光宗極力優待歸化人，使他們能處於領導文風的地位。不過，雖這種政策遭到了崔承老等文人的強烈反對，其後還是繼續推行下去了。這由穆宗時勸周佇歸化重用及帶有五代文風之宋初士士（進士及第者）的繼續歸化可知，唯美主義文學在這期間是持續下去的。

但是過了成宗和文宗時期，與宋朝建立了文化關係以後，開始積極接受宋朝的古文和蘇東坡的文學及宋朝儒學等，由這些交流，對過去的文學也作了反省。自文宗二十二年起，對科擧及第的人也不予承認他們的合格，愼重地要對他們重新考核。

盡管如此，自高麗初扎下根的這種傳統，雖受到部分文人的批評且存在著矛盾，但至少至武臣亂止也沒有被克服，而且這博統與此後出現的新文學方相結合後，形成了各種文風。比如，自睿仁年間出現的兩位文豪鄭知常和金富軾的完全不同之文學傾向中，可看出高麗初期文風的背景來。

【附　註】

（註一）徐兢，《高麗圖經》卷四〇，同文儒學條.

（註二）李鍾文，〈高麗前期之文風與金富軾之文學〉《漢文學研究》第二集，啓明漢文學研究會，一九八四），pp.一三—一四。

（註三）李慧淳，〈論新羅末賓貢諸子詩〉，（《韓國漢文學研究》第七集，韓國漢文學研究會，一九八四），pp.一—二九。

（註四）《全唐文》（台灣大通書局）一九，p.一七九〇。

（註五）《東文選》卷六十四，崔致遠，〈西川羅城圖記〉。

（註六）《韓國史》四（國史編纂委員會，一九八四，漢城探究堂），p.三三一。

（註七）崔瀣，〈送奉使李中文還朝序〉，《拙藁千百》卷六二。

（註八）李穡，〈賀竹溪安氏三子登科詩序〉，《牧隱文稿》卷八。

（註九）《高麗史。世家》卷二，光宗贊。

（註一〇）〈文獻公伝〉，再引用於李種文的〈高麗前期之文風與金富軾之文學〉，p.一五。

（註一一）崔滋，《補閑集》卷上：「…學士雙冀典試春闈，亦以玄鶴呈祥爲試題。」

（註一二）陳柱，《中國散文史》（臺灣商務印書館，一九八〇），p.二三一。

（註一三）王士禎，《五代詩話》（廣益書局刊本），pp.一一—一二。

（註一四）《高麗史．世家》卷二　太祖十六年條。

（註一五）《高麗史．世家》卷二　惠宗二年條。

（註一六）《東文選》卷二三，定宗，〈褒獎王式廉詔〉。
（註一七）《東文選》卷二五，王融，〈新羅王金傅加尚父都省令官誥教書〉。
（註一八）《朝鮮金石總覽》上（朝鮮總督府，大正8年，亞細亞文化社影印本），p．一八二。
（註一九）《朝鮮金石總覽》上，pp．一七〇—一七一。
（註二〇）《朝鮮金石總覽》上，pp．一四四。
（註二一）《朝鮮金石總覽》上，p．一九〇。
（註二二）《朝鮮金石總覽》上，p．一九七。
（註二三）《朝鮮金石總覽》上，p．二〇八。

退溪詩的兩個詞彙特性

中正大學 竺家寧

李退溪先生（一五〇一—一五七〇）不止是一位理學大師（註一），也是一位傑出的文學家，特別是他的詩，在《陶山全書》（註二）中占了很大的比例，無論是量上或質上，都獲得很高的評價。退溪詩在《陶山全書》中，分見於〈內集〉、〈續內集〉、〈外集〉、〈別集〉、〈續集〉、〈遺集〉各部分，總數達十二卷之多。退溪平日往往以詩自娛，與朋友交往亦以詩爲中介。通常理學家是很少寫詩的，像退溪先生既爲理學大師，亦爲出色之詩人，在傳統的學術界裏，顯得相當特出。研究退溪詩的論文多半由文學的角度著眼（註三），本文則嘗試由詞彙性上作分析，藉以了解退溪詩的特色與風格。由於篇幅的限制，本文取材範圍只限於〈內集〉第一卷，舉一反三，由此亦可大略窺知其餘。以下提出疊字詞和數目詞討論：

一、疊字詞的運用

疊字詞古人稱爲「重言」，起源很早，多見於民謠歌曲中。《詩經》中就普遍的運用疊字詞，來強化其韻律感。例如：

悠悠我思（〈邶風·終風〉、〈鄭風·子衿〉，〈秦風·渭陽〉）

四牡騤騤（〈小雅·采薇〉、〈六月〉、〈大雅·桑柔〉、〈烝民〉）

濟濟多士（〈大雅·文王〉、〈周頌·清廟〉、〈魯頌·泮水〉）

悠悠蒼天（〈王風·黍離〉、〈唐風·鴇羽〉）

佩玉將將（〈鄭風·有女同車〉、〈秦風·終南〉）

勞心忉忉（〈齊風·甫田〉、〈檜風·羔裘〉）

四牡騑騑（〈小雅·四牡〉、〈車舝〉）

翩翩者鵻（〈小雅·四牡〉、〈南有嘉魚〉）

旂旐央央（〈小雅·出車〉、〈采芑〉）

汎汎楊舟（〈小雅·菁菁者莪〉、〈采菽〉）

戰戰兢兢（〈小雅·小旻〉、〈小宛〉）

小心翼翼（〈大雅·大明〉、〈烝民〉）

不但《詩經》如此，《楚辭》也十分普遍，例如〈離騷〉中：

「余固知謇謇之爲患兮，忍而不能舍也。」

「高余冠之岌岌兮，長余佩之陸離。」

「佩繽紛其繁飾兮，芳菲菲其彌章。」

「攬茹蕙以掩涕兮，霑余襟之浪浪。」

又如〈九辯〉：

「鴈廱廱而南遊兮，鵾雞啁哳而悲鳴。」

「時亹亹而過中兮，蹇淹留而無成。」

「私自憐兮何極？心怦怦兮諒直。」

「去白日之昭昭兮，襲長夜之悠悠。」

又如「古詩十九首」中：

「青青河畔草，鬱鬱園中柳。盈盈樓上女，皎皎當窗牖。娥娥紅粉妝，纖纖出素手。……」

至於宋詞、元曲中，運用疊字詞更是普遍。

退溪先生在詩歌創作上承襲了這個傳統，並大量運用，使疊字詞成爲他詩歌語言的特色之一。下面我們把退溪詩〈內集〉第一卷中所用的疊字詞作一分類。

㈠疊字詞作主語

鄉書十數紙。字字親舊筆（〈歲季得鄉書書懷〉p37）

悠悠不成寐，耿耿照書燭（〈早秋夜坐〉p39）

區區反爲龍所貪，一片誤落金沙淵（〈酒泉縣〉p41）

脈脈如有懷，迢迢竟不言（〈當軒綠叢花〉p 45）
淒淒切切如相促，不惟懶婦壯士驚（〈夜起有感〉p 48）
丁丁落遠揚，豁豁去薉蕪（〈剪開檻外樹作〉p 48）
夜夜虹貫巖（〈古意〉p 55）
梢梢埋沒太無端，枝枝壓重皆欲折（〈雪竹歌〉p 56）
區區未免俗（〈和陶集飲酒〉p 63）
咄咄如吾生（同上p 64）

㈡疊字詞爲修飾語，修飾上面的詞

朝行過洛水，洛水何漫漫（〈過吉先生閭〉p 36）
午憩望鼇山，鼇山鬱盤盤（同上）
龍淵雲氣曉淒淒，鶻岫摩空白日低（〈山川形勝〉p 37）
殘夢續鞍身丌丌，游光連海月痕痕（〈泰安曉行憶景明兄〉p 40）
泝洄同上木蘭船，往事茫茫知幾年（〈舟上示宋台叟〉p 45）
我昔南遊訪梅村，風煙日日銷吟魂（〈湖堂梅花〉p 46）
奔雲陣陣度簷楹，雨過長江一半明（〈七月望日狎鷗亭即事〉四首p 47）
江中風起雨冥冥，葉上青蛙止復鳴（同上）

趍庭西海路漫漫，約在中秋月正團（〈登狎鷗亭後岡憶吉元〉p47）

鍊石區區憂莫補（〈大雷雨行〉p48）

洪流湯湯漂下土（同上）

星槎迢迢上銀漢（〈奉贈圭庵宋眉叟〉p48）

抱珠歸卧月冥冥（〈月明潭〉p51）

清遊步步皆仙賞（〈寒粟潭〉p51）

中流屹屹勢爭雄（〈景巖〉p51）

溪流曲曲抱山清（〈高世台〉p51）

踏青幽徑草茸茸（〈踏青登霞山〉p51）

萬樹欲花春漠漠（同上）

白石層層疊素氈（〈仙巖〉P58）

煙雲杳靄幾重重（〈國望峰〉p60）

遷辰不待醉丌丌，去故何曾戀碌碌（〈郡齋移竹〉p61）

抽枝展葉漸猗猗，脫綳行鞭更續續（同上）

游空垣泛泛，含雨亦依依（〈和陶集飲酒〉p63）

當其乍醺醺，浩氣兩間塞（同上p65）

遠壑依依雲羃羃，輕風拂拂雨紛紛（〈六月七日作〉p65）

㈢疊字詞爲修飾語，修飾下面的詞

自從神勸回旋後，東海春融萬萬年（〈威化島〉p38）

蕭蕭晚雨霽，決決小溪響（〈秋日南樓晚霽〉p40）

此地乖逢又此行，紛紛離合況平生（〈原州憑虛樓〉p41）

千重眉黛依依列，一道冰紈湛湛寒（〈九日獨登書堂後翠微〉p45）

下有區區斥鷃輩，搶榆控地皆眞樂（〈送金厚之〉p45）

兩兩漁舟依別岸，晚來收釣入柴荆（〈七月望日狎鷗亭即事〉四首p47）

漠漠炊煙生，蕭蕭原野冷（〈晚步〉p47）

仡仡騷壇兩老臣（〈送林士遂〉p49）

更著中間白白雲（〈白雲洞〉p51）

嚶嚶禽鳥自相和，矻矻人生各有營（〈雨晴述懷〉p53）

下有清清水，上有白白雲（〈淩雲台〉p54）

溫溫荆山玉（〈古意〉p55）

杲杲太陽頭上臨（〈雪竹歌〉p56）

浩浩春泥一望間（〈馬上次閔景說韻〉p57）

但令日日陪幽賞（〈伏聞重新愛日堂〉p59）

漠漠煙雲生（〈國望峰〉p60）

世人區區鶴又州（〈郡齋移竹〉p61）

洒洒仙風襲客衣，陰陰山木怪禽飛（〈池方寺瀑布〉p62）

浪浪夜雨聲（〈寒栖雨後書事〉p63）

滔滔汨末流（〈和陶集飲酒〉p63）

區區口體間（同上p64）

悄悄幽居情（同上）

迢迢隔塵響，浩浩綿川塗（同上）

滔滔曠安宅（同上p65）

矯矯鄭烏川（同上）

蕭蕭草蓋屋，上雨而旁風（同上）

時時挾冊來（〈偶讀宋濳溪靜寶詩〉p65）

但令日日參高座（〈聚勝亭韻奉別洪公〉p38）

括號內之頁數爲退溪學研究院出版之《陶山全書》第一冊之頁數。由這些例子可知退溪詩對疊字詞的偏好，同時，詩中大部分疊字詞是作修飾語用的，只有少數作爲主語用。（註四）

二、數目詞的運用

喜歡用數目詞入詩，是退溪先生的另一特色。數目詞在《詩經》中很少見，例如：

誰謂河廣，一葦杭之（〈衛風·河廣〉）

有美一人（〈鄭風·野有蔓草〉，〈陳風·澤陂〉）

二三其德（〈衛風氓〉，〈小雅·白華〉）

一日不見，如三月兮（〈王風·采葛〉，〈鄭風·子衿〉）

四方既平（〈大雅·江漢〉、〈常武〉）

四牡彭彭（〈小雅·北山〉，〈大雅·烝民〉）

六轡在手（〈秦風·駟驖〉、〈小戎〉）

六轡沃若（〈小雅·皇皇者華〉）

八鸞鏘鏘（〈大雅·烝民〉、〈韓奕〉）

凡百君子（〈小雅·雨無正〉、〈巷伯〉）

其車三千（〈小雅·采芑〉）

萬億及秭（〈周頌·載芟〉）

唐代駱賓王是以數字入詩賦最著名的一位，例如其〈討武后檄〉：「一抔之土未乾，六尺之孤安在」，又如其〈帝京篇〉：

「秦塞重關一百二，漢家離宮三十六。」

「三條九陌麗城隈，萬戶千門平旦開。」

「且論三萬六千是，寧知四十九年非。」

退溪用數字之多，遠過於駱賓王。下面也以〈內集〉第一卷爲例，舉出他運用數字的詩句：

千載釣台風（〈過吉先生閭〉p36）

橫空飛雨一時變，入眼長江萬古流（〈矗石樓〉p36）

京洛風塵一夢悠（〈與驪州牧李公純〉p36）

樓閣晴生六月秋（同上）

萬竿修竹臨池岸（〈臨風樓〉p36）

清晨無一事（〈感春〉p36）

三年京洛春（同上）

紅雲北闕三千里，白髮高堂十二時（〈雨留新蕃縣〉p37）

鄉書十數紙（〈歲季得卿書書懷〉p37）

一聲羌笛戍樓間（〈鴨綠天塹〉p37）

東海春融萬萬年（〈威化島〉p38）

一尊堪勸故人留（〈聚勝亭〉p38）
微姦百計欺疏網（〈斷渡〉p38）
恰把亭名二字題（〈平壤練光亭〉p38）
蟲鳴在四壁（〈早秋夜坐〉p39）
秋入梧桐撼一年（〈書堂次金應霖〉p39）
興遶江東一鴈橫（〈夕霽舟上〉p39）
苦篁撑一節，高拍抗千鈞（〈玉堂春雪〉p39）
湖嶺相望隔千里（〈泰安曉行〉p40）
一枕邯鄲久未醒（〈宿清風寒碧樓〉p40）
莫令拜棄艾三年（〈鎭川東軒〉p40）
一鄉會餞簪纓簇，二品辭歸齒德尊（〈吾鄉李參判先生〉p40）
萬世經營槐空夢，一時感慨菊花罇（〈與諸君同登狎鷗亭後岡〉p41）
上界有謫一念差，赫然下命六丁遷（〈酒泉縣〉p41）
不獨山南第一峰（〈奉酬聾巖李先生〉p44）
豪吟百首凌雲氣（〈題林士遂關西行錄〉p44）
仲由自可輕千乘（〈舟上示宋台叟〉p45）

陶然成一醉（〈九日獨登書堂後翠微〉p45）
故鄉千峀外（同上）
千重眉黛依依列，一道冰紈湛湛寒（同上）
一言道合欣相得（〈送金厚之修撰〉p45）
九萬搏風竟奚適（同上）
風雲感激偶一時（同上p46）
海山千里君先去（同上）
我詩酬贈千金帚（同上）
倚伏冥茫隔九閽（〈次韻答金應霖〉p46）
世事都無一句論（同上）
林子兼將百步威（同上）
邂逅相看一笑溫（〈湖堂梅花〉p46）
千載一笑孤山園（同上）
月下攀條傾一罇（同上）
一枕歸夢驚殘夜（〈湖堂曉起〉p47）
朝來百囀林下鳥（同上）

雨過長江一半明（〈七月望日狎鷗亭即事〉p47）
一時酣寢浪花間（同上）
兩兩漁舟依別岸（同上）
未露四圍青黛色，唯看千頃白銀鎔（同上）
十年國恩重於山，一生多病終無成（〈夜起有感〉p48）
白練一道澄江平（同上）
穿城半夜縱千牛（〈大雷雨行〉p48）
斯須一眼盡如掃（同上）
一闔一闢恣披拂（同上）
一笑臨風大江滸（同上）
萬象爭獻捧（〈剪開檻外樹作〉p48）
不怨賢勞馳四方，湖陰筆力扛九鼎（〈奉贈圭庵宋眉叟〉p48）
西望萬里關河長（同上p49）
謬蒙索贈一篇詩（同上）
一時從事盡豪英（〈送林士遂〉p49）
一笑先衝萬馬塵（同上）

海東雙鳥起千秋（同上）
血指應難據一頭（同上）
望湖堂下一株梅（〈望湖堂尋梅〉p49）
千里歸程難與負（同上）
一醉同君抵日頹（〈再用前韻答景說〉p49）
細雨東郊酒一罇（〈兜觀院〉p49）
十五年前此讀書（〈寓月瀾僧舍〉p49）
狂奔幸脫千重險，靜退纔嘗一味閑（〈以事當還都〉p49）
何須苦讀五車書（〈孟夏廿五日入龍壽寺〉p50）
陪遊三逕往來頻（〈聾巖先生愛日堂〉p50）
慰我如病鶴，一言意太足（〈士遂寄詩次韻〉p50）
我今百無用（同上）
見君十洲中（同上）
萬卷生涯欣有托，一犂心事歎猶求（〈東巖言志〉p50）
壁立千尋跨玉灣（〈孤山〉p50）
欲問琴孫置一庵（〈日洞〉p50）

十日愁霖今可霽（〈月明潭〉p51）
激水千年詎有窮（〈景巖〉p51）
州年風月負塵寰（〈彌川長潭〉p51）
藏砂千仞玉爲函（〈丹砂壁〉p51）
茅屋中藏萬卷書（〈川沙村〉p51）
百匝雲山一水迴（〈葛仙台〉p51）
萬樹欲花春漠漠，一山將暮翠重重（〈踏青登霞山〉p51）
窈窕一溪回（〈清吟石〉p53）
詎識林中萬古心（〈和西林院〉p53）
寂寞海東千載後（同上）
孟夏恢台一氣亨，山林百物爭流形（〈雨晴述懷〉p53）
丁壯驅牛出四野（同上）
天開一片燭幽鑑（同上）
一川風月要人看，萬古青山依舊青（同上）
百霆猶力排（〈凝思台〉p54）
一眼盡山川（〈朗詠台〉p54）

旬有五乃還（〈御風台〉p 54）
嗟哉聞百人（同上）
登臨萬象分（〈凌雲台〉p 54）
一泓湛寒碧（〈石潭曲〉p 54）
安知萬斛砂，中藏天秘戒（〈丹砂曲〉p 54）
一櫂賡歌九曲聲（〈閑居讀武夷志〉p 54）
我從一曲覓漁船（同上）
一自眞儒吟賞後（同上）
二曲仙娥化碧峰（同上）
閶闔雲深一萬重（同上）
三曲懸崖插巨船（同上）
萬劫空煩鬼護憐（同上）
四曲仙機靜夜巖（同上）
當年五曲八山深（同上p 55）
六曲回環碧玉灣（同上）
七曲檣篙又一灘（同上）

八曲雲屏護水開，飄然一棹任旋洄（同上）
九曲山開只曠然（同上）
抱哭何氏子三獻，不避刑斲爲萬乘（〈古意〉p55）
一色山川玉界寒（〈玉堂宣醞後出書堂馬上作〉p55）
箇裏群仙多一念（同上）
三餘蓬觀裏，萬卷碧窗間（〈次韻景說景霖〉二首p56）
漢陽城中三日雪（〈雪竹歌〉p56）
最憐中有一兩竿，高拔千尋猶抗節（同上）
北風怒起萬木號，黝雲四合如翻濤（〈冬日甚雨〉p56）
直恐渺漫百川溢，已覺橫流千瀆豪（同上）
滕六赑屭陰機挑（同上）
萬境合沓同周遭（同上）
千尺藏蝗那肆饕（同上）
一貫微音契聖神（《史記·子貢傳》p56）
不似韓彭一網塵（《史記·張良傳》p56）
白璧中藏一斛塵（《晉史·潘岳傳》p57）

白墮不傳千日法，烏程安得十分濃（〈樂山南景霖在書堂〉p57）
十載沈痾愧素餐（〈赴丹山書堂〉p57）
團倚闌干睡一場，依然夢到五雲鄉（〈洛生驛樓〉p57）
一言未可許眞剛（同上）
浩浩春泥一望間（〈馬上次閔景說韻〉p57）
一麾出守愧疏慵（〈買浦倉賑給〉p58）
十室不堪星在罶（同上）
萬古不隨波浪去（〈島潭〉p58）
一棹扁舟放碧瀾，橫穿三島鏡光寒（同上）
台下寒開一鑑天（〈仙巖〉p58）
萬事一敝屣（〈三樂樓〉p58）
三樂如得樂，此外吾何知（同上）
峽坼雲霾遇一灘（〈花灘〉p59）
一任仙蓬雨打寒（同上）
一杯未盡日穿蓬（〈舟中〉p59）
鬼列千形山露骨（〈龜潭〉p59）

仙游萬仞鶴盤風（同上）
靈境依然九曲同（同上）
曾參可不悲三釜，疏廣元非傲萬鍾（〈伏聞重新愛日堂〉p59）
我是疏愚一病人（〈答周景遊〉p59）
難窺斯道曠千春（同上）
一源誰挹掬（〈石崙寺〉p59）
四十九年非，知之莫再卜（同上）
天際遙瞻一抹痕（〈國望峰〉p60）
豪士空憇百尺樓（〈答尙牧金季珍〉p60）
一朝振翮出雲外（〈郡齋有懷〉p61）
國望峰頭望回海（同上）
惟見塵埃千丈紅（同上）
一日不可無此君（〈郡齋移竹〉p61）
坐令百卉來匍匐（同上）
我從承明一麾出（同上）
故山三載辭麋鹿（同上）

眼看十十復五五（同上）
瓶罐攜泉忙一僕（同上）
千尋強寫笑文同，萬夫錯比嗤杜牧（同上）
荒哉酒放林下七，邈矣詩豪溪上六（同上）
千載回翔此棲宿（同上）
一篇淇隩湔心讀（同上）
鬼役天成萬古樓，風雲一任洗新秋（〈浮石寺〉p61）
四序孰居無事者（〈八月十五日夜吟〉p61）
十月中宵風亂鳴（〈十月十日夜大雷雨〉p62）
風勢如奔百萬兵（〈十一日曉地震〉p62）
病卧山中九十春（〈拜聾巖先生〉p62）
心事一書牀（〈溪居雜興〉p63）
圖書盈四壁（〈寒栖雨後書事〉p63）
望望三益友，來從三徑讀（同上）
我生五十年，今有半成宅（〈和陶集〉p63）
千言難剖析（同上）

獨酌一杯酒（同上）

薰風鼓萬物（〈和陶集飲酒〉p63）

前有百千世，後有億萬年（同上）

愛喧固不可，愛靜亦一偏（同上p64）

四山花繁英（同上）

寧聞有石人，百歲苦易傾（同上）

東方有一士（同上）

蹙蹙顧四方（同上）

空知五車書（同上）

片言釋千誣，一誠消百欺（同上）

我思千載人（同上）

藏修一庵晦，著書萬古醒（同上）

苟未及唯一，何異誇聞百（同上p65）

儒者誦六經（同上）

四時調玉燭，萬物各止止（同上）

安得酒如海，喚起九原人（同上）

退溪所寫的詩，很少見到不用數字的，特別是「一」字，在其詩集中，觸目皆是，好用「一」字可說是退溪的一大特色。有些詩用數字的句子還不止一兩處，由上面的例子可以發現，有時一首詩夾雜數目字的竟達七、八句以上，這在漢詩傳統上是十分罕見的。

數字出現的位置，以句首最普遍，其次是七言詩的第五字，和五言詩的第三字。出現在句末和第二字的最少。在詞性方面，絕大部分的數字都是當修飾語用，只有極少數例子作名詞用，如p65的「苟未及唯一，何異誇聞百」、p61的「荒哉酒放林下七，邈矣詩豪溪上六」。

由於篇幅的限制，只能提出這兩點談談，其他的詞彙特性只有另外撰文討論了。

【附　註】

(註　一) 李滉，號退溪，傳孔孟程朱之道，被尊爲「朝鮮之朱子」，著有《朱子書節要》。

(註　二) 即《退溪先生全書》，共66卷，另有外集、別集、續集、遺集。其中詩占5卷，其他各集中詩占7卷。

(註　三) 退溪學國際學術會議已召開十一次，前十次共發表論文392篇，其中文學類有60篇，詩歌就佔了27篇。此外包含哲學、史學、教育、政治、經濟、社會、禮學、生平、學派、宗教各方面的研究論文，唯獨缺語言類。

(註　四) 這是按疊字詞在句中的功能分，若依疊字詞的結構分，也可分作衍聲（如丁丁落遠揚）和合義（如夜夜虹貫巖）兩類，前者數量較少。